新潮文庫

パプリカ

筒井康隆著

新潮社版

7017

目次

パプリカ

第一部

1

時田浩作《こうさく》が理事室に入ってきた。彼の体重は百キロ以上あった。理事室の中が暑苦しくなった。

財団法人・精神医学研究所の理事室に常駐している理事は、時田浩作と千葉敦子《あつこ》のふたりだけだった。机は五つ置かれていた。ふたりの机は奥の窓際《まどぎわ》に並んでいた。理事室は、職員室とつながっていた。境のガラス戸はいつも開け放されたままだったので、理事室はまるで職員室の一部のように見えた。

所内の売店で買ってきたサンドウィッチとコーヒーを、千葉敦子は自分の机の上にひろげたままだった。食欲がなかった。長いあいだ同じ昼食が続いていた。所内には入院患者と職員が共用する食堂もあったが、出される定食は身の毛のよだつまずさだった。食欲がないため肥《ふと》らずにすみ、毎日のようにテレビ局から出演依頼のくる美しさが損なわれることがないのはさいわいと言えたが、あいにく治療に利用する以外は自分の美しさにも、テレビ局にも彼女は関心がない。

「伝染性の分裂病だというので職員たちに恐慌《きょうこう》が起っているよ」時田が巨体を敦子の隣りにおろしながら言った。職員のひとりが関係妄想にとりつかれたのだった。「スキャナーやリフレクターにさわるのを、みんないやがってる」

「困ったわね」敦子自身、そんな経験なら何度もしていたし、昔から精神病医は分裂病に罹《かか》ることを恐れるものと決まっていた。ヘルペスみたいに粘膜を通して伝染するのかもしれないと口走る医師までいた。精神内部を走査し観察するスキャナーやリフレクターなどのサイコセラピー機器が使用されはじめて以来、その恐怖はますます現実味を帯びたものになっていた。「患者との同一化を嫌ったり『転嫁《てんか》』したりする職員ほどかえってそうなるんです。そんな体験をすることでかえってセラピストとしての自己治療になるのに」

「転嫁」とは、治療者が患者と人間的な絆《きずな》を結べない時、それを相手の精神病のせいにしてしまうことで、それがほんの二十年前までの分裂病診断の基礎だったのだ。

「また、きんぴら牛蒡《ごぼう》と鶏《とり》の幽庵《ゆうあん》焼《や》きか」母親が作った弁当の蓋《ふた》をあけて、時田は不満げに分厚い下唇を突き出した。時田は所員用マンションに母親とふたりで住んでいた。

「食う気がしないなあ」

時田の大きな弁当箱の中を見て敦子の食欲が触発された。海苔《のり》弁当に違いなかった。

弁当箱の底に飯を薄く敷き、その上に醤油《しょうゆ》をしみこませた海苔を一枚敷き、さらにその上に薄く飯を敷くという手順を何度かくり返した昔なつかしいあの海苔弁当なのだった。その弁当箱の中には敦子の恋い焦《こ》がれる家庭的な味覚、母親の味がぎっしり詰まっているように思えた。もともと彼女は少食ではなかったのだ。敦子は飢餓さえ自覚した。

「じゃ、わたしが食べてあげます」決然としてそう言い、言う前に敦子は手をのばしていた。

時田の反応も早かった。敦子の手の上から弁当箱を押さえこんだ。「いいよ」

「欲しくないって言ったでしょ」竹で編んだ時田の大きな弁当箱を横から両手で鷲《わし》づかみにした。

指さきの力には自信があった。敦子は弁当箱をむしり取ろうとした。

この弁当以外に時田の食欲と味覚を満足させられる食べものは所内になかった。彼もけんめいだった。「いいったら」

「おやおや」所長の島寅太郎《とらたろう》が顔をしかめ、ふたりの前に立っていた。「ノーベル医学生理学賞候補ナンバー・ワンのおふたりが、お弁当の取りあいですか」いくぶん悲しげに彼はそう言った。

島寅太郎は所長室のデスクを離れ、職員室をうろうろ歩きまわって誰かれなしに話しかける癖があった。うしろから突然声をかけられてとびあがる職員もあり、心臓に悪いというので評判が悪かった。

歪《ゆが》めた口で厭味《いやみ》たっぷりに所長からそう言われても、ふたりは弁当箱から手を離さず、無言で揉《も》みあい続けた。島はしばらくのあいだ、非常に憂《うれ》わしげにその様子を眺めてから、天才に子供っぽさがつきものであることを思い出したという納得した表情で、小さく二、三度うなずいた。

「千葉さん。あとでちょっと所長室へ来てください」つぶやくようにそう言いながら島所長はうしろ手をして丸めた背中を見せ、いつものようにぶらぶらと職員室の中を歩きまわりはじめた。

「しかし、治療者ともあろうものが、患者と似たような妄想観念を持つのはよくないんじゃないかな」しかたなく弁当の半分を蓋にとりわけながら時田浩作は言った。「津村君は患者の超越論的な自立の試みを、経験的な自立の試みだと誤解したんだ。患者の家族がよく、患者と似た妄想観念を持つが、あれと同じだよ」

それだと尚《なお》さら危険だった。それは患者の眼に一種の欺瞞《ぎまん》として映っているに違いなかったからだ。患者が自分に理解を示す家族に対して欺瞞を感じるのと同じだった。津村という職員を分析しなければ、と、敦子は思った。

理事室には食事に戻るだけだった。診療室に隣接した敦子の研究室はまるでコックピットのようにP　T《サイコセラピー》機器が置かれている上に常駐する助手、ひっきりなしに出入りする助手などの存在で落ちつけなかった。時田浩作の研究室も同じような状態であることは確かだった。

研究室に戻る途中、廊下へのドアを開け放したままの総合診療室の中で四、五人の職員が津村という職員を取り囲み、何やら大声で騒いでいるのが窺《うかが》えた。時田が「恐慌」と表現したのがこのことなのだろうと敦子は思った。職員たちの様子はたしかに恐慌を来《きた》しているとしか言いようがなかった。津村はナチス式の敬礼のように右腕をななめ上にさしあげたままであり、彼を取り囲んで口論している職員たちの中にも腕をさしあげている者がいた。あんな騒ぎになる筈《はず》がないと敦子は確信し、人為的なものを感じた。

研究室では柿本信枝《かきもとのぶえ》という若い助手が頭部にヘルメット状のコレクターを被《かぶ》り、ディスプレイの画面を覗《のぞ》きこんで、隣りの診療室で寝ている患者の夢をモニターしていた。敦子が入ってきたことにも気づかず、眼がうつろだった。

敦子はいそいで画面をストップさせ、バック・スキップのボタンを二、三度押した。画面の突然の消去は彼女が患者の無意識の中に取り残されるおそれがあり、危険だった。画面は患者が見ていた夢をさかのぼりはじめた。

「あら」自分に戻り、柿本信枝は少しあわててコレクターを脱いだ。敦子に気がつき、彼女は立ちあがった。「お帰りなさい」

「危ないところだったのよ。わかってるの」

「すみません」患者の夢にのめりこんだ自覚がないようだった。「客観的に見ていたつもりだったのですが」

「いいえ。逆侵略されていたわ。夢の検索に長時間コレクターを被るのは危険なのよ。言っといたでしょ」

「はあ」不満げに、信枝はうわ眼で敦子を見た。

敦子は声を出して笑った。「あなた、わたしの真似《まね》をしたんでしょう。ちょっと半睡眠の状態になったりして」

隣りの自席に戻って非常に不本意げにリフレクターのモニターだけを見ながら、柿本信枝は悲しそうに言った。「先生にできるのに、どうしてわたしにできないんですか。訓練不足だからでしょうか」

真相は決定的に、柿本信枝の精神力の弱さにあった。セラピストになれる程度の精神力はあっても、患者の夢を共時体験したりその無意識へ感情移入したりすることに向かず、そんなことをしたりすれば患者の無意識の中に捕えられたまま現実に戻ってくることができなくなる者もいるのだった。

「そうかもね。とにかく気をつけて頂戴《ちょうだい》。津村君なんか、そのリフレクター見てるだけで患者の関係妄想に影響受けたのよ。聞いたでしょ」

「ええ」

隣室の患者は六十歳前後の男性で、数十年前の都心部と思える繁華街の夢を見ていた。

事実はどうだったのだろう。患者の夢に見られているその繁華街は猥雑《わいざつ》で、潤《うるお》いがなく、荒廃していた。コレクターによって患者に感情移入すれば、その繁華街は極めて居心地のよい、好ましい場所であるに相違なく、むしろ清純さにつながる彼の青春時代のエロチックな願望に結びついているのかもしれなかった。あるいはまたその風景は、患者が社会と親しい関係にあった過去にさかのぼり、世の中とのつながりをとり戻そうと努力しているあらわれなのかもしれなかった。

津村君を呼んできて、と、柿本信枝に言おうとした時、小山内《おさない》守雄という若い職員が入ってきた。美貌《びぼう》であり、博士号もとっている未婚の医学者だから所内の女性職員の噂《うわさ》の的だったが、研究そっちのけで政治的に行動するため評判はよくなかった。柿本信枝もこの小山内を嫌っているようだった。

「千葉先生。津村君のことですが、やはり彼自身の問題というより、リフレクターに原因があるんじゃないんでしょうか」

「勿論《もちろん》そうです。リフレクターをいじらなければ津村さんがああならなかったことはたしかなことですからね」

「はあはあ。つまり、リフレクターをいじっても患者の関係妄想に影響されないセラピストもいると」あんたの反論くらいは予想できているのだと言いたげに、小山内は笑みを浮かべてうなずいた。

「わかってるのなら言うことないでしょ」敦子をほとんど信仰している信枝が吐き捨てるように言った。

低水準の議論はしたくなかった。敦子はわざと嚙《か》んで含めるように言った。「この研究所の、現在やっている研究の原則を忘れないでね」

「PT機器の開発。それはよおくわかってるんですがね。ぼくは分裂病の患者の無意識をイメージとして観察した場合の実際の効果についてお話ししているんです」信枝などまったく無視し、小山内は敦子を真似てわざとらしくゆっくりと言った。「分裂病の患者は神経症の患者みたいに無意識を偽装させているんじゃなくて、すでに無意識をそのまま声高に語ったり、そのまま演じたりしているわけです。さらにその上その無意識を覗くことに何か重大な意味があるとは思えないんですがね」

「でもその無意識は、分裂病患者の無意識なの。だからシニフィアンとシニフィエとの異常な結びつきかたを調べなきゃならないでしょうが。あなたの言うように患者は無意識をそのまま喋《しゃべ》っているわけだから、そのことばがどんな意味と結びついているのか、それはやっぱり無意識を覗かなきゃわからないでしょう」

敦子は馬鹿馬鹿《ばかばか》しくなってきた。小山内は自分の言うべきことを喋ってしまったあと、敦子の言うことなどまるで聞いていないという風を装《よそお》ってにやにや笑いながら窓の外を眺めていた。窓の外には数百坪の芝生があり、その彼方《かなた》には研究所の塀を隠すための木立、さらにその彼方には都心部の高層ビルが林立している。

「ま、それは千葉さんの理論であって」そんな理論など認めないというように小山内が言った。

「ちょっと待ってよ」敦子は怒りをこらえて言った。怒りをこらえることは優秀なサイコセラピストでもある敦子の自己訓練によるものだった。「ただの理論じゃなく、理論の基礎です。しかも実証され、認められている理論です。なぜ今ごろあなたにこんなこと講義してあげなければならないのかわたしにはわからないわ。もういいから、津村君をつれてきて頂戴。わたしが治療します」

小山内が真顔になった。辛辣《しんらつ》なことばの応酬で敦子にかなう者はいないということを思い出したようだった。「いやいや。千葉さんをわずらわせるほどの重症じゃありません。津村はぼくや橋本がなおします。友人ですから」

小山内はそそくさと出ていった。分裂病の伝染などという噂を広めた元凶は小山内に違いないと敦子は思った。ただ、リフレクターの危険性を、退けられるとわかっていながら今さらのように敦子のところにまで言い触らしにくる彼の意図が敦子には不明だった。

「なおすだけでは駄目なんだけどなあ」敦子はつぶやいた。「津村君をいちどじっくり分析してみないと」

「あのひと、津村君が先生に簡単になおされてしまったり、分析されたりするのをひどく恐れているみたいでしたね」柿本信枝がそう言った。

2

島寅太郎は所長室のデスクから立ちあがり千葉敦子を応接セットの肱掛椅子《ひじかけいす》にすわらせると、自分はそのななめ右隣り、ソファの隅にかけて、ほとんど身を横たえるような姿勢でくつろいだ。そのため島所長の顔は敦子の顔のすぐななめ下に位置することとなり、顔をあげさえすれば間近から敦子の美しい顔を鑑賞することができるのだった。島寅太郎は自分が千葉敦子の讃美者《さんびしゃ》であることを隠そうとしなかった。

「小山内君が来ましたろう」

「あら。彼、ここへも来たんですか」じゃ、わたしのところへ来るよりも早くここへ来たんだわ、と、敦子は思った。

「研究所内の研究者すべてがあなたの理論に従い、あなたがノーベル賞をとるための手伝いをすることはない筈だなんていきまいてましたよ」笑いながら島所長は言った。

「やっぱり津村さんのことで来たんですね。ＰＴ機器への疑問、ながながとやりませんでした」

「いくら反対したって、それで回復した患者がいるんだからどうしようもあるまいに」島寅太郎はちょっと眉根《まゆね》に皺《しわ》を寄せた。「実際に、寛解期にまでこぎつけた患者は半数に及ぶわけで、どこの病院でだって入院している分裂病患者の半数が回復期にあるなんてことは今までなら想像もできなかったことだ。そうでしょうが千葉先生。これはもうあなたの理論が正しいとしか思いようがない」

「ほとんどはPT機器を開発した時田先生の功績で、わたしはそれを利用しただけで。ああ。それから所長。寛解期の患者は現在、入院している分裂病患者の約三分の二になりました」

「ああ。そうでしたな。それはまあ結構なことなのだが」島所長はしぶい顔をした。「寛解期の患者というのは、なんで自分が入院している病院の院長にああいう具合に同一化する者が多いのですかね。中にはわしの真似を極めてグロテスクに、平板にやる者がいる。あれは見ていて実にいやな気持のものですな千葉さん」

「あれはいわゆる『粘土のような易傷期』という時期の患者で」敦子は大声で笑いながら言った。

「超越論的な自立をもとめているんですわ。たいていの医者や看護婦は患者に真似されています」

敦子の笑う様子をうっとりと眺めていた島寅太郎はふとわれにかえり、やや気づかわしげに質問した。「小山内君から不愉快なことを言われませんでしたか」

敦子は平然として嘘《うそ》をついた。「いいえ別に」

「彼はPT機器の使用が医者に及ぼす影響を何やら難しいことばで言っておりましたな。そんなことなら千葉さんに言ったらどうかと言ってやったんですがね。君には彼女に直接それを言う勇気があるかと言ってやると、では言いますと言って憤然として出て行きおりましたが、あなたに悪いことをしたかもしれんと思ってね。しかし何しろわたしは古いタイプの精神科医でね。最近の新しい理論にはついて行けんので、そう言うよりしかたがなかった」

「いいんですよそんなことは」千葉敦子は、立派ではあるが、現在世界中から注目されている研究所の所長室としてはやや貧弱な室内を見まわした。

所長室は渋く古風な造りで広く、三方の壁は書棚であり、古典的な精神医学の書物が並んでいた。クレペリンまでが原書で置かれていたが、最近の本はまったく見あたらなかった。少し本を入れ替えるべきではないのか、来客にあたえる印象を恐れ、敦子はそんな心配をした。

「あの小山内さんというひとは、何かたくらんでいるようです。気をつけてください」人の好《よ》い島寅太郎所長の地位を案じ、敦子は言った。「もちろん小山内さんひとりで何もできる筈はありません。黒幕がいて、失敗の既成事実を作らせようとしているんでしようけど」

「副理事長のことですか」思いがけず千葉敦子からそんな内輪のごたごたを指摘されたことにくすぐったさを感じたのか、財団法人の理事長でもある島寅太郎はちょっと身をよじった。「そういえば乾《いぬい》君が理事長の椅子を狙《ねら》っているという噂ですなあ」

噂ではなかった。乾が他の非常勤理事たちと会って何やら画策しているらしいことは島寅太郎の耳にも入っている筈だった。しかし島はそれを放置しているようであった。時田浩作は研究ひと筋であり、やきもきしているのは敦子ひとりのようだった。敵の多い研究所内で敦子や時田浩作が研究に集中できるのは島のおかげであり、何よりも敦子は島寅太郎の人柄をこの上なく愛していた。

「いやいや。そんなつまらんことであなたを呼んだわけではない」敦子の表情を誤解した島所長はあわてて身を起し、背すじをのばした。

ちっともつまらないことではないんだけれど。やや驚いて敦子は顔をあげた。眼と眼があって島は少し気おくれしたように口ごもった。どう切り出そうかと考えていた。言い出しにくい話のようだった。

とどのつまり、島寅太郎は立ちあがってデスクに戻った。敦子は微笑した。自分の言うことをどうしても相手に受け入れてもらいたい時にのみ、気の弱い島所長は権威のある大きな所長用デスクを利用し、その彼方からものを言うのだった。

「あなたの研究が今、いちばんだいじな時だということはよく承知しとります。だからこんなお願いが非常識であることは千万自覚の上でお願いするわけでして」島寅太郎はデスクの上を骨っぽい指さきでこすりながら言った。「実はその、パプリカの出動を要請したい」

「ああ」敦子は気落ちして嘆息した。島所長が何を言い出したにせよ、できる限りのことは相談に乗ってやろうと心に決めていたのだったが、やや冗談めかして切り出した彼の願いは今の彼女にとってとてもできそうにないことだった。「パプリカちゃんはもう、出動をやめたんですのよ」

「うん。知ってる。知ってる。もうやめてから五年、いや、六年になるかな。しかし今度だけはひとつ、曲げて再出動を願いたいんですがねえ。というのも、今度の患者というのが極めて社会的地位の高い人物なので、そこいら辺の精神科へ行かせるわけにはいかんのですよ」

「最近は重要人物でも皆さん平気で精神分析など、受けに行かれますけどね」

「そこが彼、ちょっと微妙な立場にあって、それが彼の不安神経症の発病のきっかけでもあるんだろうけど、彼の失敗を待ち望む者が大勢いる。彼というのは、ぼくの高校、大学を通じての親友だった能勢《のせ》龍夫という人物でしてね。今だってぼくのいちばん大切な友人なんだけど、年齢はぼくと同じで五十四歳。彼はある自動車メーカーの重役で、自社で開発した無公害車の実用化を推進しているんです。これに対して社内社外からの反撥《はんぱつ》が非常に多い。他のメーカーは言うに及ばず通産省からも睨《にら》まれているとか言っておりました。今ここで彼が神経症に罹《かか》っているなんて噂が広まったら、彼が直接設計したわけでもない車の性能までが疑われて、会社に大きな損害をあたえてしまうんです。もちろん能勢は海千山千の企業人だから、今までも常にそんな立場に立たされていた。したがって彼の不安神経症の根本的の原因はどこかほかにあると思えます」

「そうでしょうね」島所長の親友、同い歳《どし》、無公害車の実用化、そんなデータがいつの間にか敦子の心に能勢という人物への好意と興味を齎《もたら》していた。「周囲からの反撥、おそらく厭《いや》がらせなども含まれるんでしょうけど、そうしたことが原因ならただの古典的な神経衰弱になるだけで、まず不安神経症にはなりませんから」

「そうでしょ。ぼくの診断もそうだ」敦子の興味を刺激したと知って正直な島寅太郎はすぐ浮かれ気味になった。「だからそこから先はぼくの不得手な精神分析治療が最も適切なんだが、なにしろあれは誰がやるにしろ時間がかかってしかたがない。だからこそパプリカに、つまり夢探偵としてのパプリカに治療をお願いしているわけです」

「夢探偵だって、そんなに簡単に治せるものじゃありません。相当の時間がかかるんですよ」敦子は困惑した。とても断れそうにない行きがかりになってしまっていることを感じた。しかし今ここで島所長の懇願を受け入れたなら、実証科学のことゆえ時間こそ不明だがあと僅《わず》かで完成する筈《はず》の研究が大きく中断されるかもしれなかった。「それにパプリカだって夢探偵をもう六年もやっていないんだし、もう昔みたいに若くはありません。いくらPT機器がもうご禁制じゃなくなったからったって、やっぱりあれは相当危険な治療法なんです。やれるかどうか」

島寅太郎にも勿論《もちろん》、そんなことはわかっている筈だった。だからこそ彼は今無言のまま、やや潤んだ懇願の眼をじっと敦子に向け、彼女の心の葛藤《かっとう》が終るのを待っているのだった。

「では、わたしのお願いも聞き入れてくださいますか」

敦子のことばに島は喜悦の表情を見せて胸をそらせた。「いいですとも。「能勢の治療に力を貸してくださるのなら、もう、何でも言ってください」ぼくにできることなら、などといった逃げ道を作らないところがまことに島寅太郎らしい純粋さだった。

「能勢龍夫さん、でしたわね。そのお友達の立場と同じくらいに島所長の現在の立場も複雑なんだということを認識していただきたいのです」

何を言い出すのかという驚きの眼で島寅太郎は千葉敦子の顔を凝視した。

「第一にまず、理事のかたすべてと個別に、一度ずつでいいですから話しあってみてください。所長は多忙にかまけてあのかたたちを無視しすぎておられます。第二ですが、近いうちに理事会を開いてください。何を議題にするかはあとで考えるとして、とりあえず開会の日取りを決めてください」

「いいですよ」ややのけぞった姿勢のまま、島は気圧《けお》され気味にうなずいた。「そんなことでしたら」

やっぱり事態を軽く見ている。敦子は所長の反応にまた気落ちして軽く吐息をつきながら言った。「で、パプリカちゃんにはどこへ行ってもらえばいいんですか」

島所長はメモ用紙にいちばん軸の太いマイスターシュティックのペン先を走らせながら浮きうきとして言った。「六本木にラジオ・クラブという古風な感じの、男性しかいない酒場があります。いつもひっそりしていて、わたしや能勢の好みの酒場です。さっそく能勢に電話しておきますから、今夜にでも会ってやってください」

「遅くなってもいいんでしょうか」夢探偵を始める限りは、片づけておくべきこと、しておくべきことが山積していた。

「能勢も、遅い時間を望むと思いますよ」

「では、今夜、十一時に」

「十一時ね」メモを二枚書いて一枚を敦子に渡し、さらに島はデスクの抽出《ひきだ》しからファイルした書類を出す。「これが能勢龍夫の資料です。わたしの作ったカルテも一応入っている」

「ああ。千葉先生」受話器をとってさっそく能勢のオフィスへダイヤルしかけていた島寅太郎は、部屋を出ていこうとする敦子を呼びとめた。「ぼくは能勢が羨《うらや》ましいですよ。なんといったってあいつ、あのパプリカに会えるんだものね」

八年前、理事長に就任し、研究所長になったばかりの島寅太郎は、パプリカによって神経症の治療を受けたことがあるのだった。

3

どうにもならなくなった銀座周辺の混雑を解消するために都条例が改正され、深夜営業が可能になり、追い出されて流れてくる客も減り、六本木は昔よりも静かになっていた。飲食費、遊興費の高騰《こうとう》で若者が敬遠しはじめたからでもある。ラジオ・クラブは林立する高層ビル群の中心部、三十四階建てビルの地下一階にあった。権利金の最も高価な場所に陣取りながらラジオ・クラブはいつも空《す》いていた。会員制ですらなかった。しかし客は決まっていて、いわば制度なき会員制度が存在していた。

十一時前、能勢龍夫はすでに店のいちばん奥、高い背もたれで区切られたボックス席にいた。ボックス席は片側一列にあり、反対側はカウンターだった。しかし能勢のいるボックスはカウンターからも離れていて、そこだけは個室のようでもあった。客は能勢ひとりだった。マスターの陣内はカウンターの中でグラスを磨きながら時おり能勢に視線を走らせ、眼が合えば微笑して頷《うなず》いた。ただひとりのウエイター、肥満体の玖珂《くが》はドアの横に立ち、ぴくりとも動かずに何ごとかを深く考えていた。この中年コンビのプロ根性が自然に客を選定したのかもしれなかった。店内に古い録音の「P・S・アイラヴユー」が流れていた。

能勢は安くで入手したからというので陣内からすすめられたウシュクベーの二十七年物とやらいう最高級のウィスキーをオン・ザ・ロックで飲みながらパプリカを待っていた。セラピストの女性の名をパプリカなどという暗号名で呼ぶ理由は、ＰＴ《サイコセラピー》機器で治療することが許されていなかった頃の名残りであると島寅太郎から聞かされていた。そのパプリカがいかに魅力的な女性であるかということもまた、いやというほど聞かされていた。

ＰＴ機器で治療されるらしいことに不安はなかった。能勢龍夫は現代科学の最新技術をあまり信用していなかったが、精神科医としての島寅太郎は信頼していた。何よりも、彼に頼る以外なかったし、実際にも精神医学研究所所長という肩書きは今の日本で精神医学界の最高権威と言えた。

あまり飲んではいかんな。ウシュクベーのうまさについ二杯目を注文しそうになり、能勢は自制した。すばらしい美人に会えるという期待、これからはじまるその時間、それが仕事がらみの時間ではなく、その相手に何もかも委《ゆだ》ねていてよい時間であるという安心で、能勢龍夫は心地よく酔いはじめていた。今夜からすぐ治療にかかるのかどうかはわからないが、どの道しらふであるに越したことはないだろう。しかしパプリカとの待ちあわせ場所にこの店を指定してきたのが島寅太郎である以上、少しくらいは飲んでもよかったのだろうな。心の箍《たが》が少し緩んでいた方がいいのかもしれない。能勢はこの店を選んでくれた島に、ちょっと感謝する気分になった。ここへは能勢の会社の者も同業者もまったく来ない。おそらく島寅太郎はそれを知っていたのだろう。

不安の発作はなんとなく、少なくともこの店にいる間は起らないような気がしていた。しかし油断はできなかった。いつ起るかわからないということがまた不安の原因のひとつでもあり、皮肉なことに不安の原因としてはっきりわかっているのはただそれだけだった。原因不明の不安発作がいつ起るかとびくびくし続ける気分というものは、実際に不安発作が突出した時の、俗に「大の男ですら耐え難い」と言われているあの気分同様に実に厭《いや》なものであった。

最初に発作があったのは三カ月ほど前の昼過ぎ、出先から社に戻ろうとしてタクシーに乗っている時だった。まず目まいがし、首筋のあたりと後頭部が重くなり、頭がふらふらした。以前にもちょっとした目まいを起すことはあった。またあの時のような肩凝りであろうと思い、肩を揉《も》んだりして自分を安心させようとしたものの、脳溢血《のういっけつ》、蜘蛛《くも》膜《まく》下出血などといった縁起のよくないことばが次つぎと浮かぶ。最近そうした病いで死んでいく同年輩の知りあいが多いのだった。老化していることを自分で認めまいとして、必ずあった筈の前兆を「選択的非注意」したことによって脳出血で死んでいくひとがたいへん多いという話も聞いていた。気分が悪くなった。実に厭な気分だった。今ここで倒れて死んだらと想像し、不安で冷汗が噴き出た。急に心臓の鼓動が早くなったように感じられた。脈拍の音が大きくなった。恐怖で息遣いが荒くなり、咽喉《のど》がからからになった。さすがに意志の力でタクシーの運転手に救いを求めることはしなかった。それどころか発作を悟られぬよう、四肢を硬直させて声を出すまいとしたのだった。我ながらよくやったとあとで思ったりもしたが、発作がおさまってからは、次はいつ起るかが気がかりになった。タクシーの中で最初の発作が起ったのは幸運だったといえる。だが、もし次の発作を社内で起したら。そんな想像が新たな不安の種になった。何らかの対策を講じておかなければ。そう思いながら何もできないでいる時、危惧《きぐ》していた通り二度目の発作を社内で起した。

発作は、さいわい開発担当重役としてあたえられている個室の中で起きたのだが、不安と苦痛に耐えている間、能勢には誰かに救いを求めたい気持と誰にも見られたくないという気持が交錯した。その間電話もなく誰も部屋に入ってはこなかったのだが、もしそうであったとしたら能勢はそれが誰であろうと相手に助けを求めていたに違いなかった。死ぬのではないかという不安はそれほど大きかったのだ。

神経症や精神病の患者が自分の病気に関する書物を読むのはよくないとされていることを承知で、能勢龍夫は神経・精神病理学の本を数冊買い込み、妻や息子の眠った時刻、ひそかに起き出して読んだのだった。結果は、自分の症状が不安神経症と名づけられている病気の症状に相当することを知っただけであり、原因だの自己治癒の可能性だのを知ることはできなかった。

抗不安薬というものがあり、不安神経症に効く場合が多いと知った能勢龍夫は、薬をもらうためにも医者にかかる必要があることを自認した。しかしなぜか島寅太郎のことをなかなか思い出さず、神経・精神科への医者通いが会社に知れることを恐れていつまでもためらっていたのだった。だが、ある書物によって、不安神経症が、人格水準の低下のためたとえば分裂病といった精神病にまで一時的に進行することもなくはないと知り、やっと医者通いの決心がついた。秘密を守ってくれそうな医者は、通院を誰にも知られない医院はと真剣に考えた末ようやく、なんと今でも年に一、二度は必ず会っている、その種の内密の相談を持ちかける相手としてこれ以上の人物はいないという旧友の存在を思い出したのだ。

「まあ、人間の大部分が不安を持たないで生きているってことの方が、どちらかといえば説明を要する不思議なことでね」

能勢の話を聞いて島寅太郎が笑いながらそう言ったとき、能勢龍夫はわきあがる安堵《あんど》感《かん》とともに良き友を持ったしあわせをつくづく噛《か》みしめたのだったが、一方では島が能勢の自我の強さや知性を過大に評価しているように思えてわずかな危惧が残った。不安の処理のしかたが自我の力の強さによって質のより高い「主観体験化」へと解消されることを島が強調し、能勢の病気の自然治癒に何の疑いも持っていなかったからだ。それに能勢は、本を読むことによって、自分の発作の原因がいわゆる中年としての成熟期における精神的課題、つまりそれはそれまでの子供の立場から初めて父親として息子に対することになる視座の転換の問題、初めて管理職になったことによる立場や役割の転換の問題、技術革新による不適応の問題といったものではないらしいことも感じとっていた。それらはすべてとうの昔、もう十年から二十年も前に解決済みの問題だったのである。さらに対人関係の葛藤にしても、切羽詰まった局面になら過去数知れず直面していて、現在のさまざまな問題は能勢の経験から比較的容易に乗り切れる筈のものだったのだ。

島寅太郎に会い、貰《もら》った薬をビタミン剤にまぎれこませてこっそり服用しはじめ、しばらくは発作から遠ざかっていたものの、薬がなくなって二日後、深夜帰宅の途中で三度目の激烈な発作が能勢を見舞った。この時はついに我慢しきれず、タクシーに命じて近くの救急病院へ向かわせたのだが、到着までにおさまり、能勢は行く先を変更して島寅太郎の自宅に向かったのだった。島もさすがに能勢の病気の根深さを知ったようで、ただちに治療の方策を立てようと約束した。そして約一週間後の今夜、「パプリカ」なる童話じみた名前のセラピスト、島の言う「優秀な夢探偵」との面会が設定されたのである。

十一時を五、六分過ぎ、曲は「サテンドール」に変わっていた。

重い樫《かし》材のドアが開いて、あきらかにこの店には場違いの少女がひとり入ってきた。赤いシャツにジーパンという姿だった。詰問《きつもん》する声でいらっしゃいませと言った玖珂に少女は何やら告げ、その小娘が能勢の待ちあわせている相手と知って、玖珂はからだをぴくりとさせた。能勢も意外だったし、陣内も少し眼を丸くしていた。

能勢龍夫の前に案内されてきた少女は立ったままで、首を横に曲げるような頭のさげかたをした。「パプリカです」

茫然《ぼうぜん》としていた能勢龍夫は、あわてて立ちあがった。「おお。これは」

「あのう。あなたが能勢さん」

「そうです。そうです」頼りなげな少女の様子にますます意外さを感じながら、能勢は向きあったソファを示した。「どうぞ」

今後能勢がパプリカと呼ぶことになるその少女は、眼の周囲にソバカスがあり、キュートな顔立ちをしていて魅力的だった。暗い照明の下で、パプリカは小麦色の肌をしているらしく能勢には見えた。場違いを自覚している様子でパプリカはしばらく身じろぎし続けた。

息子とどちらが歳上《としうえ》だろうなどと思いながら能勢は、しきりに店内を見まわしている娘に声をかけた。「ええと。お嬢さんは」

「パプリカって言って」彼女はやや蓮《はす》っ葉《ぱ》にそう言った。

能勢が「パプリカ」と呼びやすいようにわざとそんな言いかたをしたのだったらしい。能勢の口からはすなおに「パプリカ」ということばが出た。「じゃ、パプリカ。まず何か注文を」

「あなたと同じものでいいわ」

テーブルの横に立った玖珂に、能勢は頷きかけた。最高級のウィスキーをこんな小娘に飲ませるのかといった非常に不本意な表情を能勢にのみ向け、玖珂は小さく頷いて立ち去った。

見ればパプリカは手ぶらである。島寅太郎からカルテなど自分に関する資料は受け取っているのだろうか。自分のことや症状など、またえんえんと説明しなければならないのだろうか。

ちょっとげっそりした能勢の心を見透かしたように、それまで緊張気味だったパプリカが突然ほほ笑んだ。「能勢さんって、無公害車の開発なさってるんですってね。そのお話うかがいたいわ」

くだけた喋《しゃべ》りかたではあるが決して無礼ではない。とびきり頭がいいに違いないぞ、と、能勢は思った。少し頼りなげな様子も、能勢が話しやすいようにと考えてのことらしく能勢には思えた。

「今までにもLNG車なんていう低公害車はあったんだけどね」気が楽になり、能勢は彼女がそう望んでいると思える生徒に喋るような話しかたで説明することができた。

「それでもやっぱり排気ガスの中には窒素酸化物や一酸化炭素が含まれていてね。で、そいつを完全に無くしてしまおうというのが、今わたしたちの開発している無公害車だよ。開発と言ったけど、実はもうできてるんだ」

「じゃ、実用化というより、商品化の段階なのね。それに反対する人がいるってことなのかしら」

「そうそう。同業者の反対もあるし、社内的には厭がらせという妬《ねた》みのあらわれもあるしね」笑いながら能勢はそう言った。「ま、そんなことは予測できていたことだけど」

病気の原因がそのことのみにあると思われるのを警戒し、能勢はそうつけ加えた。

「大変ね」能勢の危惧が伝わったのか、パプリカは軽くそう言ってそれ以上会社関係の葛藤《かっとう》には触れない様子を示し、玖珂の運んできたオン・ザ・ロックをひと口飲んでつぶやいた。「あら。ウシュクベー」

横に立っていた玖珂がまたしてもからだをぴくりとさせ、やがて重おもしく一礼した。

「お気に召しましたようで」

4

その髪形や身装《みな》りからはややいかれた小娘としか見えなかったパプリカが、話すにつれて次第に知性を眼の光やことばであらわにしはじめた。

「ええと。ぼく、もう一杯飲んでいいかな」

そう訊《たず》ねた能勢龍夫に「ええ。どうぞ」と答えてしまってから、パプリカは突然セラピストとしての表情と職業意識を見せた。「あっ。でも何杯目なの。あっ。二杯目。えっ。次が二杯目なのね。じゃ、いいわ。どうぞ」

そのちょっとしたうろたえかたが面白く、能勢はさらに気が楽になった。「ま、これから診療を受けるのだから控えておこうかな。できれば飲まない方がいいみたいだから」

パプリカがおとなびた微笑を浮かべ、能勢を睨《にら》むようにした。「能勢さんって、紳士なのね。じゃ、わたしもこれでやめとくわ。おいしいから、ほんとはもっと飲みたいんだけど」

「また、あらためて奢《おご》るよ」能勢はそう言ってから声を低くした。「ところで島君は何も言ってくれなかったんだけど、治療はどこでやるの」

パプリカはまた店内を見まわした。あいかわらず他に客はいなかったものの、サイコセラピストとしての専門用語を口にしにくい雰囲気でもあったのだろう、くいと咽喉《のど》を鳴らしてグラスをからにすると、彼女は能勢にうなずきかけた。「出ましょうか」

ふたりが立ちあがったとき、曲はまた「P・S・アイラヴユー」になっていた。能勢がカウンターに寄って支払いをすませる間にパプリカは店の外に出た。

「能勢さん。どこかお悪いんですか」

会話の断片が耳に入ったらしく、陣内が心配そうにそう訊ねたので、能勢は少しどぎまぎした。「どうしてだい」

「今のかた、看護婦さんじゃないんですか」

能勢が歩道に出ると、パプリカはすでに停めたタクシーに乗りこんでいた。都心部に、空車は多くなっていた。すでに行く先を告げていたらしく、タクシーは赤坂方面に向かって走りはじめた。両側に立ち並ぶ高層ビルの上階はたいていマンションだが、もはやよほどの金持ちが資産を運用するためのものか、大企業の上級幹部用社宅か、どちらかになっていた。

「わたしのマンションであなたの夢をスキャンするわ。機械が揃《そろ》ってるの」

パプリカがそう言った。息が甘かった。成熟した女性の呼気だった。能勢はどきりとし、いったい何歳だろう、と、また思った。「ぼくの治療は長びきそうかい」いちばん気にしていることを能勢は訊ねた。

「不安っていうのは人間の本来的なありようだから、あった方がいいなんてハイデガーも言ってるわ。あなたが不安を飼い馴《な》らしてしまって、不安とともに生きて、むしろ不安を利用する方法を憶《おぼ》えたら、もう治療の必要はないのよ。その方がかえって不安の根本的な葛藤を明るみに出すことができるんだけど」

「そんな悠長なことも言ってられないんだけど」

「わかるわ。社会生活があるものね。家庭生活もあるし。でも気を楽にしなきゃ駄目。焦《あせ》らないで。原則的には必ず治るんだから。きっかけがつかめさえすればね。どっち道あなたのはポケットに落ちこんだみたいな状態なのよ。ポケットには底があるから、そこからさらにひどくなって精神病の状態に落ちこむなんてことはめったにないの」

能勢はほっとした。分裂病にはならなくてすむらしい。

信濃町《しなのまち》にある十数階建てのマンションの前でタクシーは停まった。それは島寅太郎の住んでいるマンションであり、精神医学研究所の幹部職員たちが入居している筈《はず》のマンションだった。財団が数階分の部屋を所有しているのだ。してみればこのパプリカも精神医学研究所の幹部職員だということになる。とても個人の金で買えるようなマンションではないからである。だが能勢は、マンションの広いロビーをエレベーターに向かうパプリカに従って歩きながら、彼女に身分を問い糺《ただ》すことはしなかった。氏名を問うことと共に島寅太郎から固く禁じられていたからだ。

しかしパプリカの苗字《みょうじ》だけはすぐにわかった。十六階の東側の隅にあるパプリカの住居の入口には細いゴチックで「604／千葉」と横書きされた金属プレートがかかっていたのだった。

どう見ても重役用としか思えぬ広さの住居だった。豪勢な家具調度を備えたリビング・ルームにはヴェランダへの八枚のガラス戸があり、新宿方面の夜景が見渡せた。

「どうやら君はVIPのようだね」

さすがに能勢は感嘆してそう言ったがパプリカはのってこなかった。しかし台所などを除けば寝ていない時のパプリカがくつろぐ部屋というのはそれ一室だけのようで、彼女はすぐに能勢を奥にある診察室らしい暗い部屋に招き入れたのだが、患者用のベッドとは別に、パプリカのものらしいベッドや衣装簞笥《だんす》などもそこにはあった。患者用の粗末なパイプのベッドがある壁ぎわには多くのPT機器が並んでいて、二、三のモニターの画面は静止した図形グラフを光らせていた。部屋には窓がなかった。

「閉所恐怖はないのね」

「うん。高所恐怖が少しあるけど」

「憶えておくわ。あなたこれから、すぐ眠れるかしら」

「常に疲れている状態だから、いつもならどこででもすぐ眠れるんだけどね」不可思議な状況と雰囲気に能勢龍夫はちょっととまどった。「君みたいな可愛《かわい》いお嬢さんに見まもられたままですぐ眠れるかどうか」

「気を楽にして、と言っても無理かな。じゃあ、とにかく寝て頂戴《ちょうだい》」

まず上着を脱ぎ、自分と同じほども身長のあるパプリカに渡すと、彼女はそれをとってハンガーに掛け、衣装簞笥に収める。ネクタイ、ワイシャツと、次つぎに渡す。パプリカは看護婦のような手際《てぎわ》よさと事務的な態度で能勢の衣類を処理していく。おかげで能勢はズボンを脱ぐにもためらわずにすむ。

「お洒落《しゃれ》なのね。着てるものみんな最高級品ばかり」能勢が下着姿でベッドに横たわるとパプリカはやっと笑顔を見せ、そう言った。「能勢さんって寝るときはいつも、その恰好《かっこう》なの」

「パジャマというものが嫌いでね。汗っかきだから」と、能勢は答えた。「いつも裸に近い恰好だ」

「その方が寝やすいのなら、シャツやズボン下も脱いで、ブリーフだけになってもいいのよ」

「いやいや。遠慮しとくよ」笑いながら能勢はベッドの裾《すそ》の冷たい純白のシーツの下へ足を突っこんだ。室内は涼しく、枕《まくら》は固くて糊《のり》の香りがした。

モニター・スクリーンの明りの中をしきりに動きまわって何やら準備しているパプリカを見ながら能勢は、こんなことが以前にもあったような気がしていた。有線放送らしい音楽が聞こえてきた。ラモーの「天使の午睡《ごすい》」だった。

女性がシャワーを浴びるときのキャップのようなものを、パプリカは能勢に被《かぶ》せた。透明で、表面に市街図のような電子回路パターンがプリントされていて、キャップの後頭部からはケーブルがのびていた。固いヘルメットのような装置を想像していた能勢はほっとした。

「これがゴルゴネスってやつかい」

「よく知ってるのね。でも今はもう、やたらにケーブルが出ているんじゃなくて一本だけでしょ。もうすぐ、そのキャップも不必要になる筈よ」

「これはセンサーかい」

「高感度の脳波センサーと本体とのインターフェースを組み合わせたものと思っていいわ。昔は大脳皮質の脳波を調べるだけのために頭蓋骨《ずがいこつ》の下まで電極を突き刺したらしいけど、今はそれ被るだけでいいの」

「こういうものみんな、まだ商品化されてないんだろ」

「ここにあるもの全部、開発中の機械ばかりよ。だから部屋の中、ごちゃごちゃしてるでしょ」

誰が開発しているんだろう。それが彼女自身でないのなら、その誰かがこの部屋へきてこれらの機器を組み立てたことになり、開発中のＰＴ機器である以上それは精神医学研究所の、ノーベル賞候補とか言われている例の科学者だということになるが、そんな人物がこんな個人の住まいへやってきて機器の組み立てなどやるだろうか。襲ってきた不安にせいいっぱい抗《あらが》おうとして、能勢は皮肉っぽい軽口をたたいた。「最先端技術だな」

「そうよ」

当然、というようにパプリカが言ったので能勢はやっと安心し、後頭部を枕に沈めた。

「ゴルゴネスがこういうものなら、なんとか眠れそうだ」

「そうね。お酒飲んでるんだから、あとはできれば催眠術も睡眠薬もなしで眠ってほしいわ」パプリカはくだけた様子で能勢の傍の椅子《いす》に腰をおろし、話しかけた。「あなた、夢はよく見る方なの」

「おかしな夢をいっぱい見るよ」

「夢はいっぱい見た方がいいのよ。その方があきらかに頭がよくなるの。面白いひとは面白い夢をいっぱい見るわ。つまらないひとはつまんない夢しか見ないの。能勢さんの夢ってどんな夢だか、楽しみだわ」

「君はひとの夢の中に登場したりもするそうだね」

「最初だから今夜はそれ、やらないわ。あなたの夢に馴れてないし、あなただって知りあったばかりのわたしが夢に出てきたら違和感があるでしょ」

「楽しい治療になりそうだなあ」

「あなたは軽症だからそんなこと言うのよ。夢探偵をひどく嫌うひともいるわ。さてと。わたし、いない方がよさそうね。あなた、ひとりの方が眠りやすいでしょ」

「そうなんだけど、君ともっと話していたい気もするな」本当の娘ほどに歳《とし》の差があるため、能勢はむしろパプリカに甘えてしまいたい気分になっていた。

パプリカは笑って立ちあがった。「駄目よう、眠らなくちゃ。それにわたし、おながすいてるの。ちょっとキッチンで何か食べてくるわ」眠らせようと意図してのことであろう。彼女は部屋から出ていった。

やはり優秀なセラピストなんだろうなあ、と、能勢龍夫は思う。話しているだけで心が安らかになり、その態度や表情は初めて会う者にも肉親のような親近感を抱かせる。何を喋《しゃべ》ってもいいような気分にさせる上、彼女自身は、幼いことば遣いながら近ごろの女性には珍しくひとを不快にさせるようなことを絶対に口にしない。美貌《びぼう》や若さにもかかわらず男性の興奮を抑制するような母性があり、相手を安堵感《あんどかん》に包みこんでしまう。

能勢は満足の大きな溜息《ためいき》をついた。ここで不安発作が起ることはまず、ないだろう。

朝方の四時や五時に帰宅することは月に数回ある。息子の教育にかまけてきた妻が能勢の朝帰りを気に病んだことは今まで一度もなかった。たとえ早朝の七時に帰宅したとて心配しないだろうことを能勢は知っていた。そして能勢の、浮気などというものから最も遠い性格を妻は能勢以上によく知っている筈だった。

あなたは軽症だから、と、パプリカが言ったことを能勢は思い出した。セラピストから見れば軽症なのだろう。だが能勢にしてみれば、単に社会生活にさしつかえのない程度の症状だからというので安穏でいられるわけはなく、今がいちばん大事な時なのだった。何よりも病気を敵に知られてはならず、知られるまでに治しておかなければならない病気なのだ。

昔は、社内社外の敵どものことを考えると眠れなくなったものだが、戦いに慣れた現在は、なかば快楽の気分であれこれと作戦を練るうち、適度な脳の疲労によってかえって睡眠に陥ることが多くなっていた。眠れそうだった。意識が断片になろうとして罅割《ひびわ》れていき、その隙間《すきま》から無意味なものが顔をあらわしはじめていた。

5

能勢龍夫は自分で眼を醒《さ》ました。あるいは自分で覚醒《かくせい》したと思っているだけで、実はパプリカによる何らかの操作があったのかもしれなかった。パプリカは横たわっている能勢が少し首を右にまわせば顔をあわせることができる場所に掛け、おそらくそれがコレクターと言われている装置なのだろう、ヘルメット様のものを被ってコンソールに向かっていた。モニター画面の明かりが彼女の顔を発光させていた。

「何時ごろかな」

パプリカはコレクターを脱ぎ、笑顔で能勢に言った。「まだ二時前よ。第一回目のREM睡眠が終ったばかりのところ。あなた、いつもこんな時間に一度眼を醒ますの」

「いいや。君が何か刺激をあたえて起したんじゃなかったのか」

「いいえ。そんなことしないわ。じゃ、やっぱり今の夢で眼が醒めたのね。今の夢は憶えてるでしょう」

「うん」能勢はベッドの上に上半身を起して訊《たず》ねた。「でも、なぜ憶えているってわかるの」

「REM睡眠のあいだに起すと、たいていは夢を憶えているからよ。じゃあ、今夜は今の夢を分析するだけにしときましょうか」パプリカは能勢の衣類を出してベッドの裾に置いた。「ほんとは朝がたの夢の方が面白いんだけど」

「今のはたいへん短い夢だったが、あんなものを分析して何かわかるのかな」能勢はゆっくりと服を着た。

「もちろん。今の時間に見る夢はだいたい短いんだけど、情報が凝縮されてるわ。芸術的短篇映画ってところかな。朝がた見るのは一時間ほどもある娯楽的な長篇特作映画」

「ははあ。そんな統計が出てるのか。面白いんだね」

「ここへ掛けて頂戴。いっしょに芸術的短篇映画をプレイバックして鑑賞しましょう」

服を着終わった能勢にパプリカはベッドの裾を叩《たた》いて言った。そこに掛けるとモニター・スクリーンを見ることができた。画面はまだ、形の整わない墨色の濃淡模様が静止しているだけだった。

「夢は今の技術だとモノクロでしかモニターできないのかい」

「カラーにする必要はあまりないんじゃないの」パプリカがボタンを押して画面をスタートさせた。

教室があらわれた。夢を見ている能勢の視線は教壇に向けられている。教壇で喋っているのは六十歳くらいと思える細身の男だ。彼の発声は不明瞭《ふめいりよう》であり、何を言っているのかよくわからない。

「これはどこの教室なの」

「中学校の教室なんだけど」今見たばかりの夢を再体験するというのは実に異様な気分だった。横にパプリカがいるため、過去の自慰行為の痕跡《こんせき》を他人に見られているようなおぞましさも幾分かはあった。「しかし夢を見ている時のぼくはなぜか、これを中学校の教室とは思わないで、会社の中だと思っていたようだ」

「どうしてかしら。この喋っているひとは誰なの」パプリカは画面を静止させた。

「そう。こいつのせいで会社だと思ったんだろうな。これは資延《すけのぶ》といって、わが社の取締役だ」

「あなたとは仲が悪いの」

「まあ、敵だろうね。ぼくの社内的地位があがるのを恐れていて、無公害車の成功も妬《ねた》んでいる。時期尚早だというので、通産省の役人と手を組んで開発の邪魔をした」

「どうしてそんなことをするの」

「次期社長の椅子だ。それはまあ、まだまだ先のことなんだけど、だからこそこいつはぼくの若さを恐れている。ぼくの方が十歳下だからね」

「なぜそれを恐れるの」

「自分が早く死ぬんじゃないかとか、老いぼれて引退させられるんじゃないかとか、そういったことだろうね」

画面が動きはじめた。資延が黒板に字を書きながら喋り続けている。「芭蕉《ばしよう》」だの「奥の細道」だのといったことばがどうにか聞きとれた。黒板には大きく「百代の過客」と書かれている。

「国語の時間みたいね」

「古文だ。苦手だった。国語の教師にはいつもいじめられた」

「その国語の先生には、この資延というひとと何か共通点があるの」画面が静止した。

「ない。国語の教師はよく替わったから、男の教師、女の教師、歳をとったの、若いの、何人にも教えられていて共通点というものはないんだ。強いて言えばいじめられたということだけだろうな」

画面が動き出した。資延が教壇から能勢に何か質問し、能勢は立ちあがって答えているらしい。画面静止。

「これは実際にはなかったことだけど、『ハクタイノカキャク』と読まなければいけないのに、ぼくは『ヒャクダイノカキャク』と読んでしまった。なぜだろうな。『奥の細道』は最近読んで、『百代』を『ハクタイ』と読むことくらい、ぼくは知っていた筈なんだけど」

画面ではこちらを向いた資延が能勢を叱《しか》っている。

「さあ。問題はこの次のシーンよ」

「うん」何があらわれるか能勢にはわかっていた。

叱られている能勢を級友が笑っている。低いさざなみの音のような笑い声がざわざわとざわめき立って、能勢の視線が教室中を見まわすと、クラスメイト全員の顔がけものの顔となって能勢を嘲笑《ちようしよう》している。熊《くま》、虎《とら》、猪《いのしし》、狼《おおかみ》、ハイエナ。画面停止。

「なぜみんな、けものなの」

「わからない」

「この中に、見憶えのある顔はないの」

「けものに知りあいはないよ。熊がちょっとだけ、競争相手の会社の重役に似てるかな」

「そのひとの名前はなんて言うの」パプリカは能勢のことばをいちいちメモに書きとめている。

「瀬川っていうんだけど。ぼくは問題にもしていない男だがね」

「夢にはだいたい、覚醒時には問題にもしていないひとがよくあらわれるのよ。だって、ほんとに問題にしているひとが夢にあらわれたら、そのショックで眼が醒めてしまうでしょう」

「なるほどな。そういえばぼくは資延も、さほど問題にしていない。自信家ぶっていると思わないでほしいが」

「あなたにはほんとの自信があるし、それにやっぱり、大物なのよ」

「大物が不安神経症になったりするかい」

「そりゃ、わかんないわよ」パプリカは画面をスタートさせた。

芸術的短篇映画は次のシーンに移った。

葬式だ。花の中に中年男性の写真。喪服を着た女性が能勢の視点である画面に向かって何か訴えかけている。女性は若く美しく、パプリカに似ていなくもない。

「この女のひとは誰なの」画面停止。

「難波というわが社の社員の奥さんなんだけど、現実にはぼくは難波君の奥さんに会ったことは一度もないんだ」

「じゃあこの女のひと、誰かに似てるの」

「見知らぬ女性だなあ。強いて言えば君に似てるかなあ」

「この写真の男のひとは」

「これが難波だよ」

「難波というひとが死んだってわけね」

「本人は、現実にはぴんぴんしてるよ。今日の昼間だって会ってる」

「このひとも、会社ではあなたの敵なの」

「とんでもない。無公害車開発の中心人物だよ。開発室長だ」

「あなたの部下ね」

「部下だけど、部下という気はあまりしないなあ。同僚でもあり、戦友でもあり、議論の相手でもあり」

　パプリカは画面をまたスタートさせたが、葬式の参列者たちをほんのちょっと映し出して、画面は突然中断した。

「うん。ここで眼が醒めたんだ。ああ、難波が死んだんだなあと、参列者を見てやっと切実に、夢の中ながらそういう実感があって、そのショックで眼が醒めたんだ」

さらに二回、パプリカはその短い夢をくり返し観察した。

「コーヒーでも淹《い》れて、あちらの部屋で飲みましょうか」立ちあがり、少し疲れた様子でパプリカはそう言った。

能勢に否《いな》やはない。リビング・ルームに戻ると、新宿の夜景のパノラマは午前二時を過ぎても華麗さを失っていなかった。

「昼間の残滓《ざんし》が多いようね」ガラスのテーブルにコーヒー・セットを並べながらパプリカは言った。

「ザンシって」

「残り滓《かす》よ。フロイトの言いかたなの」

「つまり会社とか、資延や難波のことだね」

パプリカはフラスコに入った何かの溶液を他に移す化学者の手つきで能勢のカップにブルー・マウンテンを注いだ。「あなた、国語の先生にはよく『いじめられた』って表現したわね」

「そうだったかな」

「二回言ったわ。そういう場合、普通は『いじめられた』なんて言わないいんじゃない」

「そうだろうね。普通はよく『叱られた』かな。だからそれはつまり、会社で資延から受けている行為との類比の上で言ったんだと思う」

「あなた、資延ってひとから会社でいじめられてるの」

能勢はカップを手にしながら唸《うな》った。「そう言われてみれば、いじめられてるという気はあまりしないなあ。どちらかといえば『戦ってる』と表現した方が」熱い琥珀色《こはくいろ》の液体が胃の噴門部を中心に胸全体へ浸透していった。「これはいいコーヒーだ」

パプリカは何かを深く考えてカップを手にしたまま、無言で夜景を眺めている。

「ぼくの素人《しろうと》考えを言ってもいいかな」

「どうぞ」

「正しい答えを知っていながら国語の教師に間違ったことを言ったのは、実は会社で資延に対してぼくがしばしばやる戦術と同じだ。隙《すき》を見せるためにね。だからやっぱり『昼間の残滓』であると同時に、ぼくの資延に対する優越感の表現でもあるんじゃないのかな」

「なんだ。そうだったの」やや気乗り薄ながら、パプリカはうなずいて笑った。「思いつくことを何でも、もっと言って頂戴《ちょうだい》」

「難波がなぜ死んだのかわからない。それから、会ったこともない難波の奥さんがなぜ出てきたのか」

「男性の夢の中に出てくる見知らぬ女性を、ユングは『アニマ』って言ってるわ」

「それは何だい」

「男性の中にある女性の遺伝原質なの。女性の夢の中に出てくる男性は『アニムス』」

「でも君に似ていたよ」

パプリカがはじめて顔を赤くした。彼女は少し怒った口調で言った。「会ったばかりのわたしの印象をたまたまアニマに取り入れただけでしょ。昼間の残滓というほどのものですら、ないわ」

「してみれば」能勢はさりげなくパプリカの視線をかわした。「アニマというのがぼく自身、またはぼくの中で理想化されている女性であるとすれば、さっきの夢は難波が死ぬのではないかと恐れているぼくの、女性的な気遣いだってことになるのかい」

「難波というひとは、会社の中でどういう立場にあるの」

「嫌われてるんだ。社内で孤立している。技術屋根性というか芸術家肌というか、頑固でひとのいうことを聞かないから、戦略的なことも理解できずにぼくとすらしばしば衝突する」

「そんな彼を護《まも》ってやろうという気持、あなたにあるの」

「実は、今となってはちょっと持てあまし気味なんだ。大切な男ではあるんだけど」パプリカのひどく疲れた様子に気づき、能勢は言った。「あのう、ずいぶん遅くなってしまったけど、いいのかい」

「ありがとう。ごめんなさいね。実はわたし明日早い上に、まだすることがあるの」

「じゃ、今夜はこれで」能勢はすぐに立ちあがった。「次の診察日が楽しみだ」

「こちらから連絡するわ」

「ねえ。パプリカ」と、帰り際《ぎわ》に能勢は言った。「今夜の夢、あとの方の夢だけは、ともかく分析できたんじゃないのかな。敵の多い難波をもっと護ってやれという夢だろう」

パプリカは眼を大きく見開いたままで笑った。「ユングならそう解釈するかもしれないわね。でもわたしは能勢さんの不安神経症の原因、中学時代にあると思うの」

6

千葉敦子が自分の研究室へやってきたときにはもう午後一時を過ぎていた。昨夜は朝がたまで、新聞各社からの質問のメモを見て答えを考えていたのだった。

午後二時からは記者会見があり、メモは、恒例のように新聞各社から前もって渡された質問の箇条書きだった。喋《しゃべ》るのが下手な時田浩作のためにも、いつも答えは敦子が準備しておく必要があった。

メモにない質問が飛び出すのも毎度のことだったから、仮定の質問とその答えも準備しておかねばならなかった。

コピーを二部作り、島寅太郎所長と時田浩作に届けるよう柿本信枝に命じてから、敦子はコーヒーを淹れた。敦子は記者会見が嫌いだった。毎回のように、気負った新人の科学部や学芸部の記者が勉強してきたつもりで陳腐な質問をするのだが、それは実は過去の記者会見で何度もくり返された質問であったりもし、記者たちはそうしたつまらぬ質問にも気の利《き》いたわかりやすい答えを敦子に要求するのだ。特に今回は時田浩作と敦子がノーベル医学生理学賞の有力候補になっているという情報が流れたことによって、不躾《ぶしつけ》な質問を平気でする社会部の記者たちも大勢来ている筈《はず》だった。そうした質問からナイーヴな時田浩作を護ってやるのも、常に敦子の役割だった。

研究所のあげた業績を社会に認識させ、研究の重要性を啓蒙《けいもう》することも大切だというのは島所長がいつも言うことだったが、記者会見の場にのぞんでいる時の敦子はさらしものになっている自分しか自覚できなかった。敦子の眼に記者たちは、若く美しい千葉敦子という女性に、自分たち以上の知性を求めてはいないように見えた。彼らは敦子から何かを教わることを嫌い、ただひたすら、なんとかして敦子の中から伝統的な日本女性らしさを引き出そうと苦心しているようであった。

二時五分前になり、事務局の職員が呼びにきた。会見場に充《あ》てられた会議室へ行くと、すでに二百人を越す記者やカメラマンの緊張感に満ちたざわめきと動きで、室内はなかば煮えたぎっていた。

島所長がそう主張して以来の配置で、いつものように正面中央の席が千葉敦子、その右隣りが時田浩作、左隣りが島寅太郎だった。隅の席には司会をする事務局長の葛城《かつらぎ》が掛けていた。敦子が席につき、全員が揃《そろ》った。社会部の記者の中には、初めて見る千葉敦子の聞きしに勝る美しさに「おう」などと感嘆の声を洩《も》らす者もいた。敦子は濃紺のスーツを着ていた。

葛城が立ち、開会を宣して三人を紹介し、次いで島寅太郎が立ち、洒脱《しゃだつ》な言いまわしで挨拶《あいさつ》をした。彼はこれが新聞各社からの強い要請によって行う記者会見であることを、それとなき恩着せがましさで強調し、時田と敦子がノーベル賞候補になっていることはことさらに述べなかった。しかし葛城が記者たちに自由な質問を許すなり、さっそく社会部の記者と思える男が、いきなりそのことを詰問《きつもん》してきた。ふたりが受賞する確率はそれぞれ何パーセントくらいかというのだった。あまりの無茶な質問に三人が黙っていると、その記者は敦子を名指ししてきた。

「わたしがお答えするようなご質問ではないと思いますが」

「どうしてですか」

「わたしがお答えするようなご質問ではないからです」

数人が笑い、この研究所に初めてやってきた社会部の記者に、のっけから最も低いレベルの質問をさせてしまったことを詫《わ》びる口調で、顔見知りの科学部記者があらためて質問した。

「時田先生にうかがいます。先生がノーベル賞にノミネートされておられるのは、言うまでもなく例のPT機器を開発された功績によるものと思いますが、何度うかがってもその原理がのみこめません。この機会にあらためてもう一度うかがいたいのですが、ひとつわれわれにもわかるように、やさしく説明していただけないでしょうか」

この質問はメモの中に記されていたが、敦子もこれだけは時田自身に回答を委《ゆだ》ねるしかなかった。しかし、理解できる者は時田自身を含めて世界中に三人いるかいないかと言われているPT機器の原理を、ただでさえ話下手の時田が記者相手にまともなわかりやすいことばで説明できるとはとても思えず、敦子は身がすくむ思いであり、島寅太郎も同様である筈だった。だが、時田浩作はたどたどしく喋りはじめた。彼なりにやさしく話そうと努力はしているらしいのだが、いつも他人に理解できるよう語れるのはほんの最初のうちだけだった。

「あのう、最初から言いますと、ぼくは小学生のころ、中学生のころ、ずっと、当時のことばで言うと『おたく族』だったんですよ。パソコン・ゲームばかりやっていて、だんだんゲームをプログラムしたり、半導体デバイスいじっていろんなもの作ったりしはじめたんだけど、死んだ父親が医者になれって言うんで医学部へ入って、それからまあ、精神病理やって、片一方じゃやっぱりコンピューターいじってて、それと脳電図にも関心があって、だからこれとこれ組み合わせたら、なんて思っていて、そのうちファイバー束でフロート型コンピューター画像処理のスリット・ノー・チェック方式ができるんじゃないかなんて思いついて、それで脳の検査したら、脳波以外のものが画像としていっぱい出てきたんです」

「ええと。いつもその辺からわからなくなるんですが」質問した科学部記者があわてて言った。「その、スリット・ノー・チェック方式というのはどういうものですか」

「あのですね。どう言えばいいかな。スリットの電子流電送効率、つまりあの、スリットの電子が通過する電極でですね、あのう、ノン・スリットの入射電流に対するあのう、平均通過電流の比をね、離散フラクタル圧縮で変換符号を相似マッピング空間に普遍化するためのファイバー束にそのままあてはめたら、もう妥当性チェックも、スリットもフロート・コアも必要でなくなるわけで」

「あの、ちょっと」科学部記者が焦《あせ》った様子でさえぎった。「ひとつひとつ確認させて貰《もら》いますが、まずファイバー束というのは、例の胃カメラのコードに使っているのと同じやつですね。あの、ファイバーが群れをつくっている状態のことですね」

敦子は思わず溜息《ためいき》をついた。大きな溜息が出てしまい、記者たちが敦子を見た。

「あ。ごめんなさい」

「今、千葉さんが溜息をついたのは」時田はけなげにも敦子をかばおうとし、笑いながら言った。

「これはまだPT機器の原理のほんの入り口なので、ひとつひとつのことばを確認していった場合、説明に何時間もかかってしまうからなのですが、とりあえずファイバー束についてお答えしますと、まさにその通りです。ですから群れをつくっているファイバーで水平並列バッファーを構成して、それをさらに垂直並列に重畳展開したら、フィールドは無限になってしまって、入力データのチェックなど必要ではなくなってしまうわけです。とすると、これは何もフロート・コアでなくてもいいということになるんですね」時田浩作の感覚では非常にやさしく、うまく説明できたように思えたらしく、彼は満足げにうなずいた。「ここまではおわかりでしょう」

　誰にもわからないらしく、しばらく質問が途絶えた。

「ちっともわからない」あまりのわからなさに苦笑しながら中年の記者が立ちあがった。

「あのですね時田先生。われわれにわからない以上、一般読者にわかるような記事は書けないんですよね」

「そうですね」非常に困った顔で、時田浩作は頷《うなず》いた。

「ですからまず先生にはですね、そのう、何とかしてわれわれに理解させるという義務があるんです」

「はあはあ」

「千葉先生。あなたには勿論《もちろん》、よくわかっていらっしゃるのでしょうね」矛先は敦子に向いた。

「そのつもりでおりますが」

「ええと。『そのつもり』とはどういうことでしょうか」

「PT機器のほとんどは、部品も含めて、開発されたばかりの、まだ名前もついていないような機械ばかりです。原理にしても新しい原理ですから、それを解説する既成の科学用語がないんです」

「困りましたな。ええと」その記者は鼻孔を拡《ひろ》げ、あらたまった口調で言った。「申し遅れましたが、わたくし、新日の学芸部長です」

効果を確かめようとするかのように、彼がちょっとことばを途切らせたので、間髪を入れず敦子は言った。「ご自分でそう思いはじめたのはいつごろからですか」

この冗談で全員が笑い、雰囲気はほぐれたものの、新日学芸部長はちょっと苛立《いらだ》ち、声を大きくした。「あのですね、企業秘密であることはわかるんですが、わたしどもを混乱させるような胡麻化《ごまか》しはなるべくやめていただきたいのですよ」

「はい。わかりました。わかりました」島寅太郎が大声でそう言い、言いつのる学芸部長を制した。「企業秘密なんかではなく、時田君もちゃんと論文は提出しています。英語で書かれていますから外国の科学者にも読めるし、研究成果を利用しようとすれば誰にでもできるんです。その論文を誰かにわかりやすく、簡略に書きなおしてもらって、のちほど皆さんのお手もとに届けさせましょう」

「時田先生ご自身の口からうかがいたかったのですが」科学部記者は残念そうに言ってから、次の質問に移った。「ところで、開発されたPT機器によってアクセスできるのは患者の意識だけではないわけですが、たとえばこれが一般社会人に対して悪用されるということはお考えになりませんでしたか。犯罪捜査などに利用されるならともかく、企業による社員の人格改造とか、国家による国民の意識操作とか。時田先生、千葉先生、どちらにお答えいただいてもいいのですが」

敦子から渡された模範解答をろくに読まなかったらしく、時田浩作は泣きそうな顔で普段からの愚痴をこぼしはじめた。「いつもそうなんだけどね。科学の最先端で行われることってのは必ず、庶民感情と遊離してしまうんだな」

「意識を画像としてスキャンされるのがいやだというだけなら、一般社会人には拒否する権利が認められています」敦子はあわてて横から口を出した。「無断で行えば犯罪行為になります。また、コレクターによって対象にジャック・インできるひとは今のところ限られていますし、現在ではリフレクターの使用目的を使用者の意識から察知することによってアクセス不能になります」

「開発された新しいPT機器のすべてには必ずその機能をあたえるよう、時田君に頼んであるのですよ」島所長が補足した。

「あれはまあ、アシモフのロボット三原則みたいなもんだな」

時田の子供っぽい舌足らずなつぶやきに対しては、誰からも反応がなかった。記者たちは時田からの常識ある社会人としてのことばを断念したかのようであった。

「千葉敦子さんは何年も、時田先生の発明に協力なさったそうですが」三十歳代と思える眼鏡をかけた女性記者が、わざとらしい笑顔の下にいささか低いレベルの好奇心を隠して訊《たず》ねた。「女としての興味でお訊ねするのですが、その過程でロマンスなどは生まれませんでしたか」

記者たち全員がにやにやした。彼らは内心時田浩作の不格好な肥満体を嘲《あざけ》ることによって自分たちの知的劣等感を解消しようとしていたし、こともあろうに美貌《びぼう》と天才を兼備した、あってはならぬ存在としての敦子をも、時田とのスキャンダルによって貶《おとし》めようとしていた。

「記者クラブからいただいた質問は単に、わたしが時田さんのPT機器開発にどんな協力をしたかというだけのものでしたから、まずそれをお答えします」敦子はにこやかな表情を崩さぬままで言った。「まだ医学部の学生だった頃のことです。島教授に呼ばれて、その頃はまだ助手だった時田さんの研究を共同でやってほしいというお話でした」

「その頃から千葉さんは優秀なセラピストだったんですよ」と、島寅太郎が補足した。

「時田さんの研究はほとんど完成していましたから、わたしはセラピストとして脳画像を採るための患者を選び、その画像の分析と解釈をしただけです。時には被験者になってお互いの脳画像を採りあったこともあります。その結果時田さんの開発した機械は意識野の忠実な探知・記録装置であり、サイコセラピーにおいて最も効果的に応用できることがわかりました」

「あのう、お互いにそんなことまでなさった仲なら、つまり考えていることを覗《のぞ》きあったほどの仲なら、通常の男性と女性の関係以上に密接なものがあったと思いますが」待ちきれぬといった様子で女性記者がせっかちに口をはさんだ。

7

「あああ。不細工な男と美人を見て、ジャン・コクトオの世界を現出させたいと願うひとは、どこにでもいるんだなあ」

時田浩作が突然、身をよじるようにして切実な呻《うめ》き声をあげたため、記者たちは驚き、注目した。

「あるいはヴィクトル・ユーゴーの世界かなあ。ぼくは今でもよく思い出すんだけどねえ。子供のころ、やっぱり今みたいに肥《ふと》っていて不細工だったもんだから、クラスでいちばん綺麗《きれい》な女の子と組み合わせにされて囃《はや》し立てられたものだったですよ。まあ一方ではそうやって自分たちには手の届かない綺麗な女の子を貶めようとしたわけだろうけどさあ」

ぬめぬめと光る赤く分厚い唇を突き出して幼児のような泣き顔になり、時田がそう嘆じはじめると、記者たちの間にくぐもった笑い声がひろがった。それは誰もが少年期に見聞したり体験したりしてきている、ひとつの悪魔的ないじめの形態だった。

「そりゃぼくだって綺麗な女の子は好きですよ。だけどさあ、さんざ囃し立てられて、女の子といっしょに押し倒されて無理やりキスさせられたりしたんだからなあ。好きよりも何より、その子に悪くってさあ。女の子には恨まれるし、嫌われるし。あれでぼくは、ひとつきあうのが厭《いや》になってパソコン・ゲームにのめり込んだのだったなあ」

なかばは女性記者を牽制《けんせい》するための演技なのか、演技にしてはあまりにも体裁かまわぬ子供っぽい愚痴を、時田浩作は記者たちが辟易《へきえき》するまでえんえんと垂れ流し続けるのだった。

「あの、わかりました。わかりましたので。無礼な質問をいたしました」苦笑しながら科学部記者が立ちあがり、頭を何度か下げながら時田の愚痴を制止した。

同僚から「無礼な質問」と批判されて心外な女性記者が、憤然としてテーブルを平手でばん、と叩《たた》く。

「あの、どうぞ続けてください」科学部記者は千葉敦子に懇願した。「PT機器をサイコセラピーに応用するについては、いろいろな試行錯誤の段階があったと思うのですが」

「最初は患者の夢を記録して、シニフィアンとシニフィエの異常な結びつきかたを知るという作業ばかりやっておりました。たとえばあなたは、わたしの眼からは毎タイの科学部記者ですが、ある患者にとってはどこかの国のスパイかも知れません。ですから新聞記者と聞いて患者がスパイだと思うその連想のしかたは、テレビの連想ゲームみたいに最初からわかっている内容が隠されているのではなくて、暗示されているものを患者自身も知らないいんです。そのような異常な結びつきを患者の夢によって、患者のかわりに発見する、ただそれだけで治療にはずいぶん役立ちました」

「ひとつの病院で同時に二十人もの患者が回復期に入った。われわれは寛解期と言っておりますがね」島寅太郎所長が自慢げに口をはさんだ。「これは驚異的なことでしたから、当時の精神病理学界は大騒ぎでしたよ。世界的にです。ご記憶のかたもおられるでしょうがね」

「次に、コレクターによって患者の夢にアクセスでき、治療できるという発見がありました」

敦子が話し続けようとした時、科学部記者が口をはさんだ。「あのう、それが学会に報告されてすぐ、非常に危険な治療ではないかということになって、たしかこの研究所外へのPT機器の持ち出しや使用は禁止されましたね」

「それだ」突然さっきの新日学芸部長が椅子《いす》の音を立てて立ちあがった。「それなんですがね。PT機器ご禁制の時代に、研究所外で分裂病以外の精神病や神経症治療にPT機器が実験的に使用されていたという話が伝わっているんですよ」

ざわめきが起った。うなずく者もいて、表立って話題にはなってはいなかったものの、そのような噂《うわさ》が新聞記者たちの間にひそかに伝わっているらしいことを敦子には看《み》て取ることができた。

座を波立てたと知り、学芸部長はしてやったりという表情で敦子へ顎《あご》を向けた。「いかがです。分裂病患者以外への治療を研究所外において実験的にこっそりやっておられた。人体実験ということになりますが」PT機器で人体以外の実験など不可能であることに思い到《いた》ったらしく、学芸部長はちょっと口ごもった。「あのう、そういう事実はありませんか」

「そんな噂があった、ということは存じておりますがね」島所長が微笑を浮かべ、さりげなく否定した。「根も葉もない噂ですな。むしろそれはPT機器の絶大な治療効果を期待したための、患者やその家族たちの願望だったと聞いておりますよ」

「はあはあ、否定なさる」それ以上突っ込むべき確たる証拠もないらしく、学芸部長は残念そうに言った。「われわれの方では、そのことが一部でずいぶん噂になっていたことをつかんでいるんですがねえ」

「そのことに関してですが」いかにも切れ者という風貌の色の白い若手記者が、これは生意気にも椅子に掛けたままで喋《しゃべ》りはじめた。「PT機器ご禁制時代だった五、六年前、社会的に地位のある人たちの、外部に知れると困るようなちょっとした神経症などを、PT機器を使って治療していた若い女性が存在したという、一種の伝説めいた噂を最近あちこちで聞くんです。で、ぼくはちょっとこれを調べてみたんですが、PT機器が解禁になったため、それまで内密だったことをぽつりぽつりと誰からともなく語りはじめたらしいんです。いずれの話においても、その伝説の主というのがパプリカというあだ名の美少女であったという一致点がありまして、これはぼくにとって、はなはだ気になるところなんですがね」彼は千葉敦子を注視しながら意味ありげにそう言った。

「噂、噂です」記者のことばの継ぎめ継ぎめに笑いながらそうくり返す島寅太郎の声が顫《ふる》えはじめた。正直でひとのいい彼にとって、過去の違法行為を隠すために嘘《うそ》をつくのが資質に反するたいへんな重荷であることは敦子にも充分理解できた。「噂です。そんなことはまったく、ありませんでした」

「そう言えば、ぼくもその話、聞いたことがあります」最初にノーベル賞受賞の確率を訊ねた社会部の記者が言った。「パプリカという名前の、夢探偵をやると自称する女の子がいて、男性の夢の中に入ってきて何かこの性行為みたいなことをして、精神病を治療するのだとかいう話なのですが」

「ぼくもその話は知っています」科学部記者も言った。もう誰も立ちあがらず、座は裁判の模様を呈してきた。「パプリカというメルヘンチックなあだ名は一種の暗号名で、夢探偵という童話かSFに登場する職業みたいなことを違法に行うその少女は十八歳前後、そしてたいへんな美人であったとか何とか」

「ついさっき島所長は、千葉敦子先生が医学部の学生だった頃から優秀なセラピストであったとおっしゃった」学芸部長は犬科の動物に似た表情で、壇上の敦子をななめ下からうかがい見た。「パプリカ伝説はわたしも知っていまして、PT機器にまつわるお伽《とぎ》話《ばなし》だとばかり思っていましたが、ここへきて急に現実性を帯びてきましたな。千葉さんに結びつくとは思わなかった」

「千葉先生の口からはっきりおっしゃってください」女性記者が威丈高になって大声を出した。「そのパプリカって娘がご自分ではないと、はっきりおっしゃれるんですか」

なかばは女性記者の無礼さに対する怒りで、顔から血が引くのを敦子は感じた。それでも辛うじて顔色が変わってはいないという自信だけは残っていたため、動揺がおもてへ出ずにすんだ。「島所長がおっしゃった通りですわ。パプリカなんて名前の女の子は、まったく架空の存在です」

「それは本当ですか」女性記者は芸能記者会見によく見られる知恵のない問い詰めのパターンを踏襲しようとしていた。

「PT機器を管理していた、たったふたりの人間であるぼくと千葉先生が断言しますよ。そんなことはなかったの」と、時田浩作がなんとなく舌足らずな物言いをした。「どうですか。まだやりますか。そのことについちゃ、ぼくと千葉さん以外の誰も本当のこと証言できないんだもんね。違うことばでどうどうめぐりやるかい。ぼくはこういうの大好きなんだけど」子供っぽい挑戦的な顔つきをして見せ、彼はひどくわくわくした様子で肩をゆすり、記者たちを見まわした。

かなわんな、という表情で記者たちが苦笑した。

「十八歳前後の女の子だったそうですが」敦子はくすくす笑って見せた。「五、六年前ならわたし、二十四歳くらいだわ。それに十八歳だと大学に入ったばかりじゃないの。サイコセラピーなんてこと、できるわけないでしょう」

「ま、現在PT機器は許可さえ受ければ合法的に使用できるわけだから、昔の違法行為はなかったことにしてもいいでしょう」能面のように均整がとれた顔立ちの、例の色の白い若手記者がいやに落ちつきはらって喋り出した。「しかし現在、この研究所ではもっと重大な問題が発生しているのではないでしょうか。PT機器によって分裂病患者の夢にアクセスするということは、モニターでただ観察しているだけとは違って、患者に同一化するということでしょう。医者までが分裂病になりませんか。ぼくはこの研究所内の医者が、患者の分裂病に感染しているという情報を耳にしたのですが、それは事実でしょうか」

敦子はまた眼のくらむような怒りに駆られた。副理事長の乾精次郎やセラピストの小山内、そのあたりの人物が洩《も》らしたに違いなかった。

「そんな事実はまったくないのですが」と、敦子は言った。この記者に反撃し、情報源を糺《ただ》さなければならない。「あなたのおっしゃることはどうも気になりますわ。いったいそういうことを誰から聞かれたのでしょうか」

記者は表情を変えずに、むしろ胸をそらせて言った。「情報源は言えません。しかし事実そういうことがあったと聞いております」

座が大きくざわめいた。

敦子は記者を挑発することにした。「研究所内の者がそんな出たらめを言うとは思えません。と言って、まさか記者ともあろうかたが、研究所外のひとのそんな出たらめを本気になさるなんて、尚《なお》さら信じられないんですが」

問い詰められ、若い記者の顔に血の色が浮かんだ。「どういうことですか。ぼくがいい加減なことを言っているとおっしゃっているようですが」

「だって」敦子は笑いながら記者たち全員を見まわした。「ナンセンスですわ。皆さんそんなこと、お信じになれますか。伝染性の分裂病だなんて」

伝染ではないにせよ、分裂病患者の周囲の者がその関係妄想に影響を受けることもあるということを知らない数人の記者が大声で笑った。

「しかし、ぼくはこの研究所のことをいちばんよく知っている確かな筋から聞いたんだから」記者は憤然として大声を出した。

「この研究所のことを『いちばんよく知っている』のは研究所内のひとですが」

「そうは言っていません」

噂の出所が次第にはっきりしてきたので、若い記者が少し気の毒になりながらも、敦子はさらに挑発した。「記者のかたの特権ですわね。情報源を明かさないままで、事実だと主張できるのは」

「いやいや。事実だとは言ってない。それを確かめてるだけじゃないですか」

「こちらもそれを確かめたいんですよ。あなたにそんなことを言った研究所内のひとの口から本当にそんなことを言ったのかどうかということを」

「だから、ぼくは何も」

「まあまあ、まあ」あとひと息というところで、島寅太郎のことなかれ主義が出て追及に水をさした。「正直に言って、セラピストが患者から影響を受けるということはあり得ます。ただしそれは未熟なセラピストの話でして、この研究所のセラピストはみんな優秀ですから、そんなことはまったくありません。特にPT機器によって感染したなどという事実はまったく」

「ところが、ぼくは確かにそのPT機器による感染の事実があったということを、確かなひとから」

顔面を紅潮させた記者がさらに言いつのろうとしたとき、またしても時田浩作が、心底うんざりしたという声を臆面《おくめん》もなく張りあげて嘆じた。「ああ、ああ、あ。もう、これだからねえ。何回言っても誰もわかってくれないんだよ。科学の最先端で起ることってのはもう絶対に庶民感情として受け入れて貰《もら》えないし、問題になることといったら本筋から離れた副産物に関してばっかりなんだよなあ。今日のこれだって肝心のこと聞いてくれたひと、ひとりもいないんだよね。ぼくにとってはPT機器なんてそろそろ過去のことになりかけてるのにさあ。これ、偉そうにして言ってるんじゃないんだよなあ。今の機械技術のスピードとしては常識なんだよなあ。それなのにあんたがたったらさあ」

記者たちが憮然《ぶぜん》として黙り込む牛のよだれのような時田の愚痴の中、千葉敦子はひとり怒りを宥《なだ》めながら、研究所内に存在する背任行為の追及方法を考え続けていた。

8

たとえば浮気で多産だった母親がそのまま「雌犬」として出てくるような、正常者の無意識に直接突き刺さってくる分裂病患者の凶《まが》まがしい隠喩《いんゆ》の世界、そのレトリックは犬が台所仕事をしていることによって発見したのだったが、そんな奇怪な世界をさまようことに疲れ果てて敦子はコレクターを脱いだ。回復に向かっている患者の夢に時おりジャック・インして治療していたのだった。ガラス越しに見える隣りの診療室では四十歳代の男性が寝台に横たわっている。

「このひと、お稲荷《いなり》さんの石段でよく犬に挨拶《あいさつ》されると言っていましたわ」柿本信枝がリフレクターの画面から顔をあげて敦子に笑いかけた。

「正常者の夢に近づいてきたわね。コーヒー頂戴《ちょうだい》」今記録したばかりの夢を静止画像として断続的に逆にたどるようコマンドし、リフレクターの画面を検索しながら敦子は考えついたことをメモしはじめた。リフレクターの記憶装置には記録した画面を一秒毎《ごと》の静止画像として自動的に走査できるプログラムが施されていた。「信枝ちゃん。あなたもう帰っていいわよ」

柿本信枝はまだ帰りたくないようだった。コーヒーを淹《い》れながら彼女は言った。「ほかの人だとかモノだとかに同一化することが少なくなってきましたね」
「そうね」敦子はコーヒーを飲みながらモニターを見ていたが、下半身をすでに食べられている皿の上の焼魚が何やら大声で喋っている画面が再生され、時田浩作を思い出した。時田は焼魚が好物だった。突然、時田に会いたくなった。一秒カットの画面を敦子は消去した。

立ちあがった。「時田さんの研究室に行ってくるわ」

診察着を脱ぎ、記者会見の時の濃紺のスーツ姿になった敦子を見て、柿本信枝はまた、気も狂わんばかりの眼つきをした。「わっ。美しいわっ。美しいわっ。もう、わたしひとりで見ているのがもったいないみたい。先生どうして、もっとテレビに出られないんですかあ」

同性からあからさまな恋慕の表情を見せつけられて敦子はちょっと辟易《へきえき》し、いそいで廊下に出た。誰もいなかった。九時を過ぎていた。

時田浩作の研究室は、廊下からのドアを開けるとそこがまず助手の氷室《ひむろ》が使っている小部屋であり、もう一枚のドアを隔ててその奥にあった。たった四坪ほどの薄暗い小部屋には、周囲の棚に各メーカーから持ちこまれた汎用《はんよう》のLSIやカスタム・チップ、まだサンプル出荷もされていない型番の素子類、その他さまざまな部品を入れたケースや小箱が積みあげられていて、机上といわず床といわず電子機器の部品、工具が散らばっていた。壁の下の机と、辛うじてひとが通れるだけの通路の両側の机上では剝《む》き出しのブラウン管や各種モニターが何十となく発光し、図形やグラフを映し出していた。イメージ・スキャナーで設計図を入力していた氷室は、敦子を見て非常に緊張し、立ちあがった。

「あっ。千葉先生。時田先生は今、実験中です。お通しできません」

氷室もまた時田に似て肥満体だったがひとまわり小柄であり、時田と並べば大狸仔狸《おおだぬきこだぬき》を連想させた。やはり「おたく族」出身の氷室は自ら時田浩作の護衛役を任じていて、極めて頑固だった。彼は敦子を奥の部屋へ行かせまいとしてドアの前に立ちはだかった。

毎度のことだったし、この男の扱いかたは心得ていた。敦子は息がかかるほど氷室に接近し、まん丸に見ひらかれた彼の眼を覗《のぞ》きこんだ。「あらあらあ。またそんなに突っぱってえ。誰もあなたの大事な先生、取りゃしないわよ」

人差し指で鼻さきを突くと氷室はたちまち真っ赤になった。俯《うつむ》いて、彼は意味不明のことばをつぶやいた。「まあ。それは。いつもなんだよな。バイポーラＩＣのあれを」のろのろと椅子《いす》に戻った。

時田浩作の部屋も小部屋と同じような状態だったが、さらに暗く、面積が三倍あり、乱雑さもまた三倍だった。その散らけかたは尋常のものではなかった。カップラーメンの紙カップの中にスパイラル・ファイバー束の端が突っ込まれ、シュガー・セラミックスが引き裂かれ、ブラウン管が割れていた。テスティング・モノリシック半導体チップがコーヒーのカップに入れられて山盛りになっていた。彼の考案した奇怪な電子機器部品や工具が散らばり、それはまさに天才の仕事場と言えたが、どこまでも意表をつくモノとモノとのありようや位置は狂気の産物と見られなくもなかった。周囲に置かれて設計図や画像やグラフをフルカラー表示で映し出し、またＣＡＤの線画やフラクタルのグラフィックスをプラスタースパニング方式の高精細度で表示したりもしている数十台のディスプレイの発光に照らされて、汗の玉を額に光らせ、時田は縮小型レーザー加工装置を使って何やら微細なものを作っていた。

そんなに急に中断してよいのかと思うほどの素早さで、敦子に気づくなり時田浩作は手にしていた工具を机に投げ出した。「やあ」

「いいのかしら」

「いいんだよ。ちょっと窓を開けようと思っていたんだ」

ゆっくりと立ちあがり、時田は窓に寄って厚いカーテンを引き、両開きの窓を押し開けた。この部屋の窓からも研究所の広い庭と、都心部のビル照明や窓の灯が眺められた。芝生の匂《にお》いを運んで風が入ってきた。

「あなたにお礼を言いにきたのよ」窓際《まどぎわ》の、時田浩作の背中に敦子は歩み寄った。

「ぼく、何かした」照れ屋の時田は敦子に向きなおれず、遠くのビルを眺め続けた。

「ねえ。こちらを向いたとしても、暗いからわたしの顔、ほとんど見えないわよ」敦子は笑った。

「うん。うん」時田は素直に、ゆっくり振り向いた。

時田の顔も、よく見えなかった。

「あなたの名演技のおかげで記者会見、何ごともなしに終ったわ」

「あのチャイルディッシュな物言いは、ぼくの地だよ」彼はまた庭を見た。

「やはり地を生かした名演技だと思うわ。ねえ。どうしてこっちを向いてくれないの」

「この薄闇《うすやみ》の中でも、君の異常な美しさがわかるからだよ。君の美しさというのは、こういう暗いところだと悪魔的になるから、ぼくはおっかなくてさ」

敦子は時田浩作の巨大な背中にゆっくりと抱きつき、肩胛骨《けんこうこつ》に頰を押しあてた。「お礼を言うわ。ありがとう。あのまま問いつめられていたらきっと追いこまれて、当然沈黙することになって、記者全員が疑いを確かにしたでしょうから」

「あのう、それよりもさあ」しばらく黙っていてから、時田はのろのろと言った。「誰だろうなあ。津村のこと、新聞社に洩らしたのは」

「津村君自身ってことはないんでしょうね。彼、どうしてるの」

「マンションの彼の部屋で休養させてるって聞いたけど」

津村も敦子や時田と同じ精神医学研究所の職員用マンションにいて、そこは部外者の立ち入りが禁じられ、監視されていた。たとえ津村の様子が外部の者に見られたとしても、表面、彼は正常に見えた。

「津村君、優秀だったのに、おかしいわ」

「彼、トロゥマはなかったの」

「そりゃ人間だもの、抑圧してる精神的外傷は誰にだって必ずあるわよ。だからわたし、その辺に作為を感じるの。それも相談したくて来たのよ。ねえ。津村君の使っているコレクターから彼のトロゥマ見つけ出すなんてこと、できる」

「それは簡単にできるよ。彼が患者の夢にジャック・インした記録を再生して調べたらいいんだ」

「そうよね。では逆に、そのトロゥマを顕在化した画像を、コレクター使っている彼の意識へ、彼に気づかれないように、分裂病患者の夢として送りこむってことは」

「分裂病患者の夢の中からそれにふさわしい強烈な画像を捜し出してきて、それを津村の使っているコレクターへ断続的に識閾下《しきいきか》投射できるようなプログラム作りゃいいんだろ。簡単さ」

「なんでも簡単なのね」敦子は笑い出さずにはいられなかった。「あなたには何でも簡単なんでしょうけど、わたしが訊《き》きたいのは、あなた以外にそんなことできる人が誰かいるのってこと。この研究所内に」

「その画像さえ手に入れれば、プログラムだけならうちの氷室ができるだろう。あいつ、誰かに頼まれてそんなことやったのかな。聞いてみようか」

時田がドアの方へ行きかけたので、敦子はあわてた。「ちょ、ちょっと。わたしはこっそり探ろうとしてるんだから」

「ああそうか。じゃ、それ、ぼくが調べとくよ。あいつのやったことは全部ログにとってあるから」

「お願いするわ」

「でも、津村にそんなことして、いったい何になるの。誰か得するやつ、いるのかい」

「さあ。いるんでしょうね。研究所の評判が悪くなると得する人が」

「それは誰だい」

「それを調べようとしてるのよ」

「面白いね。今度は現実の探偵か」

「無邪気ねえ」敦子はまた笑ってしまう。

「しかし、そうしたことはだね、今ぼくが作っているダイダロスとコレクターのユニットなら、もっと簡単にできるよ」時田が開発したばかりのダイダロスというのは、ゴルゴネスからケーブルをなくしたものだ。テストもしないうちに、早くも次の機器ができたらしい。

敦子は声なく驚愕《きょうがく》した。「そんなもの」しばらくして敦子は訊《たず》ねた。「そんなもの作って、どうするの。何ができるの」

「それで何ができるかは君が考えるんじゃないのかい。今みたいなこともできるから、善用すれば逆に治療にもなるし」

「ちょっと。まあ。それ、危険すぎるわよ。あんまり」

「あのさあ、これ、前からぼくの子供っぽい夢だったんだよね。互いに互いの夢の中に入っていくってのが」

敦子は頭が揺れ動いているような気がしはじめた。「ユニットって言ったわね。それ、どれくらいの大きさのものなの」

「それなんだ」敦子を驚かせたと知り、時田は急にはしゃぎはじめた。「あれって、電卓やなんかと同じでさ、原理確定したら際限なしに小型化できるんだよね。このあいだコンピューターであちこちへ侵入して、何か発明したやついないかと思って探ってたら、どこかの大学の生物学教室のコンピューターに侵入しちまって、バイオニクスやってるやつの研究してるサンプル、盗めちまったの。で、こんなものあるのかと思って、それ応用してなんでも処理できる基本素子作ったんだけど、これ使って作ると、小さくしようと思えばいくらでも小さくなるんだよ」

「それってつまり、生物化学素子でしょう。蛋白質《たんぱくしつ》の自己組み立てができる。今使ってるシリコンチップよりも、どれくらい小さいの」

「一個百オングストロームだから、えっと、記憶容量としてはシリコンチップの一千万倍になるかな」

敦子は時田の顔を注視した。「天才だわ。これが発表されたらあなた、大変なことになるわよ」

時田はまた照れて庭を向いた。「ま、本当はあんまり言わないでほしいんだけどね。つまり君が驚いてくれるのは嬉《うれ》しいんだけど、世間的な評価は聞きたくないんだ。ほら。よく自分のやったこと評価されて喜んで、そのことばかり言ってる人いるだろう。あれやるとたいていその人、それきりなんだよね」

敦子はまた時田に、うしろから抱きついていった。「それこそが天才の言説です」しばらくそのままの姿勢が続き、敦子は時田のからだが緊張にこわばっているのを乳房に感じた。何か、言いにくいことを言おうとしているのだった。

「なあに」と、敦子は訊ねた。

「助手のころ、開発時代だけど、君がぼくの夢にジャック・インしてきた時さ、ぼく、これは夢なんだから、君を犯せるなんて考えたことがあったろう」

敦子は笑った。「あったわね。でもあなたは考えただけだったわよ」

「実はあれから、ぼくはあの時の夢をよく見るんだ」

「で、その度にわたしを犯してるの」

「夢だとわかっていながら犯せないんだ。あれ、なんて言うの。あの抵抗を。『夢の中の正気』かい」

「いいえ。夢なんだから犯してもかまわないんだって考えるのが『夢の中の正気』です。それをさせない抑圧のことを、わたしは自分で勝手に『夢律』とか『ドリーズン』とか言ってるけど」

「それはぼくが君を好きだからかい」

敦子はさらに強く時田のからだを抱きしめた。柔らかな腹部の肉に敦子の両腕が食いこんだ。「そうです。だからはっきり、好きだと言いなさい」

「言えないんだよなあ。言おうとするたびに美女と野獣を思い出してさ。今日も言ったけど」

「ま、お互いに言わなくても全部わかってるわけだけど、もし言うとしたら、わたしから言わなくちゃいけないのかしら。知ってるでしょうけど、わたし、あなたみたいな百貫デブ、つまり自制心のなさっていうのかな、それを理性じゃ否定して軽蔑《けいべつ》してるの。顔も不細工だし。結婚するとして、いくらなんでも容姿の不釣合いも程度問題だ、なんて考えたりするわ。でも、好きで好きでしかたがないのよ。それはわかってるでしょうけど」

うーん、うーんと、泣きそうな声で唸《うな》り続けながら敦子の声を聞いていた時田浩作は、やがてゆっくりと振り返った。「わかってるけど、口に出したの、初めてだね」

敦子は浩作の頬を両手で挟み、顔を近づけた。浩作がおずおずと敦子の腰に手をまわした。ふたりはキスをした。いつもぬめぬめと光っているあの分厚い、幼児のように唾《だ》液《えき》で濡《ぬ》れた唇が柔らかく崩れた。

顔を離してから、浩作は申しわけなさそうにまた窓外を見て言った。「この暗がりだから、君、ぼくとキスできたんだろうね」

9

能勢龍夫はパーティ会場を抜け出してトイレットに入り、冷たい水で顔を洗い、やっと少し気分がおさまった。しかし鏡の中の顔はまだ蒼《あお》かった。

たかが自動車部品の下請メーカーの社長就任披露パーティであり、ちょっとだけ顔を出して帰ろうという社長に営業担当重役の資延ともどもついて来たのだったが、都心の最高級ホテルで行われたそれは、意外にも豪勢なパーティだった。同業者が大勢来ていたため社長があちこちでひきとめられ、能勢も資延も帰るに帰れなくなってしまったのである。久し振りで会う人物も多く、能勢や資延とて話すべき相手はいくらでもいる。まさにそんな時、能勢に不安が出た。そんな時であればこそ、と、言うべきだろう。同業の主だった人物が集まっているこんな場所で、もし発作を起したらという想像が生じ、急に背すじが冷え、発汗しはじめたのだ。このままここにいては確実に発作を起す。能勢はそう信じ、会場を抜け出てきたのである。

パプリカに夢分析を受けて以来、発作は一度も起していなかった。しかしあれだけの診察で不安神経症が完治する筈《はず》はなく、たとえば今夜のように、いつ発作を起すかわからないという不安な思いの、時と場所を得た襲来だけは以前と同じだった。パプリカに貰《もら》っていた抗不安薬はもうなかった。

会場に戻るのはよそう、と能勢は思った。受付まで戻ると、よく開発室に出入りしている顔見知りの社員に辞意を告げ、記念品の紙袋を受け取って、パーティ会場の入口が見える黒革張りのソファに掛け、社長と資延を待ちながら一服した。換気がきいているロビーで、能勢の気分はよくなった。

やっと解放されて、社長が出てきた。「資延君はまだかい」

「さっき青山精器の社長につかまって何か言いわけを聞かされていましたが」

社長は能勢の向かい側の肱掛椅子《ひじかけいす》に腰をおろした。社長は二代目で、年齢は能勢より十五歳上だったが、血色がよく、若く見えた。

「ええと、あのひとは何と言ったかな。帝産の常務の」

「瀬川氏ですか」

「ああそうだ。瀬川さんだ」社長はにこにこした。「来ていたね」

「ええ。来ていましたね」

瀬川が無公害車反対の急先鋒《きゅうせんぽう》であることを知っているようだった。

その瀬川が、資延と話しながら会場から出てきた。資延は記念品を受け取ったが、瀬川は受け取らなかった。いつもパーティには最後近くまでいる男だということを能勢は聞いていた。

資延は能勢たちを見て、ちょっとあわてた様子だった。社長は彼らに背を向けていて、気づかなかった。能勢と向かいあっているのが社長と気づかぬ瀬川が、いや味のひとつも言ってやろうとばかりにやりとし、能勢に近づいてきた。瀬川はよく肥えていて猪首《いくび》だった。

「やあ、能勢さん。最近例のところで会いませんね。是枝《これえだ》さんが寂しがってましたよ」

是枝というのは通産省の役人である。

社長が振り向いたため、瀬川は少しのけぞり気味になった。「おや社長。もうお帰りですか。そうですか。それはそれは」

トイレットに去る瀬川を見送り、社長はまたうっすらと笑った。

「どうもお待たせしました」禿頭《はげあたま》に汗を浮かべ、資延はいったん肱掛椅子に腰をおろして能勢に言った。「能勢君は今の、あの瀬川氏のことをよく知っているみたいだね」

今まで自分が話していたくせにと思い、能勢は苦笑した。商売敵の会社の重役と話しながら出てきてしまったのを社長に知られたと思い、気にしているのだった。そんなつまらぬことばかりを気にする男だった。社長も苦笑した。

ホテル内の静かなバーで、一杯だけ飲んで帰ろうかということに相談がまとまり、三人は地下にある会員制のバーに移動した。資延が会員なのだった。

奥のコーナーに座を占め、他に客のいないそのバーで三人はしばらく話した。無公害車の販売についての話になった。資延も今となっては無公害車の販売に力を入れていた。

突然、資延が難波の非難をはじめた。昼間またしても難波の我儘《わがまま》に苦しめられたのだった。どうしようもない幼児性を非難しつつ、それはそんな難波を放置しておく能勢への遠まわしな非難でもあった。能勢は資延の言うがままにさせておき、弁護も弁解もしなかった。そんなことをすれば資延の術中に陥るに違いなかった。能勢は内心でほくそ笑んでいた。こういう局面でこそ、相手の意表を衝《つ》いて逆転に持っていく能勢の得意な技が冴《さ》えるのだった。

社長もまた、難波をかばってやろうとはせず、時おり「困るなあ」などと言いながら資延の話を聞いていた。もちろん社長が難波を嫌いはじめていることを知った上での資延の言辞だった。

能勢自身もまた、昼間難波と口論しあったばかりだった。より大きな妥協を避けるために能勢がした小さな妥協を、そうした事情を知りながら、難波は許さなかったのだった。わざと突っかかってきているとしか思えなかった。しまいには口論のための口論じみてきたので能勢もほとほといや気がさしてきた。甘やかし過ぎたな、と思った。甘えの果て、どこまでの反抗が許されるか、難波は試しているようだった。

しかし能勢は、陰で部下を非難する直属上司を無教養人であると断じていて、自分がそれをやる気はなかった。本来生殺与奪の権利を持つ直属上司が何ゆえ陰で部下の悪口をたたく必要があろう。

「社長。開発室長に欣市《きんいち》さん、どうでしょうね」まさに資延の意表を衝《つ》いて、能勢はそう言った。欣市というのは社長の甥《おい》で、公立大学の工学部を出ていたが、もうずいぶん長く総務部に勤務していた。

社長は露骨に嬉《うれ》しそうな顔をした。開発室長のポストは彼の甥が前から望んでいたのだが、難波の存在がそれを不可能にしていたのだった。

「おっ。そうだそうだ。欣市さんがいるんじゃないですか」資延は能勢の発言に一瞬とまどい、「点数を稼いだな」という恨みっぽい眼をちらと能勢に向けたあと、急にそんな大声を出した。そしてすぐ、そのわざとらしさに気がついて弁解した。「いやいや。

欣市さんのことが念頭になかったわけではないのですが」

だが実際は、能勢が同意するとは夢にも思っていず、だから社長の甥のことはまったく念頭になかったのだ。

「ま、難波君だって功績は大だからね」社長が遠慮勝ちにそう言った。重役ふたりの意見が一致したのだから、あとはこのふたりに考えさせればよいと思ったようだった。彼は満足そうだった。

「じゃ、そのことはいずれ、な」資延が意味ありげに能勢へうなずきかけた。

帰りのハイヤーの中で、能勢は難波のことを考えた。才能はあっても、結局管理職にはなれない男だったのだ。本人にその自覚はあるだろうか。ないのだろうな。社長にだってなれると思っているに違いない。

パプリカの部屋で見た夢を、その場で自分なりに分析したのとは逆に、難波を護《まも》ってやろうなどという気のまったくない自分に能勢は気づいた。いつかは起る筈のことだったとはいえ、思いがけず点数かせぎに利用してしまい、開発室長をやめさせることが決定的になってしまった。しかも、難波の自業自得《じごうじとく》だと思うその感情によって罪悪感はまったくない。もっと冷酷に思える処分は何度となくしてきていた。

誇りの高い男だから、異動を命じられても怒り狂うようなことはあるまいし、あれだけ自我が強固であれば、まず落ちこむこともあるまい。そう思い、能勢は次に資延のことを考えた。彼なら当然、開発室長に社長の甥を最初に推薦するという功を自分に奪われたという具合に考えるだろう。では次に何を考えるか。資延が最後に能勢へ向けたあの意味ありげな眼つきを思い出し、すでに何か思いついているのかもしれないと考えた。あの男のことだからおそらく。

なぜだ。難波に対して何の罪悪感も持っていないことは今、確認したばかりだ。なのにこの突然の不安は何ごとだ。不意の発作に能勢は愕然《がくぜん》とした。資延のことを考えてはいたが、ふだんから見くびっている彼の動きに対して不安など持つわけはないのだ。その証拠に、彼と会って話している時にちらとでも発作の不安を感じたことは一度もない。しかるにこの発作は。

発汗し、動悸《どうき》が早まった。不安神経症に過ぎないのだ、時間が経《た》てば治まるのだとけんめいに自分を宥《なだ》め、説得し、納得させようとしたが効果はなく、何よりも死ぬほどの苦痛が現実にあり、理屈を吹き飛ばした。心臓に自信があるわけでもない。脳溢血《のういっけつ》の可能性だってある。このハイヤーの中で死ぬのかもしれないという思いで、能勢は激しい恐怖に襲われた。窓外の飽きあきするほど見慣れた帰路の景色、都会のビルの照明が、最期《さいご》に見るものとして急になんともいえず懐《なつ》かしい、かけがえのないものに思え、一方ではそれらが自分の死後も平然と存在し続けるであろうことに腹が立った。死の理不尽さと不条理をひしひしと感じる中、呼吸困難になり、能勢はうろたえた。たいへんだ。

呼吸ができない。パプリカのマンションへ行くには遠すぎた。自宅が目前だった。

「気分が、悪いんだ、が、ね」せいいっぱいの声で、能勢は運転手に告げた。「君、家に着いたら、うちの、者を、呼んでくれ」

能勢の声の異常さに気づき、運転手は緊張した。「わかりました」

「この、ことは、誰、誰にも、言うな」喋《しゃべ》り続けていると少しでも気がまぎれるだろうと思えた。「絶対に、誰にも、言わ、ないで、くれ」

「はっ。わかりました」

十年前まではまだ高級住宅地だった都内のそのあたりで、マンションに挟まれた能勢の家は、たとえ百坪足らずの一戸建て住宅といえども今ではたいへんな社会的権勢をあらわしていた。車をおりた運転手がインターホンで家の者に急を告げ、すぐに青ざめた妻の以登《いと》と、息子の寅夫《とらお》が駈《か》け出てきた。

「あなた。どこが悪いのです」

運転手と寅夫の肩にすがり、玄関横の応接室に運ばれながら、能勢は口がきけず、なんとか呼吸を続けようと努めていた。妻は次つぎと質問した。

「口がきけないの。え。息ができないの。できないのね」

ソファに横たえられた能勢のネクタイを寅夫がゆるめた。

「黒伊先生を、すぐに呼びますからね」

妻がそう言ったとき、能勢はけんめいの努力で声を出した。能勢家の経済的潤沢さに夫婦で嫉妬《しっと》しているような、しかもお喋りの医者に来られては大変だった。

「呼、ぶ、な」

「えええ。だって」

「病気、と、違う。精神的、な、ものだ」

「ええ。あなた、精神病だったの」かがみこんで能勢の汗を拭《ふ》いていた妻が、彼から少し身を引き離した。「どうして今まで、わたしたちに黙っていたの」

「父さん。そしたら、どうしたらいいの」ハイヤーの運転手に、しばらくいてくれるよう頼んでいた寅夫が振り返って訊《たず》ねた。

非常の場合にと思って用意しておいたカードを、能勢は背広の胸ポケットから出した。「緊急時の連絡先」としてパプリカの電話番号を書いたカードだった。

「まあ。こんなもの、用意してたのね」妻が涙ぐんだ。

寅夫が部屋の隅で電話をし、相手に道順を教え、戻ってきた。「女の人が出て、すぐ行かせますって言ったよ」

「行かせます」だって。ではパプリカではなかったのだろうか。あの部屋はパプリカの部屋ではなかったのか。胸を大きく上下させながら能勢はそんなことを考えた。

運転手が部屋から出ていったので、能勢はまた声をあげた。「運転、手に、運転手に」

「えっ。運転手さんもう帰ったわよ。いつものハイヤーなんだから、料金、会社払いでしょう」

「いや。口、口止めの」

「お金だね。わかった」寅夫が運転手を追って出ていった。

パプリカがタクシーでやってきたのはそれから一時間後で、能勢の発作はすでに治まっていた。

10

能勢龍夫は田舎道にひとり立っていた。懐かしさが感じられるようだから、能勢の故郷の景色に違いなかった。道の彼方《かなた》から、赤い自転車に乗って誰かがやってくる。能勢の心に不安が生じていた。能勢がその赤い自転車だか乗っている誰かだかを否定しようとする前に、パプリカは彼の夢へジャック・インした。

「誰なの」

能勢が少年のような口調で答えた。「毬《まり》ちゃん知らないの。あれ、資延だよ」

能勢の眼にはパプリカが毬ちゃんという、おそらく能勢の幼な友達であろう娘に見えているようだった。

たしかに自転車に乗っているのは、能勢の以前の夢の中で国語の授業をしていた資延に違いなかったが、田舎道を子供用の赤い自転車に乗ってやってくるのが資延などであるわけはなく、それは資延に代替されている、そして毬ちゃんもよく知っている筈《はず》の、能勢の少年期における友人の誰かなのだ。

「ううん。あれ、資延さんなんかじゃない」

パプリカが幼い口調でそう指摘すると、能勢の心に動揺が生まれた。あっ。もっとよく見て、と、パプリカが叫ぼうとする隙《すき》さえあたえず、能勢は夢の舞台を変えてしまっていた。

彼は朝がたの、最後のREM睡眠に入っていた。能勢の精神の暗部を探ろうとして、パプリカは朝まで待機していたのだった。

能勢家から電話があった時、千葉敦子は研究所から部屋に帰ってきたばかりだった。疲れていたが、すぐ行くことにした。といっても、パプリカになるにはどうしてもある程度の時間がかかる。髪形を変え、化粧を変え、そしていちばん厄介なのが、いったん貼《は》りつけたら洗面くらいでは落ちない「そばかす」を眼の下にひとつひとつピンセットで付着させていく作業だった。それによって顔が大きく変化し、若返ると同時に、その作業の中でパプリカになる心の準備が整っていくのである以上、おろそかにはできない。マンションを出るのにも気を配らなければならなかった。あの記者会見以来、パプリカの正体は千葉敦子ではなかったのかという疑いを新聞記者の多くが持ちはじめていて、そんな疑いが持たれた以上、彼女がいまだに夢探偵をひそかに続けていると考える者はあまりいないにせよ、何しろ研究者としての千葉敦子がノーベル賞有力候補などの話題の主であり、誰が、どんなところから見張っているかわかったものではなかった。パプリカに変身した千葉敦子はガレージから通りに出た。タクシーにしても、電話で呼ぶわけにいかず、通りで流しの車を拾わなければならない。

能勢龍夫とともにマンションへ戻ったときも、暗証番号と指紋によって開く裏口から入った。玄関ホールで監視している昔からの管理人は千葉敦子とパプリカの関係をよくのみこんでいるのだが、新聞記者などが張り込んでいた場合に彼らが、一緒にいる能勢龍夫の身分までも探ろうとする恐れがあった。

部屋に戻ると内科的な診察をしてからまず能勢にゴルゴネスを装着して眠らせ、彼女自身も覚醒《かくせい》用のフロッピーをセットして熟睡した。そして明けがた五時、一瞬の微弱な静電気によって眼醒《めざ》め、さっそくコレクターを被《かぶ》って能勢の夢にアクセスしたのだった。

能勢は今、夜の海岸を歩いていた。海上を奇妙な形の快速艇が走っていた。

「気をつけろ。※◇#☆」

能勢はその快速艇に見つからぬよう気を配っているらしく、手を握っている、今ジャック・インしたばかりのパプリカを何やら外国人らしい名前で呼び、砂の上に身を伏せた。

「何よあれ」

「★△だ」パプリカの問いに、能勢は自分でもはっきりわかっていないらしいことばを言う。

半醒半睡の状態でパプリカが見たモニター画面とも能勢の夢とも判別できぬ視界からは、能勢が自分をウエット・スーツ姿の、成人した、やたらに背の高い、外人女優じみた「毬ちゃん」として見ているらしいことがわかる。その種の映画など見たことがないパプリカにも、どうやらスパイ映画「００７」の一場面だと判断できた。

狂気の如《ごと》き荒唐無稽《こうとうむけい》な冒険が始まった。二人はまず海に続いているらしい川に飛びこんで、潜水したりしながら上流に向かう。上流からは船だかドラゴンだかよくわからないものがやってきて、目玉のような投光器で光りを投げかけ、口から火炎を吐き出す。能勢とパプリカはしかたなく自動小銃で応戦しなければならない。

「なんて馬鹿《ばか》げた夢を見るのよ」

今や完璧《かんぺき》に自分がアーシュラ・アンドレスになってしまっているらしいことを自覚し、あきれながらもパプリカが能勢の思考に注意を向けると、彼はこの夢を楽しんでいた。

次いで怪獣の頭から身を乗り出し、同じく自動小銃でこちらに向かって撃ちまくりはじめたのは、以前の能勢の夢では写真となって弔われていた、難波という人物だった。

能勢にとってこの難波は部下であり、職人肌の開発室長であり、むしろ護《まも》ってやるべき存在であった筈だが、能勢は今まるで戦争ごっこのように難波との戦いを享楽《きょうらく》していて、そこには彼を射殺するのではないかという気づかいも、殺されるのではないかという恐怖もなかった。難波との口論をしている時にも、能勢龍夫はこのように楽しんでいるのかも知れなかった。

「これ、なんて映画だっけ」

パプリカがそう訊《たず》ねると、能勢にもこれが夢であることのうっすらとした認識が生じ、さすがに馬鹿ばかしくなったらしくて「▲◎※！」などとわけのわからぬことを叫びながら川から這《は》いあがった。

そこは小川のほとりで、広い街道の傍らだった。遠くの山なみに続く一面の畠《はたけ》だが、街道に面して数軒の田舎の商店があり、ふたりが立っているところは煙草屋《たばこや》の裏だった。そこにそのまま佇《たたず》んでいることに能勢は強い不安を抱いたようだった。パプリカが能勢について煙草屋のおもてにまわると、バス停の表示が立っていた。

「いつもここからバスに乗っていたのね」

そう訊ねるパプリカは、能勢の眼にも今は可愛《かわい》いそばかす娘のパプリカとして映じていた。

「うん。能勢はうなずきながら答えた。ここから……バスに……中学」

「それなら……」パプリカ自身も半分は睡眠状態にあり、適切なことばがうまく出てこない。

パプリカは能勢が何かのこだわりを持っているらしい「煙草屋の裏」にもう一度戻りたかったのだが、能勢はまたしても、以前の夢と同じ中学校の教室へ、すでに来てしまっていた。教壇に立っているのは、今回はずんぐりした、猪首《いくび》の男だった。彼は数学を教えているようだった。

「誰なの」能勢と並んで掛けているパプリカが訊ねた。

「瀬川……」

パプリカの記憶では、瀬川というのは能勢の競争相手の会社の重役で、以前の夢では級友のひとり、熊《くま》の顔をしていた人物だった筈だ。

「熊……じゃ、なかったの」

「いや……あれは#◇◎の……」

教室内の級友たちの顔は、ぼやけていてよくわからない。

瀬川が黒板に数字を書きなぐりながら、無茶苦茶な講義をしはじめた。「等差数列で1から始まるnの自然数の和は、最近例のところであまり会わないから、奇数の和も1＋2＋3＋……＋n＝寂しがっている、ということになり、おや社長。もうお帰りですか」

これも瀬川に代替される誰かであろうか。パプリカは能勢の瀬川に対する感情を刺激することにした。

立ちあがり、パプリカは叫んだ。「やめちまえ。ぶん殴っちまえ」

「よし」能勢が立ちあがった。

教壇の瀬川が怯《おび》えの表情を見せ、顔を変えた。老人の顔になっていた。教室も、会社の一室と思える会議場に変っていた。

老人はずっと前から喋《しゃべ》り続けていたようだった。「……などは、絶対によくない。特に社内政治など☆△※のこと、よろしからず。もし犠牲者……」

「誰」

パプリカが訊ねたが、能勢はこれが夢であるという認識を今はまったく失って、ひたすら老人を怖がっていた。

「WHO　IS　HE?」今度は中学生のような発音の英語で訊ねてみた。

「HE　IS……」答えかけ、能勢は英語が浮かばず、かわりに呟《つぶや》いた。「死んでいるのに」

能勢のシニフィアンによれば、社内政治をしきりに批判しているこの老人は前の社長だった。

「よし、カット。カット」

　突然、誰かが大声を出した。パプリカの見知らぬ男が、この会議の進行を映画の一シーンに収めるための監督をしていた。カメラマンは難波だった。会議室にいる、顔かたちのさだかでない男性俳優全員がからだの緊張を抜き、俳優自身に戻ってざわめく。セットはヴィスコンティか誰かの作品の一場面と思える豪華な宴会場だったが、女性が少なく、客の服装によってそれはまるで企業のパーティのようだった。ハンチング、サングラス、鼻下髭《ひげ》。監督はいかにも映画監督らしい、絵に描いたようなステロタイプの映画監督だった。しかしパロディほどの滑稽《こっけい》さはなく、これはシャドウだと、パプリカは直感した。夢を見ている本人の可能的自己であるに違いない。あの映画監督もまた、映画監督になることが少年時代の夢であったらしい能勢龍夫自身なのだろう。

「映画監督だったのねえ」

　確かめようとしてパプリカがそう探りを入れると、一瞬にして、夢の視点は映画監督の視点となった。今や映画監督となった能勢がパプリカに叫ぶ。

「★▲#だからね。はい。用意！」

「スタート」の声がかかる前に、パプリカは叫び返した。「カメラマンは誰なの」難波である筈はなかったからだ。

　衝撃であったらしい。口の中で「◎※◇★……」というむにゃむにゃ声を出すと、能勢は覚醒してしまった。夢探偵としては失敗だったが、パプリカは問題の芯《しん》に接近したらしいことを悟った。

「ごめんなさいね。起しちまったわ」

横臥《おうが》の姿勢になり、能勢はまだぼんやりとしたままでパプリカを見つめた。

「どうします。もう一度寝ますか」

「ああ。パプリカ」能勢は質問に答えず、詠嘆するように言った。「君はぼくの夢の中に出てきてくれたね。とてもすばらしかった。すばらしかったよ」

治療なのだ。そんなに感激されても困ってしまう、と、パプリカは思う。「じゃあ、そのままでいいから、ちょっと訊《き》かせてくれる」

「いいよ」夢の中でのように、まだ能勢のことばは不明瞭《ふめいりょう》だ。

パプリカはセオリー通り、夢を遡《そ》行《こう》することにした。「あなたは映画監督だったわね」

能勢は羞《は》じらいを見せた。「まあ、だれにでもある、少年時代の夢だが」

難波のことには触れず、パプリカはモニターの停止画面をその前のシーンにバック・スキップさせた。「この初代の社長に、あなたは認められていたの」

「うん、まあ。亡《な》くなって六年になるかな。でも前の社長はそんな、社員を集めて説教するような人じゃなかったよ」

「あなたは尊敬していた」

「そりゃもう。もっといろいろ教えて貰《もら》っていればよかったと思うよ。社内政治を批判していたけど、その通りだなあ」

「じゃあ、『老賢者』ね」

「それは何」

「ユングの言っているアーキタイプ、つまり元型のひとりでもって、夢の中に出てくる老人というのは、本人に適切なことを教えてくれる人なの。本人の無意識の知恵が擬人化されたものらしいわ」

「社内政治をしてはいけないって教えてくれているんだね」

「いいえ。別のことよ。犠牲者って言わなかった」

「言ったね」能勢は何かを思い出そうとして苦しげな表情をした。「わからないけど バック・スキップ。「瀬川さんのでたらめな数学の授業」

「ああ。昨夜、パーティで会ったんだ」能勢は笑った。「昼間の残滓《ざんし》、ってやつだろう」

「それもあるけど、なぜ数学なの」

「まあ、計算高い男だから」

「中学時代の数学の先生と似てる」

「似てないなあ」

「じゃ、これ、ほんとは誰かな。中学時代の誰かを思い出して頂戴《ちょうだい》。数学ができて、態に似たひとよ」

「高尾、っていうのがいたけど。数学がやたらによくできて、ずんぐりしていた。だけどほとんどつきあいはなかったな」

なんでもない級友だったのなら、高尾というのが夢にそのまま出てきてもいい筈《はず》だった。瀬川としてカモフラージュされている以上、やはり思い出したくない人物と考えてよかった。

バック・スキップ。「その前は煙草屋さんよ」

「ああ。バス停のあるところだ。あそこまでは家から歩いて十二、三分だった」能勢は急に饒舌《じょうぜつ》になった。何かを隠そうとしているようでもあった。

「この煙草屋の裏。小川のほとり。ここで、何かあったの」

能勢は呻《うめ》いた。「うん。そこでよく、友達の喧嘩《けんか》があった」

「誰が喧嘩してたの。その高尾って子」

「うん。高尾も喧嘩した」

「あなたもしたの」

「いや。ぼくは喧嘩しない」能勢の額には汗の粒が噴き出ていた。

「つらそうね」と、パプリカは言った。あまり追いつめては防衛機構が過剰に働いて、治癒が遅れてしまう。

11

煙草屋の裏の空地は、それ自身が能勢龍夫の不安を激しく呼び起すものであり、もしパプリカが彼の夢に立ち会っていなければ、能勢が眼醒《めざ》めるなり抑圧し、忘れてしまっていた筈のシーンだった。

「まあ。汗びっしょり」

「実は、顔よりもからだ全体の方が、もっとびっしょりなんだけど」能勢がまた羞じらいを見せて言った。「シーツを濡《ぬ》らしてしまって申しわけない」

「じゃ、シャワーを浴びてらっしゃいよ」

「そうするか」能勢は起きあがりかけ、ここが病院ではなくパプリカの住まいであることに気づかいを見せた。「しかし、妙齢の女性の自宅でシャワーを使わせていただくなんてことは」

「またあ」パプリカはいささか嘲笑《ちようしよう》気味に笑った。「それ、いつも気にするのね。紳士なのね」

能勢がシャワーを浴びている間に、パプリカはシーツを取り替えた。それから朝食の支度にかかった。ベーコン・エッグにトーストにコーヒー。野菜を切らしていたのでサラダは作れず、かわりにアスパラガスの缶詰をあけた。能勢との朝食を思い楽しくなって、自然に歌が出た。「P・S・アイラヴユー」だった。能勢の人柄が好ましくなりはじめていた。治療が進むにつれ、もっと好きになりそうだった。

「ここで、食べながら続きをやりましょう」バスローブを着て出てきた能勢にパプリカは言った。

能勢がこのリビング・ルームから陽光の下にある都会の景色を眺めるのは初めてのことだった。能勢は歓声をあげた。「いいなあ。優雅だなあ」ここが本当にパプリカ自身の住まいなのかという疑問がまた湧《わ》いたが、口にはしなかった。

「惜しむらくはリビング・ルームに朝日が射《さ》しこまないのよね。あっちが西だから」

パプリカはワイシャツ姿になった能勢と向きあって食卓についた。わが家と同じ朝食だな、と、能勢は言った。それでは奥さんは野菜サラダを作らないんだわ、と、パプリカは思った。

「一緒に戦ったの、憶《おぼ》えてる」パプリカはくすくす笑いながら訊ねた。

「007だろ。憶えてるよ」照れくさそうに能勢がちょっと身をよじった。「あれは『ドクター・ノオ』って言って、007シリーズの最初の映画だ」

「やっぱり中学生の時だな。町まで、ひとりで見に行ったよ。あまり面白くて二度見たなあ。帰りのバスに遅れそうになった」

しばらく故郷のことを能勢は喋《しゃべ》った。能勢の故郷は山梨県、関東山地の麓《ふもと》の農村で、家は旧家であり、父親は医者だった。

パプリカは007に話を戻した。「難波さんが出てきたわね」

「あいつと戦ったな。昼間の残滓だ」

悪いことばを教えてしまったと思い、パプリカは苦笑した。あんまり簡単に、すべてを「昼間の残滓」で片づけられては分析ができない。

「ええと。その前にちょっと毬ちゃんが出てきたけど、あれも君だったのかい」

「そうよ。赤い自転車、憶えてる」

「うん。鮮明に憶えてる。赤さが鮮明だったからね」

「やっぱりリフレクターはカラーにする必要があるわね。モニターしてるだけじゃ、赤い自転車だってことはわからなかったわけだから」

「そうだね。コーヒー、もっと貰《もら》っていいかい」

「どうぞ。資延さんが乗っていたけど、中学生時代に誰か、赤い自転車に乗っていたひと憶えてないかしら」

「いつ見たの」

能勢は背を真っすぐにして新宿の高層ビル街を凝視した。「思い出した。バスに乗らずにずっと赤い自転車に乗って通学してるやつがいた。級友だ。ええとね。あれは、そうだ、秋重だ」

「仲がよかったの」

「とんでもないよ。クラスのボスだ。餓鬼大将だ。いじめっ子だよ」

「じゃあ、そこのところで資延さんとイメージが重なるわけね。あなたは以前の夢で、国語の先生になっている資延さんから『叱《しか》られて』いるんじゃなく、『いじめられて』いたんでしょう」

能勢はまじまじとパプリカを見た。「なるほどな。夢の分析ってのは、そういうふうにしてやるのか」

「そうよ」

「さっき瀬川のことを高尾だって言ったね」

「ええ」

「じゃ、難波も、難波ではないわけだな」

「きっとそうよ」

能勢は考えこんだ。「誰だろう」

「高尾君は、その秋重という子にいじめられていたの」

「いや。あいつは狡《ずる》いやつでさ。数学がよくできたりするので、本来なら秋重にいちばん先にいじめられていた筈なんだけど、自分の方から秋重にすり寄っていって、子分になったよ」

「あなたはいじめられたの」

「うん。でも、それほどひどくいじめられた記憶はない。いや。あったかな」苦しげにそう言う能勢の額に、また光る粒が見えはじめた。

「以前の夢を分析してる時あなたは、資延さんから『いじめられている』というよりは、どちらかといえば『戦っている』と表現した方がいいって言ったわ。その秋重って子と、あなたは戦ったのかもしれないわね」

「いや。そんな記憶も。待てよ。戦ったかなあ」能勢の声は嗄《しわが》れはじめた。

「無理に思い出そうとしない方がいいわ。思い出さないために、にせの記憶をでっちあげたりする恐れがあるから。でもそれは、核心に近づいてきたってことよ。トースト、もっといかが。このフォーションのジャム、おいしいわよ」

「いや。もう結構だよ」

「ねえ能勢さん。あなた、今度はいつここに泊れるの」

唐突な質問に、能勢は本心を見せて嬉《うれ》しそうな顔をした。「えっ。そりゃあもう、いつでもいいよ。今夜だっていいよ」

「奥さん、心配なさらないの」

「会社から電話するよ。治療なんだから心配するわけはないさ」

「そう。じゃ、今夜来て頂戴」パプリカは少し意気ごんで言った。「というのは、あなたは今、古いトロゥマを、つまり精神的外傷って言って心の傷なんだけど、それを思い出そうとしてるの。でも、その抑圧が激しいの。心の中でせめぎあってるわ。だから不安が昂《こう》じて、また発作を起す虞《おそ》れがあります。あと一歩ですべてを思い出すところなの。思い出せば不安はなくなるわ。それに、今朝であなたはわたしの夢探偵にだいぶ馴《な》れたから、今夜あたりだとわたしが夢に登場しても、あまり驚かない筈よ」

「そうだろうか」能勢は眼を輝かせた。「そうだと楽しいな」

「もっと楽しいことはね、あなたは、ちょうどわたしが半醒《はんせい》半睡の状態であなたの夢にジャック・インするみたいに、あなた自身も、これが夢だと知りながら夢の中で行動できるようになるのよ」

「君と一緒にかい」

「わたしと一緒によ」

「楽しいだろうな」能勢は喜びに身じろぎして、もう一度くり返した。「それは楽しいだろうな。馴れてくると、みんなそうなるのかい」

「意志が強くて、軽症のひとはみなそうなったわ。わたしのお客さんはたいてい意志が強くて軽症だったんだけど」

「神経症の治療って、もっと苦しいものかと思っていたんだが」能勢はじろじろとパプリカを見た。「島が羨《うらや》んだ筈だ。それじゃ君のお客さんはみんな、君のことを忘れられなくなりゃしないかい」

「さあ。どうでしょう。治療後はお会いしないのがわたしの原則だから」

能勢は非常に残念そうに言った。「いわゆる、有名人ばかりだからかい」

「サイコセラピストにかかったことがわかるとまずいひとばかりだからよ」

「しかし全快祝いに一度くらいは会ってくれるんだろう。ほら。ラジオ・クラブで、いつかゆっくり飲もうって約束したじゃないか」

「したかしら」

「しました」能勢は生真面目《きまじめ》に断言した。

パプリカは笑いをこらえながら立ちあがって、薬品戸棚に寄った。「お薬、もうないんでしょ。今日の分、出しますからね」今日一日の分だけでいい筈だ。今夜の治療に自信のあるパプリカはそう思った。

「ねえ。毬ちゃんって子と、仲よかったの」能勢が帰ろうとする時、パプリカは訊《たず》ねた。

毬ちゃんのことだけ訊ねていなかったことを思い出したのだった。

「ああ。毬ちゃんか」能勢は懐《なつ》かしむ眼で遠くを見た。「となり村の子だったけど、と

って も可愛《かわい》くて、憧《あこが》れていた。あまり可愛かったので、ことばを交わしたことは一度もなかったよ。今朝の夢の中で話したのが初めてだけど」能勢は微笑してパプリカを見た。「でもあれは、君だったんだね」

能勢が出勤してしまうと、パプリカは化粧を落し、もうひと眠りした。洗練された技術によって、疲れている時ならいつでもすぐに眠ることができた。

十時に起き、千葉敦子の化粧をした。手間はかからず、パプリカの扮装《ふんそう》に要する五分の一の時間ですんだ。普段いちばんよく着る杏子色《あんずいろ》のスーツを着て、地下のガレージに降り、自分の車に乗った。彼女の車はモス・グリーンのマージナルだった。

研究所に着くと、職員用駐車場から建物に入るガラス・ドアの前の暗がりに、顔を隠すようにして、このあいだの記者会見で気になる質問をしたあの若い記者が立っていた。彼は敦子を見ると無理に微笑を浮かべ、すまなそうに一礼した。「先日は、たいへん失礼なことをうかがいまして」

「あら。わたしにご用でしたの」敦子は誰でも気を許さずにはいられなくなる親しみのこもった微笑を返した。「何かお訊《き》きになりたいことが」

「と、いうより、その、お教えしておきたいことが」彼はちらりと周囲を見た。「このあいだの無礼の、その、お詫《わ》びのかわりに、と言いますか」

この青年の自分に対する感情が、何かの理由で大きく変化したに相違ない、と、敦子は思った。さもなくばこの若さで、たいへんな演技力と言えた。

「何でしょう。ここから先へは職員以外入れないので、立ち話になってしまって申しわけありませんが」

「聞いてくださいますか」けんもほろろに扱われる覚悟だったらしく、彼は感激の表情を見せ、名刺を出した。「ありがとうございます。わたし大朝社会部の松兼と言います。それであのう、実は、パプリカのことなんですが」敦子が表情を変えてもいないのに、若い記者はあわてて言い添えた。「いえいえ。ぼく自身はあの時も言いましたように、あれ以上パプリカの正体を詮索《せんさく》する気はまったくありません。ただ、現在ほかの、つまりわが社も含めて各社のということですが、社会部の記者連中が、つい最近パプリカが六本木にあらわれたという噂《うわさ》で騒いでいるんです。それでまあ、その、お気をつけになった方がと、そのことを」

「まあ」敦子はくすくす笑った。「パプリカでもないわたしに、そんなことをおっしゃっても」

「ええ。ええ。ま、そうなんですがね」青年記者は苦笑して駐車場の天井を仰いだ。

「ですからつまり、まあ、万一パプリカをご存じなら、用心するように伝えてやっていただきたいと、まあ、そういうわけで」

「ご親切に。でも、どうしてお仲間を裏切ってまで、そんなことを教えてくださるの」

青年は真面目になった。「さっき言いましたように、先日のお詫びのかわりに。そしてあの、それから」彼は黙ってしまった。

「それから」敦子は微笑したままで促した。「あなたに変なことを教えた研究所内の誰かさんの名前、教えてくださるのかしら」

「そのことですが」意気ごんで何か打ち明けようとし、ふんぎりがつかぬ様子で松兼はまた自分の靴を見た。「いずれお話しできると思います。確かなことを調べた上で。ですからあの」直立不動の姿勢をとり、敦子の顔をまともに見て正義感にあふれ、美貌《びぼう》の記者が言った。「くれぐれも気をつけてください」

「えっ。気をつけるって、何を」

「あの、また来ます。また来ますので」職員の車が新たに入ってきたのを見て、彼は少し身を屈《かが》め、壁際《かべぎわ》を出口へと去った。

彼が自分に警戒を求めるような、いったいどんな事実をつかんだのか。千葉敦子はさまざまに想像をめぐらせながらガラス・ドアを押し開けた。

12

研究室に入ると、小山内や津村と同年輩の若いセラピストで橋本という色黒の男が、膝《ひざ》をつきあわせるようにして柿本信枝と何やら話しこんでいた。敦子にかかわりのある話題だったらしく、橋本はどぎまぎしながらもさすがにセラピストらしくさりげない態度で立ちあがった。

「これは、お邪魔を」

「いつものことじゃないの。遠慮しなくていいのよ」

「いや。そろそろ回診を」腕時計など見ながら、橋本は去った。

診察着を着る敦子に、柿本信枝は珍しく非難の眼を向けた。「先生。津村さんはリフレクター見てただけじゃなく、コレクターも使ってたそうじゃありませんか」

「そのようね」

「他の研究室のひと、みんなコレクターで診療してるのに、どうしてわたしにだけやらせてくださらないんですか」

「橋本君からけしかけられたのね。ろくに訓練もしないで使ったために、津村君はあんなことになったのよ。どうしてみんな、そんなにコレクター使いたがるのかしら」

「わたしって、先生から信頼されてないんですわ」

「信頼の問題じゃないの」

柿本信枝はしばらく黙ってから話題を変えた。「わたし、このあいだの記者会見の記事を読んで、パプリカに変装して出歩くことを考えたんですよ」

敦子は何か思いつめている様子の信枝を観察した。「何のために」

「先生への疑いを晴らすためですわ。パプリカの正体は先生ではないのかというマスコミの疑いを晴らすために」

この娘はパプリカになりたいのだ。そう思い、敦子は笑いをこらえた。「パプリカの正体は、実はあなただった。でも、それを皆が信じると思う」

「でもわたし、このあいだから、ずっと尾行されてるんですよ。わたしだって、パプリカである可能性を認められてるんですよ。先生は、わたしじゃ役不足だっておっしゃりたいんでしょうけど」『役不足』の意味をあべこべに使って、信枝は敦子を正面から睨《にら》みつけた。

敦子は信枝の眼を注視した。研究所の女性職員すべてにパプリカである疑いを抱いた新聞記者の誰かから本当に尾行されているのかもしれなかったが、まず、ありそうにないことだった。尾行妄想にとりつかれたようだ。言うことも喋《しゃべ》りかたも、いつもとは違っていた。敦子は慄《りつ》然《ぜん》とした。この娘のリフレクターにも誰かが何かの細工をしたのだろうか。危険が身に迫ってきていた。敦子自身のリフレクターやコレクターのメモリーやフロッピーも、至急調べてみる必要があった。

疑いを悟られてはならない、と、敦子は思い、信枝をPT機器から遠ざけるため、すぐさま論文原稿の大量の複写と製本を命じた。三、四時間はかかる筈《はず》だった。

売店でサンドウイッチとコーヒーを買い、敦子が理事室へ行くと、時田浩作はすでに昼食を終え、仏頂面《ぶっちょうづら》で茶を飲んでいた。「ここの茶はいつもまずいなあ」

「信枝ちゃんがおかしくなったみたいなの」不安で時田に相談を持ちかけないではいられなかった。

「柿本君もか」ものに動じない時田もさすがに憮然《ぶぜん》とした。「津村はリアルタイムの三分ごとに二十分の一秒という非常にわかりにくい巧妙なかたちで、トロゥマをリリースするような識閾《しきいき》下投射をされていた。独裁者妄想とでも言うのかな」

「プログラムしたのは誰。やっぱり氷室君なの」

「あいつの使ってるパーティションから見つけ出したんだもの、そうに決ってるさ。ただし、そんなことしたってあいつ自身には何の役にも立たないんだから、誰かに頼まれたんだ。とっちめたらすぐ吐くよ」

「それ、今はやめて頂戴《ちょうだい》。敵に知られたら何されるかわからないわ」

「必要ならいつでもとっちめてやるから」自分に似た肥満体の弟子を、時田浩作はよほど『とっちめたい』様子だった。「すぐに吐くよ」

「まだ、やらないでね」

「そうそう。例の『DCミニ』だけどさ。ゆうべ遅くに、できたよ」

短いエッセイを一篇仕上げたほどの気軽な口調で時田は言った。Dはダイダロス、C

はコレクターの略なのであろう。時田がポケットから出して敦子の机の隅に置いたそれは、底面の直径が六、七ミリで高さ一センチほどの円錐形《えんすいけい》をした物体だった。

「これがあのユニットなの。ケーブルは――」

「ケーブルいらない。ダイダロスと同じだ」

「ああ」敦子は賛嘆の吐息をついた。「とうとうできたのね」

「うん。互いの脳に互いの夢内容を伝達するんだから、ファイバー束なんてものは役に立たない。せっかく生物化学素子使うんだから、むしろ生体エネルギー準位の自然幅を利用してシナプス伝達型通信方式を応用した方がいいんだ」

「あのう、初歩的な質問でごめんなさい。つまりこれ、生体電流使ってるの」

「そうそうそ。生体電流の誘導性サージによる非線形波動応用してるの。生体電流はBTU出力の加減で新しいシナプス伝達型の通信方式を生み出せるからね」

「で、これって、ケーブルなしで、どれくらいの距離まで有効なの」

「えっと、それ、わからない。遮蔽物《しゃへいぶつ》があっても百メートルくらいなら確実にいけると思うけど、使用頻度次第ではアナフィラキシーが生じるんじゃないかと思う」

「アナフィラキシーって、免疫《めんえき》の反対の過敏性ね。それじゃ、使うにつれてどんどん有効範囲が広がるのね。頭に、どうやってつけるの」

「そのままつければいい」

しこめばいいさ」

「だから、そのままって」

「尖端《せんたん》を頭皮にくっつけるように。いや。別段くっつけなくてもいいか。頭髪の中へさしこめばいいさ」

「禿頭《はげあたま》のひとは」

「テープで貼《は》りつけるんだね」

「『ＤＣミニ』っていうのね。あなたこのこと、今日の理事会で発表するつもりなの」

午後一時から理事会があるのだった。

「えっ。言っちゃいけないのかい」時田は不満そうな表情をした。

「しばらく様子を見てからの方がいいと思うの」

敦子が時田にその理由を説明しようとした時、理事室に非常勤理事の大和田が入ってきた。ふだん使われていない自分のデスクは見向きもせず、日本内科学会会長で大和田総合病院の院長でもある大和田は、敦子のデスクの前にやってきて言った。「パプリカの件、島さんはどうするつもりですかな」

「もちろん、マスコミには隠し通すって言ってます」

「そうでしょうな。でなきゃ、困る」六年前に大和田は、当時の農林水産大臣だった人物のノイローゼの治療をパプリカに頼んだことがあり、理事の中では理事長派だった。

「ところが乾さんは、もし隠し通すつもりなら千葉先生に理事をやめてもらわなきゃ、なんて言ってるんです」

「今頃、何だ」時田浩作はいささか憤然とした。「ご禁制だった時分には理事のひとみんな、知り合いの治療を次から次からパプリカに頼んでおいて」

「だからさ、千葉先生は開きなおる必要がありますよ。理事をやめさせるなら、パプリカであったことを公表するって。公表されて困らないのは、パプリカに何も頼まなかった乾さんだけだ」

敦子はかぶりを振った。「そんなこと、したくないわ」

「大騒ぎになるな」ちょっと面白そうに、時田が下唇を突き出して例の子供っぽいにやにや笑いを見せた。

副理事長の腹心とも言うべき小山内が白い額を光らせて入ってきた。「ああ大和田さん。やっぱりもうおいででしたか。乾さんがちょっと副理事長室にお越し願いたいとのことで」

「すぐ行きます」

「懐柔されないでくださいね」と、敦子は行きかけた大和田に言った。

廊下に出かけていた小山内が振り返り、きら、と、眼を光らせてにやりとした。

一時に近づき、あとのふたりの非常勤理事がやってきて、全員が会議室に集った。正面には理事長である島寅太郎所長がすわり、その横には事務局長の葛城が掛け、あとはそれぞれが思い思いの席についたが、大和田、時田浩作、千葉敦子が一方の側に並び、反対側にあとの三人が並んだため、はからずも理事長派と副理事長派が睨みあう形となった。時田の向かい側が副理事長の乾精次郎だった。日本精神病理学会会長でもある乾は瘦《や》せていて、白髪まじりの顎鬚《あごひげ》を生やしていた。容貌《ようぼう》からは潔癖さがうかがえ、リンカーンのような狂信に近い正義感の持ち主のようにも見えた。

「ええと、ご案内の書面には、議決事項について詳しいことを書かなかったのですが」

常務理事でもある事務局長の葛城がそう喋り出すなり、乾精次郎の鈍く光る金属を思わせるようなきびしい声がとんだ。「と言うより、書けなかった」

乾の右隣りに掛けた愛和銀行頭取の堀田《ほった》が、乾に阿《おもね》るように笑った。

「まあまあ。それはそうなんだが」島寅太郎も笑いながら言った。「なぜ書けなかったかは、皆さんにもおわかり戴《いただ》けると思います。それに今回の理事会を開くについては、ほとんどのかたから開会の要請があったわけで、議事の内容は皆さんよくご承知だから、書くまでもなかったんです」

「ただまあ、議決事項を文部省に報告しなきゃならんので、その辺をどう書くかがあとで問題になってきますが。ひひ」情けなさそうに葛城が笑う。

「どうもあまり、愉快ではない」きびしい表情を崩さず、乾は言った。「こういう秘密というか、内緒ごとで議事を行うのは恥ずべきことです」

「しかし、みながパプリカの出動を要請していた頃は、誰も恥ずべきこととは思っていなかったわけでしょう」大和田が言った。「ＰＴ機器にどれほどの治療効果があるかを知りたくて、皆さん夢中でしたよ」

「昔のことを言ってもしかたがない」研究所に基本財産として指定した多額の寄付を行っている石中不動産の会長、石中が不機嫌にそう言った。研究所の広大な敷地や職員用の高級マンションも、この石中の提供によるものだった。「千葉敦子先生がノーベル医学生理学賞の最有力候補になられた今だからこそ、パプリカのことが過去の違法行為としてマスコミの話題になっておるんです」

「じゃ、石中さんもやはり、パプリカの正体を公表せよというご意見ですか」島理事長が困惑を見せて言った。「理事のひとりでもある千葉さんの経歴に疵《きず》がつきますが。研究所の業績にも疵がつく」

「うん。それはそうなんです」石中が苦渋を示した。「わたしも困る」

「理事長」乾精次郎が島寅太郎に向きなおった。「その秘密主義が他にも波及して、隠しごとがどんどん増えていきますよ。津村のこともそうだ。ＰＴ機器に危険があるならあると、今のうちにはっきり公表しておかんことには、いずれあなたの責任問題になってきます」

「ＰＴ機器に危険はありません」時田浩作が何も言わぬうちにと、敦子はいそいでそう言った。「津村さんの発病の原因はいずれわかると思います」

「パプリカの件ですがね」堀田が遠慮勝ちに言った。「まあ、当時千葉先生は理事じゃなかったわけで、つまりその、一職員としてなさった違法行為だったわけですよね」あとは考えろ、とでも言うように、堀田はことばを途切らせた。

「わたしに理事をやめろと」どんな顔でそんなことが言えるのかとばかり、敦子は堀田の顔を見つめて訊《たず》ねた。

「ま、ま、このパプリカ騒ぎが一段落するまでですな」堀田が少しおどおどした。「一時的にですよ。一時的。千葉先生が理事でさえなければ、パプリカの正体が発覚しても研究所としては疵がつかない。ま、ちょうどそのう、千葉さんは三年目で、任期の期限でもあるし」

「あなたがた、それでは、この研究所がパプリカから蒙《こうむ》った恩恵をどうお考えですか」ついにたまりかねて時田が口を出した。「パプリカの治療によって病気がなおった政財界の人たちからの莫大《ばくだい》な寄付行為によって、この研究所は発展し、PT機器も進歩した。こういう科学の進歩発展の蔭《かげ》には必ず、庶民感情に反する科学的冒険や実験が」

「また、それかね」乾精次郎はほとんど激怒しているかに見える眼を時田浩作に向けた。

「君はいつもそれを言いますね。君のその発言にしろ、さっきの千葉君の、PT機器の安全性を無条件で信じる発言にせよ、科学技術の自走性に対する科学者としての反省がまるでない。最尖端《さいせんたん》を走る者の自負しかないというのはね、それはね、科学者として恥かしいことなんですよ」

13

「まあまあ。乾さん」島寅太郎所長は、乾精次郎のいささかファナティックな科学倫理観に辟易《へきえき》して、せいいっぱいの笑みを見せた。「それは、時田君や千葉さんに次つぎと大きな開発や研究成果を強制したわたしの責任でもあるわけですから」

「今、乾さんは科学技術の自走性とおっしゃったが」大和田が不満げに言う。「時田先生や千葉先生は何も技術開発の波に乗って暴走したというわけではないでしょう。不可能とされていた分裂病治療に初めて技術的成果を齎《もたら》されたわけで、だからこそノーベル医学生理学賞の有力な候補にも」

「そこが問題です。大和田さん」ノーベル賞ということばに乾精次郎の表情が変化した。口もとが吊《つ》りあがり、鼻孔が開き、ちょっと悪魔のような顔になった。ノーベル賞を憎悪《ぞうお》しているかにも見えた。「さっきもあなたに申しあげたが、分裂病患者とはいえ人間であり、その人間の心に直接踏み込んで治療するような技術は、特にそれが一般の正常人にまで適用できるような技術である以上は、医学倫理の立場から詳細の上にも詳細にわたって議論し尽す必要があった筈《はず》です。しかるに時田君は、いかにPT機器に治療効果があったからとは言え、まだ完治した患者がひとりもなく、まして治療後の結果さえ出ていないうちから、早くも次の、新たな機器の開発をやっているというではないですか。莫大な経費を使って」

「えっ。莫大な経費だなんて、そんな」思いがけない非難だったらしく、時田浩作は非常に驚いた様子を示した。「そんなに使っている筈はありません」

「副理事長は前の理事会で収支計算書をご覧になった筈だが」不審げに島寅太郎が言った。「あれはあのあと、監事の監査を経て文部省の承認も得たんですがね」

「いや。われわれにはわからなかったが、あのあと山辺さんの話では、LSIなど東京エレクトロニクス技研からの購入がやはり、異常に多いということです」山辺というのは医療機器組合の相談役もしている、乾と親しい監事だった。

「前期、ぼくは、LSIをそれほど使ってはいないんだが」使っていないという自信がないらしく、時田浩作は俯《うつむ》いて、つぶやくように言った。「急にコストをあげたのかなあ。じゃあもう、技研には発注しないことにしよう」

「突然発注をやめられても」事務局長の葛城が苦笑して頭を掻《か》いた。「今までのつきあいがありますし、これからも」

「この間の記者会見の記事はわたしも読んだが、その新しい機器というのは、どういったものですか」石中が訊ねた。乾と違ってこの石中や銀行の堀田は、技術開発には賛成なのだった。「難しい科学用語で言われてもわからないが、つまりはどういう役に立つのですか」

「まだお話しできる段階ではありません」敦子から口どめされてもいるので、時田は拗《す》ねたようにそっけなく言った。「お話ししたところでどうせ乾さんから、神をも恐れぬ仕業とお叱《しか》りを受けそうだし」

「わたしども理事には、何ごともおっしゃってくださらなければ」堀田がわざとらしく困った表情をして見せた。「理事長。あなたはご存じなんでしょうな。いくら何でも、研究所の研究業務内容が理事長にも報告されてないというんじゃあ」

「いやいや。この時田君にだけは勝手にさせておいた方が、凄《すご》いことをやるんですよ。まあ、ゴルゴネスからケーブルをなくしたダイダロスというものを作るとか聞いておりますが、とにかく天才というものは偶然を利用して大発見や大発明をやりますからなあ」

お人よしの島寅太郎が手放しで弟子の自慢をはじめたため、乾は渋い顔をした。「何をするにせよ、科学技術が一般社会において悪用されないような機能を持たせることだけはお忘れにならんように」

千葉敦子は乾のことばで、どんと胸を衝《つ》かれるような感覚に見舞われた。時田浩作は

ＤＣミニにアクセス不能の機能をあたえたのだろうか。そんなこまかい気配りとは無縁の時田の性格から考えて、どうもあたえなかったようだ。隣りの席の時田のからだが一瞬こわばったところから、あたえなかったのだと敦子は判断した。時田の犯しそうな過《あやま》ちは時田以上にわかるのだった。

「ところで、あと四カ月で任期が満了するのは、千葉先生だけではないわけですが」堀田が口調をわざと軽くして言った。「もちろん再任を妨げないことにもなっていますが、どうでしょうか。乾先生の研究所に対するご不満はさっきからのご発言でよくわかりますので、この辺でひとつ、業務に偏《かたよ》りが生じないためにも、島さんにはちょっと休んでいただいて、一度乾先生にですな、そのう、理事長になっていただくというのも」たくらまれ、予定されていた不意打ちの発言であるに違いなかった。

こういうこともあろうかと危惧《きぐ》していた敦子は、瞬間、思わず鋭い声を発してしまっていた。「理事長の選任は文部大臣でなければならない筈ですが」

「まあ、その前に理事の互選もできる」石中がくぐもった声で言った。「その場合、文部大臣はその決定を承認するだけだ」

「あるいはわたしが辞任するとか」どこまでも善良な島寅太郎はまだ笑っている。

「このお話は、理事長に対しても、今、初めてなさったお話なのでしょうか」敦子は堀田を見据えて訊ねた。「だとすると、唐突に過ぎるよう思われますが」

「ああ。これは軽率でしたなあ。ろくに根まわしもせんで。いやいや。さっきからの乾さんの発言を聞いていて、わたしの感想を述べただけです。失礼なことだが乾先生ご自身にだって打診していない」わざとらしくうろたえて見せる陳腐な演技だった。「ですからひとつ、互選するかどうかを次の理事会までにお考えいただきたいものです」

保身のためか、大和田は黙ってしまった。

「ええと。島さんが理事長をやめるのなら、ぼくも理事やめようかなあ」時田がのんびりと言った。

「わたしもやめますわ」敦子もすぐ続けて言った。

「なぜですか」不穏な表情で乾精次郎は静かに言った。「やめる理由が言えますかな」島寅太郎に向きなおり、乾は声を荒げた。「この我儘《わがまま》が困るんだ島さん。これであなたがどれくらいこの人たちを今まで甘やかしてきたかがわかる。理事をやめるという以上はこの研究所をやめるつもりなんだろうが、最近の若いひとは皆これですよ。その研究所の予算をさんざ使って研究しておきながら、ちょっと思いどおりにならないとすぐにやめると言い出して、研究成果を持ってよそへ移ってしまう」

島寅太郎は驚いて身をのり出した。「時田君にしろ、千葉さんにしろ、そんなことをするひとじゃありませんよ」

「開発したものは、ＰＴ機器はじめ、みんな置いていきますよ」時田が笑いを浮かべながら言った。

その余裕がまた、乾の気には入らぬようだった。「威張ってはいけない時田君。それはね、あたり前のことなんだ。君ひとりで開発したと思っているんだろうが、それは思いあがりでね。そうじゃない。潤沢な金品を提供したひと、設備を整えたひと、テストをしたセラピスト全員、助手から掃除のおばさんに至るまで、この研究所の全員が協力して開発したんだ。君ひとりの成果じゃない。研究所の成果なんだ。やめるのなら君は開発中の機器の研究にいたるまで、いっさいを置いてやめなければ」激していた。

「まあ。まあ」さすがに驚いて石中が乾を制止した。「まだ話はそこまで行っていないんです」

「おふたりに今やめられては困る」堀田も真剣になり、憮然《ぶぜん》としている時田と敦子を宥《なだ》めようとしはじめた。「まだ互選をすると決めてもいないんですから、くれぐれも早らないでください。あくまでも仮定だった話なのに、変なことになってしまった」

「いや。ちょっと感情に走って、申しわけありませんでした」自分の発した激烈なことばに自分で苦笑しながら、乾もふたりに頭を下げた。「いや。たいへんこの、年甲斐《としがい》がなかった」

「乾さんの言ったことはすべて、研究所のことを考えてのことだから」島が乾を弁護してふたりに言った。「まあ、あまり深刻に考えないでくださいよ」

「どうしましょう理事長」文部省提出用の文書のことばかり考えている葛城が島に顔を近づけた。「何か議決事項がないと」

パプリカの件も含め、すべての議題は先送りとなり、監事の辞任を申し出ている老齢の山辺にかわる後任者選びの話になった。心当りがあるという乾にこの件は一任された。ただし監事は、最終的には七十人の評議員による会議での選任に委《ゆだ》ねなければならない。

「監事のことだけど」会議が終ったあと、廊下を並んで歩きながら千葉敦子は時田浩作に言った。「また乾さんの息のかかった人だとまずいわ」

「どうしてだい」

「あなた、おかしいと思わなかったの。東京エレクトロニクス技研からの購入量がやたらに多いこと」

「うん。だからもう発注しないってぼくは言った」

「そしたら葛城さん、慌《あわ》てたわ」

「そうだったかな」

「不正がある、ってわたし、思ったの。あなたの大まかな性格を利用して購入量の水増しをしたとしたら、それはあなたをおとしめる手段でもあるのよ」

「ああ。そうかな」

「しっかりした人に、監査を頼む必要があるわ。わたし所長にいちど相談してみる。島さんの信頼できるひとを推薦してくださいってね」

「それよりもぼくが不思議に思うのはね、ほかの理事はみんな、ぼくたちがやめたら研究開発がこれ以上進まないってことを知っているから、辞任を口にしたらあんなに慌てただろう。なのに副理事長だけは、理事長だけでなく、まるでぼくたちまでやめさせたがっているようにしか見えなかった。いくら科学技術の自走性を反省するったって、そんなことばかりしていて研究所が続く筈ないだろうにさ」

「ねえ」それぞれの研究室へ向かうためのわかれ道、そこだけやや広くなった医局前の廊下のかどで立ちどまり、ひっきりなしに行き交う看護婦やセラピストなど職員たちの興味と詮索《せんさく》の眼を気にしながら敦子は小声で言った。「乾さんは以前、ノーベル賞候補になったことがあるんじゃないかしら」

「それだ」時田は眼を丸くして天井の蛍光灯を見あげた。「聞いたことがあるよ。もちろんずっと昔、ぼくたちが子供の頃のことだったそうだけどね」

「あなたに、開発中の機器も含めて、研究成果全部置いていけって言ったわ」

「自分の手柄に。まさかそんなこと。不可能だ」大声を出してしまい、時田はあたりを見まわして苦笑した。「ええと。それはまた、あとで」

「ええ。あとでね」

DCミニにアクセス不能機能をあたえたかどうか時田に確かめなかったことを悔みな

ながら敦子が研究室に戻ってくると、柿本信枝は昨日敦子が治療しながら採取した重症患者の夢内容をリプレイしていた。論文原稿のコピーはまったくできていなかった。

「この患者の夢は、見ちゃ駄目。あなたには危険すぎるわ」敦子はいそいでモニター画面を消去した。「どうしたの。この論文、いそいで提出しなきゃならないのに」

しばらく俯いていた信枝が、突然立ちあがった。自分は信頼されている筈という自信から油断していた敦子の頬を、信枝は、なかば狂っていればこその底知れぬ力で平手打ちした。「美人だと思って、威張らないでよ」

14

パプリカが来訪を予告してくれていたらしく、管理人はすぐに玄関を通してくれた。午後十一時を過ぎていた。能勢龍夫は玄関ロビーからドアを通って面会室の奥にあるエレベーターに乗った。

十六階のボタンを押してすぐ、ドアの幅いっぱいにも思える巨漢があとから乗りこんできたので能勢は驚いた。この人物こそがPT機器を開発したと言われている例の天才科学者であるに違いなかった。新聞で見た不鮮明な写真の顔をはっきりと憶《おぼ》えていたわけではなかったが、百キロを越す巨漢であることだけは記事にくり返されていたので記憶していた。彼は十五階のボタンを押してから、不審げに能勢を見た。

能勢は、相手のことを知悉《ちしつ》している親しみをこめた微笑とともに目礼してから言った。

「島所長のご紹介で、パプリカの治療を受けている者です。能勢と申します」

彼は驚いたようだった。「パプリカ。彼女また始めたのか。まずいなあ」そして、まずいなあということばとはうらはらに、巨軀《きょく》を揺するようにして愉快そうに笑った。

これほど自堕落に肥満していて、その上相手に返すことばも知らぬ子供っぽい喋《しゃべ》りかたの男は、企業を経営する重役としては関係することをいちばん先に忌避してしかるべき人物だったが、天才だという先入観を抜きにして何故《なぜ》か好感が持てた。何よりも、彼の眼は澄んでいて美しかった。

彼が「まずいなあ」と言って笑った理由を能勢は知らなかった。噂《うわさ》に過ぎないパプリカのことを、能勢が読むほどの新聞は記事にしなかったし、週刊誌に載った小さな記事は新聞広告にも載らなかったからだ。

十五階で、彼は挨拶《あいさつ》もせずおりていった。何か考え続けているようだった。純粋で邪念のない男なのだろう。人間観察の専門家としての能勢龍夫はそう判断した。

十六階の隅、魚眼レンズがついている１６０４号室のドアの前で能勢はしばらく待たされた。ドアを開けたパプリカの顔を見て能勢は思わず、まるで愛娘《まなむすめ》の不品行を叱る父親のような声を出してしまった。

「どうしたんだその眼は」

「ちょっとしたトラブルよ。気にしないで」

患者にやられたな、と、能勢は推測した。「大変みたいだね」

「そうなの」左眼の周囲が黝《あおぐろ》く腫《は》れあがり、眼球の半分が充血していた。「コーヒー、お飲みになる」

パプリカについてリビング・ルームに入りながら、能勢はちょっとためらった。「えぇと。でも、眠らなきゃならないから」

「そうね。じゃ、軽くお酒でも」ワゴンからジャック・ダニエルをとってオン・ザ・ロックを作りながらパプリカは言った。「また朝がたの夢にアクセスするから、少しくらい飲んでもいいのよ。わたしも今日は疲れていて少し眠りたいし。だから一杯だけおつきあいするわ」

「おっ。それはいいね」珍しく室内着姿のパプリカを眺めまわしながら、能勢はちょっと浮きうきしてそう言った。しかしパプリカの咎《とが》めるような視線に、何年振りかで気弱さが出てどぎまぎし、すぐ俯いてしまった。もう彼女を小娘とは思えなくなっていることに能勢は気づいた。「もちろん君は、飲んで浮かれるという気分じゃないんだろうけど」

「いいえ。浮かれてもいいのよ」

ガラスのテーブルを間にして向きあい、ふたりはオン・ザ・ロックを飲んだ。パプリカの背後に夜景があった。彼女の室内着のせいか部屋に家庭的な匂《にお》いが立ちこめて、能勢は陶然とした。しかしパプリカは沈んでいて、話もはずまなかった。時おり何か口にしかけては沈黙した。能勢に相談したいことがありながら、言うべきかどうか迷っている様子だった。

言わないことにしたようだ。彼女は氷の残ったグラスを置いて立ちあがった。「あなたも今朝は早かったわ。お疲れでしょう。寝ましょうか」

能勢は腰を浮かしかけ、どうしていいかわからず、また腰を落してあいまいに頷《うなず》いた。

「うん。そうだね」

「じゃ。お風呂《ふろ》へどうぞ。パジャマは嫌いだったわね。お風呂場にバスローブがあるわ」

「はい。はい」ジェントルマンとしては、彼女よりも先に寝た方がいいのだろうな。能勢はあわててグラスの酒を飲み干し、立ちあがった。

おかしな気分だなあ。医者と患者の関係、父親と娘の関係、そして夫婦の関係、さらに恋人同士の関係、それらすべての関係の混淆《こんこう》が、病院じみてもいず、家庭というのでもなく、もちろん浮気などというものとも違った不思議な雰囲気を醸成していた。バスルームから出て診察室兼用の寝室に入った能勢は、モニターの画面だけが光っているうす闇《やみ》の中でバスローブを脱ぎ、下着姿になってベッドに入った。純白のネグリジェ姿になったパプリカがあとから入ってきて能勢の頭にゴルゴネスのキャップを被《かぶ》せてくれる。なかなか眠れなかった。もう一度、うす闇の中でいいからパプリカのネグリジェ姿を見たいという不埒《ふらち》な思いがあるためだった。湯を使う音がかすかに聞こえてきた。パプリカが入ってきたとき能勢は眼を閉じていたのだが、うす眼を開けると彼女はベッドの傍に立ち、笑いながら能勢を見おろしていた。下から見あげる彼女はずいぶん巨大に見え、背後下方からのブルーの明かりでネグリジェが透け、乳房は肉感的で、眼の腫れは見えず、そんな彼女は観音さまのようでもあり、ヴィーナスのようにも、また鬼子母神のようにも見えた。能勢が見つめ続けると、恥ずかしいわなどとつぶやきながら彼女は恰好《かっこう》のいい小麦色のふくらはぎを見せて隣りのベッドに入り、そのままの不自然な恰好で枕《まくら》もとの機器にフロッピーを差しこんだり、手首に何やら巻きつけたりしてからシーツで顔の半分を覆《おお》った。

年齢のせいであろう、見たいと思っていた悩ましいものを見てかえって安心し、パプリカの寝息が聞こえはじめてすぐ、能勢も眠りに陥った。短い夢をいくつか見た。一度だけ眼が醒《さ》め、ゴルゴネスをはずして便所へ往復した。戻ってきてまたパプリカの美しい寝顔をしげしげと眺め、自分が浮かべているに違いないにたにた笑いを想像して苦笑し、満たされたような気分でふたたび眠った。今度は熟睡した。

またしても荒唐無稽《こうとうむけい》な冒険が、しばらく前から続いていたようだ。能勢はそれが夢であることをなかば自覚していた。似たような冒険の夢をよく見るからだった。最近は滅多に映画など見に行かないが、息子が借りてきた「サイバー・セーバー」というヴィデオを見て冒険映画も進歩したものだと一驚したため、昔の映画少年時代の伝染する高熱のような感覚が蘇《よみがえ》り、それが夢の中ではまだ続いているのに相違なかった。

そして能勢は密林の中を歩いていた。冒険はまだ続いているらしい。ぼろぼろではあるがテレビ映画「ジャングル・ジム」でジョニイ・ワイズミューラーが着ていたようなサファリ服を着ているからだ。熱気に満ちた密林の、行く手の下生えを右から左へ、左から右へとすばやく移動する者がいる。襤褸《ぼろ》をまとった数人の乞食《こじき》のようでもあった。

彼はその中の誰かをすぐさま捕まえなければならないのだ。

灌木《かんぼく》の繁《しげ》みに逃げこんだひとりを追って、能勢もバサガサバサッ、と繁みに飛びこむ。まったく力の入らない、なんとなく空虚感のある取っ組みあいだ。相手の男の顔は猪《いのしし》のようでもあり、熊《くま》のようでもあった。

ああ。こいつは瀬川だ。能勢は顔に似合わず虚弱な獣人を地べたに組み伏せながらそう思う。「いや違う。瀬川ではなくてつまりこれは。誰だっけ。誰だっけ」昨夜見た夢を◆★□したことによって、わかっていることではなかったのか。

「その通りよ。それは高尾君でしょ」励ますようなパプリカの声だ。

そうだ。瀬川は高尾だったのだ。おれは夢を見ていて、その夢の中で誰が誰の☆◎■であるかを『捕まえなければならない』のだった。パプリカにそれを命じられていて、それゆえの切迫感だったのだ。組み敷いた相手の顔がうろ憶えの高尾の顔に変化しはじめ、その少年は幼い声で説明的に「高尾でーす」などと言う。

能勢はまた密林の中を歩いていた。今度はパプリカが一緒だった。パプリカはいつもの赤シャツにジーパン、要するに能勢が「パプリカの制服」として認識しているあの恰好だった。そのパプリカが、自分の本来の夢に出てきたパプリカなのか、自分の夢に侵入してきたパプリカなのかがわからなかった。

「ごめんなさいね。今、ジャック・インしたの」パプリカが笑う。

いやいや。とんでもありません。あやまることはないのですよ。夢に出てきていただいて光栄です。そんな意味のことを能勢はつぶやく。あるいはただ考えただけなのかもしれない。どちらにしろパプリカにはすぐ伝わるのだ。歩いていくふたりを、周囲の下生えの中から首だけ出して、熊、虎《とら》、猪、狼《おおかみ》、ハイエナなどの顔をした獣人たちが見ている。

「何よこいつら」と、パプリカが気に食わぬ口調で言う。「これも『007』の映画の中なの」

「いや。これは『007』じゃない。これは『◇▼○※』だ」タイトルは憶えているのだが、夢の中なのでなかなかことばにならないのだ。

「なんですって」隣りの席のパプリカが聞き返す。

ふたりはいつか、自分たちが今まで出演していた映画を上映しているらしい映画館の客席にいた。

「これは『ドクター・モローの島』という映画だよ。ぼくがひとりで見に行った映画はこれだった」

「では、『ドクター・ノオ』と『ドクター・モローの島』の混同があったのね」

パプリカの鋭い分析が、まるで香辛料のように能勢龍夫の胃袋を脅《おびや》かした。これこそがパプリカという名の由来なのだろうか。

「この映画はひとりで見に行ったのだとすると、『ドクター・ノオ』は、ひとりで見に行ったのじゃなかったのね」

能勢は呻《うめ》きながらスクリーンに向けていた顔を隣りの席にねじ曲げる。見たくないものがそこにあるような気がした通り、パプリカの顔が虎になっている。

窓から見ると畑が広がっていた。能勢はどこかの日本旅館の座敷から外を見ていた。畑は能勢の故郷の風景のようでもあった。畑の中でひとりの男が、畑でできた作物を大勢の客に売っていた。

「あれは誰」

振り返ると、座敷にはパプリカがいた。もう虎の顔をしてはいなかった。彼女は能勢に近づいてきて、窓際《まどぎわ》の籐椅子《とういす》に腰をおろす。

「あれはどうも、難波のようだなあ」難波がなぜ畑で野菜を売っているのか、能勢にはわからなかった。

部屋の外の廊下が騒がしくなった。パプリカが苦笑した。「虎が入ってきたといって騒いでるのよ」

「そのようだね」眼を丸くしている自分に能勢は気づいている。「旅館に虎が入ってきたのじゃ、大変だ」

「ここへ入ってくるのかしら」

どうせ、入ってくるんだろうなあ。もう子供っぽい格闘はごめんだ。うんざりしながら能勢はそう思う。

「ねえ。なぜわたしが虎だったの」

パプリカの質問に、能勢は答えられない。舌が凍りついたような感覚だった。

襖《ふすま》を開けて、四、五歳の時の息子が入ってきた。浴衣《ゆかた》を着ていた。家族で温泉旅行に行ったときの思い出だ。

「この子、ほんとに息子さんなの」パプリカが驚いて立ちあがった。「この間電話をくれた、あの息子さんなの」

「ああ。その息子だよ。十何年か昔の」能勢は重要なことを思い出した。「この子の名前が、そう言えば寅夫《とらお》だったよ。トラの字は違うがね」
四、五歳の寅夫はすぐにいなくなった。籐椅子に掛けて考えに沈むパプリカを無視し、また場面は変わる。
ビルの一階ロビーだった。誰もいない。そこは能勢の会社のビルで、玄関のガラス・ドアは自動だ。ロビーに立っている能勢は、並んで立つパプリカからしきりに質問されている。ふたりは玄関の自動ドアを見つめたままだ。

「なぜ息子さんに寅夫という名前をつけたのか、思い出さない」

「好ましい名前だと思ったからだ。なぜかというと、つまり」

ドアが開いた。資延が赤い自転車に乗ってロビーへ入ってきた。

「ええと。こいつは資延じゃなかったんだ。資延じゃなくて」

「そうよ」パプリカが言った。「秋重君でしょ。餓鬼大将の、いじめっ子の」

資延は、忘れようとしても忘れられない餓鬼大将の秋重になり、ロビーの片隅で自転車をおりると、そこに立っていたもうひとりの少年と話しはじめた。

「あれは誰なの」

「篠原《しのはら》だ。秋重の子分のひとりだ」そう答えながら能勢は歩き出す。「ええと。さっきの質問の答えだけどね。昔、仲のいい友達がいたんだ。名前を虎竹っていった。その子にあやかって、息子の名前を寅夫にしたんだと思うよ」

　能勢はなぜか、いそいでビルから出た。まるで重要な場面をパプリカに見せたくないため、他の重要な事実の想起にかこつけてその場を離れたという気がしていた。もちろん、パプリカもそれには気がついている筈《はず》だったが、彼女はそれに気づかぬふりをしてくれていて、それも能勢にはわかっているのだ。彼はますます早口に喋《しゃべ》る。まるで夢の中ではないように。そして早く眼醒めようとしているかのように。事実、眼醒めかけているのだろう。だからこんなに明瞭《めいりょう》に喋ることができるのだ。

「その子とぼくはよく一緒に映画を見に行った。『ドクター・ノオ』も虎竹と一緒に見に行ったんだ。大きな旅館の子だ。彼は映画少年だった。ぼくは映画監督に、虎竹はカメラマンになるのが夢だった。いつか一緒に映画を作ろう。そんな夢を語りあって」

　そんなことくらいは先刻承知だとでもいうように、ビルを出て歩道を左へ行く能勢と並んで歩きながらしきりに周囲を見まわしていたパプリカが、ビルのかど、交差点近くにまで来たとき、立ちどまってビルの一角を指さし、大声で言った。「ここに煙草屋《たばこや》さんがあるわ。じゃ、さっき秋重君と篠原君が話していた場所はこの裏ね。つまり『煙草屋の裏』なのね」

　たちまち場面は昨夜の夢で見た小川のほとり、あの煙草屋の裏の小さな空地になる。

「▲◎▽！」能勢は何ごとか自分でもわからぬことばを叫び、場面を変えた。彼がいちばん落ちつける場所。それが大学生時代によく通ったお好み焼屋のひと隅であることに恥かしさはあったが、こだわってはいられなかったのだ。

しかしパプリカは場所の移動を、同じ夢に登場している人物として拒否した。「残酷だけど、ごめんなさいね」

半醒半睡《はんせいはんすい》ながら、おそらく彼女の指さきがバック・スキップのキイを叩《たた》いたに違いなかった。場面がまた煙草屋の裏に戻り、そこでは餓鬼大将の秋重が高尾、篠原と共に難波をいじめている。難波は地べたにころがっていて、いじめっ子の三人は彼を力まかせに蹴《け》りつけていた。

「難波君じゃないでしょう。誰なの」

パプリカの容赦のない質問に能勢は悲鳴をあげ、またお好み焼屋に逃げ込む。

バック・スキップ。

煙草屋の裏。今度は、いじめられているのは能勢の息子だ。三人のうち、篠原は地べたに倒れている四、五歳の寅夫に馬乗りになって首を絞めていた。

「やめろ」能勢は絶叫し、篠原に殴りかかっていく。「そうだよ。これは寅夫じゃない。虎竹だ」

能勢龍夫は覚醒した。汗にまみれた顔で彼はベッドに上半身を起した。泣いていた。コレクターの画面に向かっているパプリカに、彼は言った。「そうだ。虎竹は死んだんだ。殺したのは、ぼくだ」

15

「つらい目にあわせてしまって、ごめんなさい」ゴルゴネスをはずしてやりながら、パプリカは能勢龍夫に言った。「どうせ眼醒《めざ》めの寸前だったから、できるだけ思い出してほしかったの。虎竹君はあなたが殺したんじゃないわ。そうでしょう」

息をはずませている能勢の鼻孔に、パプリカの胸元から甘い香りが侵入してきた。彼女はまだネグリジェのままだった。能勢はパプリカに抱きとめられた姿勢で、やや意識の波立ちを抑えられ、大きく吐息をついた。

「あいつは自殺したんだ。ぼくが殺したみたいなもんだよ」

「そんなこと、わからないでしょ。あなたにはいろいろと、思い込みがあるわ」パプリカはとっくに真相を悟ったような口調で能勢を宥《なだ》めた。「さあさあ。まず、シャワー。それからおいしい朝食よ。食べながらゆっくりと夢の分析ね」

中年男性の保母さん希求を満たすような言いかたで、パプリカは昨夜とはうってかわった陽気な笑顔になり、能勢をバスルームに追いやった。

思い出した。何もかも思い出した。熱い湯を浴びながら能勢は、自分の中からの不安を今まで制御できなかったことが不思議に思えるほど落ちつき、安心感に浸っていた。こと対人関係の機微に関しては海千山千だと自惚《うぬぼ》れていた自分に死ぬかと思うほどの不安が訪れるのは、もしや脳に器質的病変があるからではないかと恐れていたのだが、そうではなかったのだ。

「虎竹君とはいちばん仲がよかったのよね」テーブルの彼方《かなた》のパプリカは、腫《は》れた眼を能勢に向けまいと努めながら質問を始めた。

「うん。『虎竹旅館』という宿屋の息子だ。それで夢に日本旅館が出てきたんだろうな。虎が来たといって騒いでいたしね」なぜかドレスなしの野菜が美味だった。今までになかったことなので能勢は奇妙に思った。

「じゃあ、夢の中の虎はすべて虎竹君だったわけね。映画館の中でわたしの顔が虎だったのも、よく一緒に映画を見に行ったのが虎竹君だったということを夢が教えようとしていたのよね」

「いちばん最初から、夢はぼくに虎竹のことを教えようとしていたんだな」今朝だけはパプリカが、能勢自身に夢を分析させようとしているらしいことを察して誘導に乗りながら、能勢はそう言った。「あの教室の、獣ばかりのクラスメイトの中にも虎はいたし、虎竹が死んだことも難波の葬式に象徴されて出てきたし。ああ。それから『ドクター・ノオ』になった難波と007のぼくが自動小銃で楽しく撃ちあいしていたのも、あの頃のぼくと虎竹の仲のよさを示していたわけだ。だけど、いちばん仲のよかったあの虎竹のことをどうして思い出さなかったのか、まことに不思議だ。さっぱりわからん。そういえば虎の夢は以前からよく見ていたような気がするよ。そうだ。そのたびに怖さ半分と懐《なつ》かしさ半分の気分に襲われたことも今、やっと思い出した」

「熊《くま》に似ている高尾君のことはすぐに思い出したのにねえ」

「うん。その高尾だって、瀬川に象徴されて登場していたわけだ」能勢は次第に熱中して分析しはじめた。「資延、瀬川、ぼく、難波という現在の構図を見せて、夢は中学時代のクラスメイト間のいじめの構図を思い出させようとしていたわけか」

「そうよ。でも夢って、そうしたことを思い出させるだけじゃない筈なのよね。もっと何か考えて頂戴《ちょうだい》。わたし今、すごく勉強している気分よ」真相の解明がまるで娯楽ででもあるかのように、パプリカの頰が赤くなっていた。たしかにセラピストにとって夢の謎《なぞ》が解きほぐされていくことは、一種の快楽でもあるに違いなかった。

「映画館の夢、ぼくが映画監督で難波がカメラマンになっている夢、すべて虎竹を暗示していたのになあ。煙草屋の裏だってそうだ。あそこは秋重たちのいじめの現場だった。ボスの秋重、それに篠原、高尾の三人のいじめグループが、気に食わないやつをあそこへつれてきてはいじめていた。秋重は虎竹が気にいらなかった。勉強がよくできたからね。それでぼくに、虎竹を煙草屋の裏へつれてこいって言ったんだ。ことわれば虎竹のかわりにぼくがいじめられるだろうってことはわかっていた。それで虎竹をつれてきた。虎竹が三人からいじめられている間、ぼくは横に立ってぼんやり見ていた」能勢龍夫は苦しげに呻《うめ》いた。「くそう。あのいやないやな場面は、つい最近まで、時おり思い出しては身をよじっていたんだがなあ」

「会社で難波さんの問題が出てきたために、抑圧したんじゃないかしら」

「当然そうだろう。状況が似すぎているものなあ」能勢はコーヒーカップに口を近づけながらうわ眼遣いにパプリカを見た。「ぼくの不安神経症は、その抑圧のせいなのかい」

「そうよ。もちろん、それだけじゃないでしょうけど。でも虎竹君って、たったそれだけのことで自殺したの」

「いじめが終って、ぼくは血だらけになった虎竹を、あいつの家まで送っていった。虎竹はぼくの裏切りを知りながら、非難めいたことを何も言わなかった。ぼくも、何も言えなかった。その時からだ。ぼくと虎竹は友達ではなくなった。虎竹にとってぼくの裏切りはずいぶん衝撃だったと思うよ」能勢はパプリカの背後の空を見た。「そうか。子供に寅夫なんて名をつけたのは、贖罪《しょくざい》のつもりだったのかもしれんなあ」

「でも、たったそれだけで自殺したりするものかしら」パプリカは片眼の腫れのため尚《なお》さらそう見える懐疑的な表情で、能勢をうかがうように見ながらくり返した。「あなたの現在の人間観や常識でそれを考えなおしたこと、あるの」

「えっ」虚をつかれて、能勢は凝然とした。「どういうことかな」

「少年時代の思い込みって、どんなに不自然でも、大人になってからそのまま続いていたりするでしょ」

「でも、あの煙草屋の裏のいじめをきっかけにして、虎竹はそれからずっと三人にいじめられ続けたんだよ」

「その現場はあなた、見ているの」

「いや。それは見ていないけど」能勢は次第に自分の記憶を疑いはじめた。完璧《かんぺき》だった筈の記憶が確実な反証によって覆《くつがえ》され、思い込みであったことが確かになったことは何度もあるのだった。

「虎竹君が自殺したっていうけど、じゃ、あなたはそのお葬式に行ったの」

「いや。その記憶はない」能勢はまた視線を空にさまよわせた。

「ほうらね。現在から常識的な視点で思い返したら、やっぱりちょっとおかしいでしょ」

「だけどそれは、篠原からはっきりと聞いたんだ。そうだ。あれは同窓会があるという篠原からの連絡の電話でだった」

「同窓会ですって」パプリカはあきれたという表情でそう反復した。

「つまり、そうか。だから、虎竹が死んだのは中学時代じゃなかったということか」能勢はますます自信なげにつぶやいた。「中学卒業以来、はじめての同窓会の連絡があったのはぼくの大学時代だものなあ。家族ぐるみ東京へ引っ越したのはぼくだけで、ほかのクラスメイトはたいていあの村の近くの同じ高校へ進学していたから、それまで同窓会の必要はなかったんだ」

「篠原君は、電話で、何て言ったの」

「虎竹が自殺したの、知ってるかって」

「ほんとにそう言ったの」パプリカはますます疑念のこもった抑揚で念を押す。

「だって、ショックを受けたから、はっきりと憶《おぼ》えている」

「どうして。だって自殺したにしろ、それは中学時代以後のことなんだから、あなたとは関係ないんじゃないの」

能勢は憮然《ぶぜん》とした。「そうだよね。なんで今まで、自分のせいだなんて思い込んでいたんだろう」

「あなたは虎竹君への愛を抑圧したんだわ」パプリカは立ちあがり、ベーコン・エッグの皿などを片づけはじめながら言った。それは能勢に衝撃を与えまいとするさりげなさを装《よそお》うためのようでもあった。「難波さんへの愛を抑圧するためによ。そうした観念が抑圧された場合、その情動のエネルギー量が不安に変るの」

「情動だって」能勢は瞬間、めまいに襲われた。「つまりその、同性愛的な」

「あら。そんなもの、誰にだってあるわよ」平然としてパプリカは言った。「コーヒー、もっとどう」

黙りこんでしまった能勢の啞然《あぜん》とした表情を見て、パプリカははじめて性教育をされたばかりのわが子を見る母親のように笑った。「おやおやまあ。ずいぶんショックだったみたいね。でも今のはフロイト的な解釈。不安神経症の原因はそれだけじゃないのよ。分析のしかたはいっぱいあるけど、そうね」パプリカはスプーンを弄《もてあそ》びながらしばらく考え、頷《うなず》いて能勢に向きなおった。「能勢さんになら、文化学派の考えかたがわかりやすいかもね。対人関係論的な枠組でもって、不安もその枠組の中で論じられてるわ。人生の初期、といっても幼児期じゃなく、少年期なんだけど、幼児期には痛みと恐れしかなかったのに少年期になると第三の不快な体験として、不安が登場するの。あなたは人生初期に出会った虎竹君という重要人物から拒絶された。そして、その不承認されることへの恐れの対象は、成人してからはもう少年期の重要人物じゃなくって、その重要人物の後継人物とか、非人称的な社会規範などへ移動するの。とにかく不安というのは対人関係の中から生まれて、その次元の中で発展したり解消したりするのよ」

能勢はしばらく考えてから質問した。「難波の葬式の夢にまだ見たこともない彼の奥さんが出てきて、君はあれをアニマだといったな」

「そうよ」

「あの女性はぼくか。つまり、難波を愛しているぼくか」

「ええ。あなたの中の女性よ」

「コーヒーを戴《いただ》こう。そうか。やっぱり難波のこと、考えてやらないとなあ」

「ちょっと、ちょっと。難波さんへの愛に目ざめたの」パプリカは笑いながら能勢のカップにブルー・マウンテンを注いだ。

能勢は苦笑した。「まさか。ただあいつ、資延からひどい目にあわされるかもしれないんだ」能勢は一昨夜の、ホテル内のバーにおける社長を交えた資延とのやりとり、そして資延が何かたくらむであろうという自分の予感をパプリカに話した。

意味ありげに、パプリカは微笑した。「その解答も、夢の中にありそうね」

「ところで、ぼくはもう完全に治ったの」

「ええ。治療は終りよ」

そう宣言しながら、パプリカの眼が、なんとなく名残り惜しそうに光ったのを能勢は見逃さなかった。若い女性から好かれたことが今までに何度かあったにかかわらず、しかしそれは自惚れであろうと思うことにした。

「治そうとするあなたの意志と、それからあなたの知性のせいよ。こんなに早く治ったのは」と、パプリカは言った。「でも、あと、やっておいてほしいことがあるわ。現実の対人関係の問題を解決すること。これは言うまでもないわね。もうひとつ。虎竹君の死の真相を調べること。これは重要よ。未解決の問題を残しておいちゃいけないわ。できるでしょう」

「うん。いちど篠原に電話してみるよ。あいつ、おれが好きらしいんだ。同窓会へ一度くらい出ろ、帰ってこいって何度も電話してくるんだ」

「いじめられた子はそのことをいつまでも憶えている。でもいじめた方はまったく憶えていない。よくあることよね」

パプリカの部屋を出ようとする時、能勢龍夫はパプリカへの名残り惜しさに我慢できなくなった。彼はドアの手前で振りかえった。パプリカの顔が正面にあった。

「どうもなんとも、君のことが忘れられなくなりそうなんだよ」

「ラポールっていう現象よ。患者さんが医者に対して持つ恋愛感情なんだけど」能勢の服の胸のあたりについた糸くずをとりながら、パプリカは言った。「でも、それは医者にも起ることなんです。わたしも、あなたの個性は忘れられないわ」彼女は能勢の胸に眼を落したままで言った。「ねえ。こんな顔なのでいやなんだけど、これでお別れだから、ここでちょっとキスしていってくださらない」

16

「能勢が、なんと一千万円も寄付してくれましたよ」

千葉敦子が所長室へ入っていくなり、受話器を置いたばかりの島寅太郎所長が破顔してデスクの向こうから言った。

「まあ。そんなに」

「資産家だからね。じゃ、治療はうまくいったんですね」彼は立ちあがり、敦子を応接セットの肱掛椅子《ひじかけいす》にすわらせて、自分はいつものようにソファの隅に掛けた。

「ほぼ完全に治ったと思います」

「とても喜んでいましたよ。それにしてもこんな短期間で、よく治せたものですな。さすがパプリカだ」島は少し口ごもってから、いちばん気になることを遠まわしに訊《き》き出そうとした。「どんな治療をされたのか、わたしとしては、そのう、はなはだ知りたいところだが」

「まあ」敦子は島の興味のありどころを悟って笑った。「いい関係で治療は続きましたけど、不安神経症ですから夢を分析しただけですわ。理事長の時みたいなことはしませんでしたからご心配なく。でも、お別れする時に軽いキスを一度だけ」

「ううむ。キスですと」島寅太郎は口惜《くや》しげに唸《うな》った。「それは、わたしの時のように、夢の中でですかな」

「いいえ。実際に。能勢さんは魅力的でしたから、ちょっとばかり逆ラポールに襲われまして」

「うむ。これは怪《け》しからん」

「すみません」

一瞬、睨《にら》みあう演技ののち、ふたりはすぐに笑い出した。だが島は、笑いながらも表情から嫉妬《しっと》を拭《ぬぐ》いきれぬようだった。

「理事長」敦子は姿勢を改めた。「先日の理事会のことですが」

「ああ」とたんに重苦しい顔となった島は、詫《わ》びる眼で敦子の顔をななめ下から見あげるようにした。「あなたと時田君には実に不愉快な思いをさせてしまいましたね。あんなことになるとは思いもよらぬことで、千葉さんの言う通り、理事会を早く開いておいてよかった」

あまり話したくない様子だった。心底、人間関係のごたごたに耐えられぬ人物なのだった。

「こういう話がお嫌いなことはわかっているんですが」敦子は申しわけなさを抑揚で示しながら言った。「善後策をご相談しておかないわけにはまいりません」

「うん。うん。そりゃあそうです。津村君だけでなく、柿本君まであんなことになってしまって、当然乾さんはじめ理事全員には、もう伝わっているだろうし」

「申しわけありません」

錯乱して暴れはじめた柿本信枝は、病院の個室に拘禁されていた。自分の助手であるだけに敦子は責任を認めないわけにはいかなかった。次の理事会で監督不行届きを追及されることは必至だった。

「彼女の実家には連絡したんですか」

「はあ」敦子は気が咎《とが》め、俯《うつむ》いた。「一時的な錯乱かと思いますので、発病したとは言っておりません。疲労が重なったので療養させていると」

柿本信枝はひとりで狛江《こまえ》に下宿していて、実家は青森だった。

敦子は顔をあげ、言い添えた。「わたしが治療します。すぐに回復すると思います」

「頼みますよ」島は懇願の眼を向けた。「千葉さんが皆から非難される場面など、わたしは見たくない」

「必ず治して見せますわ」柿本信枝が見ていたリフレクターに積まれているメモリーの画像分析を、至急時田浩作に頼む必要がある、と敦子は思った。「それから理事長。山辺さんにかわる監事の後任者のことですが」

「ああ。乾さんに一任した件だね」

「監査する人はやはり理事長にお選びいただきたいと思うんです。わたし、どうしても副理事長が信じられなくて」

「うん」島寅太郎は額に深く縦皺《たてじわ》を寄せた。「あのひとは、わたしに理事長をやめさせたいばかりでなく、あなたや時田君まで研究所から追い出したいようですな。どうも理解に苦しむ。なんのつもりでしょうなあ。あなたや時田君がノーベル賞をとるかもしれないという、研究所にとってもいちばん大事なこの時期に」

「島先生」敦子は昔の呼びかたをして島の顔の方へ身をかがめた。「乾さんって、昔ノーベル賞の有力候補だったことがありましたわね」

「うん。もう二十年近く昔のことだがね。当時爆発的に大量の患者が発生した心身症の治療に非常に効果のある方法を確立した、その功績で最有力候補になったんだ。しかしあの頃の医学界はまだまだ精神医学に対する理解には乏しかった。結局乾氏の方法を理論に取り入れたイギリスの内科の研究者が受賞したんだ」喋《しゃべ》りながら島寅太郎は、次第に敦子が暗示したことばの意味を悟りはじめたようだった。「そうだ。あの頃から彼の性格はたいへん狷介《けんかい》になってきて、特に他人に厳しくなった。それに、そうだ、宗教的と言えるまでに正義や医師の倫理や、科学者の道徳を主張するようになった」ほとんどソファに横たわっていた島寅太郎が起きあがった。「それが最近、特に激しくなっていたようだが、そうだ、それは君たちがノーベル賞の候補に取り沙汰《ざた》されていることで刺激を受けたせいなのかもしれない」

　敦子がすでに想像していることだった。自分自身の言ったことで眼を丸くしている島の顔に、より顔を寄せて行きながら、そして自分の美貌《びぼう》とプワゾンの芳香を意識しながら、何かを吹きこむように敦子は言った。「乾さんの狂信的な正義感は非常に危険です。それに、嫉妬心を抑圧なさってもおられます。どういう歪《ゆが》んだ人格になっているか、おわかりでしょう」

「うん。うん」まるで催眠術をかけられてでもいるかのように敦子の眼をうつろな眼で見返しながら、島寅太郎は二、三度うなずいて言った。「最近、魔王のような顔になっているね」

「時田さんが技研から購入したLSIはごく僅《わず》かだったのに、葛城さんが『異常に多い』と表現なさるほど購入量が水増しされていました。不正があります」

「うん。うん」またしてもうつろな眼でうなずいてから、島は急にのけぞった。「では、葛城君までが」

「もちろん共謀です。時田さんを陥《おとし》いれるためです。信頼できる監査役に帳簿を調べてもらう必要があります」

　島は考えこんでしまった。

　善良な島寅太郎に、その平穏な心を大きく波立たせる疑惑を吹きこんだ自分にうしろめたさを感じながら、敦子はこの部屋を訪れる際の意気ごみを新たにして言った。「陰謀があることは、はっきりしています。津村さんも柿本さんも、その犠牲になったらしいんです。リフレクターやコレクターに何か細工をされたのではないかと思うんです。今、調べているんですが」敦子は島の大腿部《だいたいぶ》に手を置いた。「島先生。だから、一緒に戦ってください」

「うん。はい。はい」島寅太郎は立ちあがると、おぼつかない足どりで窓際《まどぎわ》へ歩きはじめた。心ここにない様子だった。「よく考えてみましょう。そうだね。はい。よく考えましょう」

うわごとのようにくり返しながら窓外を眺める島の背中に、敦子は一礼した。「では、今日はこれで失礼します。また、いろいろとご報告にまいりますが」

「うん。うん」

振りかえり、僅かにほほ笑んで敦子にうなずいた島は、そのまま所長室に隣接している小部屋のドアに向かって歩き出した。その小部屋には小さな仮眠用のベッドがあって、彼は仕事に疲れた時、またさらにしばしば、いやなことがあった時には、そのベッドへもぐりこんでうたた寝をするのだった。小児的な性癖だが、彼自身が考え出した精神安定法であり、それは理屈からいっても彼の資質に適していた。

しかし敦子にとって島寅太郎の温厚で気弱な性格は、味方としてまことに心もとないものだ。敦子は廊下を病棟へ向かいながら、戦わなければ、と、あらためて思った。島所長に頼ることはできないことを確認したのだった。

病院は短い渡り廊下で研究所に隣接していた。エレベーターで五階にのぼり、ホールに面している看護婦詰所の窓口に立つと、五階の婦長がうなずきかけながら近づいてきた。

「千葉先生」

「羽村さん。ちょっと柿本さんを診察したいんだけど」

「あらあ」小肥《こぶと》りで色白の婦長は困惑の表情を見せた。「小山内先生から、誰にも会わせないようにって言われてるんですけど」

「えっ。それは面会者にではなくて」

「ええ。ほかの先生にも」

敦子は唖然《あぜん》とした。「どういうことかな。小山内先生が柿本さんを担当するってことは誰が決めたの」

「さあ。でもこの階は小山内先生の担当ですし」

柿本信枝が演じた狂態による混乱に乗じてうかうかと彼女を五階の病室に運びこませてしまったことは、敦子の失策だった。それは柿本信枝が発作を起す前から計画されていたことに違いなかった。

「とにかく柿本さんはわたしの助手なんだから、責任上わたしが診察するわ」

「困るんですけど」婦長は顔を赤らめ、泣きそうな顔をした。彼女は敦子より二、三歳年上で、美人だった。敦子は小山内とこの羽村という婦長の、一般には醜いとされている関係を噂《うわさ》で知っていた。

「ご存じでしょ。わたしには病院の患者全員を診察できる権限があるのよ」

「存じていますけど、今度だけは特別だと小山内先生がおっしゃるんですよ。あのう、特に千葉先生に会うと、柿本さんの症状が悪化するからって」

柿本信枝の発作の原因はすべて敦子にあると看護婦たちに思いこませるための、小山内の企《たくら》みだった。眼がくらむほどの怒りに襲われたが、表面は冷静に、敦子は微笑して言った。「なんだか誤解があるわね。柿本さんの発作の原因はわたしじゃないんだけど。まあいいわ。小山内さんに直接話すから。ちょっと電話貸して頂戴《ちょうだい》」

だが、小山内は研究室にいなかった。いなくてよかった、と、敦子は思いながら受話器を置いた。この婦長や、聞き耳を立てている四人の看護婦の前で小山内と電話で口論しても、それは病院内での敦子の権威の失墜につながるだけであろう。

研究所の建物に戻り、敦子は時田浩作の研究室に足を向けた。なんとなく自分が研究そっちのけでノーベル賞という名誉を求め、ちっぽけな政治に駈《か》けずりまわっているような気がした。事実その通りなのかも知れず、乾精次郎に批判されてもしかたがないようにも思えて敦子は歩きながら苦笑した。笑うようではまだ余裕がある、そう思いながら敦子はドアが開いたままの時田の研究室に入った。笑う余裕など吹き飛んでしまうほどの事態が生じていた。

小部屋に氷室はいず、モニター類が輝き続けているその部屋いっぱいに、ケースや小箱が散乱し、床にカスタム・チップの類《たぐい》が散らばっていた。誰かがとり乱して何かを探したあと、あるいはちょっとした格闘のあとのようにも見えた。奥のドアも開いたままで、入ると時田浩作が髪を乱し、椅子に掛けて荒い息を吐いていた。この部屋の様子も似たようなものだった。

「どうしたの」よくないことがあったに決まっていた。早くも怯《おび》えながら、おそるおそる敦子は訊《たず》ねた。

「ＤＣミニがなくなった」時田の血走った眼を、敦子は初めて見た。部屋中を引っくり返したのは時田自身なのだろう。

「盗まれたんだわ」悲鳴と泣き声が一緒に出た。「そうに決まってるわ。いくら探したってもう、ないわよ。いくつあったの」

「五個。いや、六個だ。一個はだいぶ前から見あたらない」

「作ったのが六個で、それで全部なのね」

力なく、時田はうなずく。

「どうするのよう」敦子のいちばん嫌う、鼻にかかった、男にすがりつこうとするような女の泣き声がどうしようもなく出てしまう。「氷室君はどうしたの」

「わからない。朝、ここへ来たときからもういなかった。探したんだが、どこにもいないんだ」なかばあきらめたような顔を時田は敦子に向けてうなずいた。「行方不明だ」

17

早朝からの重役会で、難波を無公害車担当の営業第三部長にしようという案が資延から出され、能勢を除く重役全員がこれに賛成したため、能勢龍夫は憂鬱《ゆううつ》な気分で自室に戻ってきた。現在の直属上司である能勢が、社長から、難波に引導を渡す役をおおせつかったのである。難波が厭《いや》がり、憤慨するであろうことはわかっていた。

なるほど資延の報復とはこれであったか。そう思い、能勢は自室の窓から晴天の下、正午に近づいた街並みを見おろしてまた苦笑した。たしかに資延が自己満足するにふさわしい、ちょいとした報復ではあった。重役会の席上、資延はちゃっかり社長の甥《おい》の欣市を開発室長にするという案を、まるで自分の発案であるかのように提示していた。それに続いて資延の提案した、誰が考えても性格的にとても営業向きとは思えない難波の異動にまで全員があっさりと賛成したのは、当然資延による根まわしがあったに違いなかった。能勢に相談がなかったのは、不意打ちもまた報復の一種と考える資延の子供っぽいやりかただった。

この人事に能勢が強く反対できないことを資延だけは知っていた。何しろ社長に対して「開発室長に欣市さんはどうか」と言い出したのは能勢であって、だからそれは当然社長も知っているわけだが、社長自身は甥の開発室長就任に有頂天であり、難波を説得しなければならない能勢の迷惑にまでは、さほど考えが及ばないようだった。

自業自得《じごうじとく》だ。能勢はそうも思っていた。ただ資延の矛先をかわすためにだけ、あとさきも考えずあんな反撃に出てしまったのは軽率だったと、反省もしていた。しかしそれはいずれ社長の甥が生産畑に行き、難波もやがては開発部にいられなくなることを知っていての上での発言であったし、それが会社の前進につながると信じていたからだった。難波が才能を発揮できる部署は、ほかにいくらでもあった。

なるほどなあ。難波を営業部長にするなんてことは考えなかったなあ。資延のやつ、考えたなあ。開発室長は次長待遇だから、表向きは昇進だ。自分の開発した無公害車だから自分で販売しろ、昇進するのだし文句はあるまいというわけか。なるほど。事実難波は無公害車の販売方法について、ずいぶん営業に横槍《よこやり》を入れていたからなあ。街路を見おろしたままで能勢は何度もかぶりを振り、にやにやした。

数日前、パプリカの部屋で見た夢の中で、難波が野菜を売っていたことを能勢は思い出した。あれは難波の営業への異動を予測した夢だったようだ。資延がどんな仕返しをするか気にしていたから、パプリカが言っていた通り、その解答が夢にあらわれたのだろう。夢の中で難波の売っていた野菜が彼の作ったものだったとすれば、無公害車の販売を担当することになるという解答まであたえてくれていたわけだ。

急に能勢は背を伸ばし、声をあげて笑い出した。無公害車の愛称は「ヴェジタブル」であった。能勢はふうんと唸《うな》り、夢の、つまりは無意識の作用の不思議さに今さらながら感心し、また頭を振った。

感心してばかりもいられない。いやな任務を果さなければならなかった。「現実の対人関係の問題の解決」をパプリカに命じられていたことを思い出しながら、能勢は秘書に命じて難波を呼ばせた。

いかに難波が職人肌で頑固だとはいえ、最低限の礼儀をわきまえていなければ大メーカーの開発室長は務まらない。彼はいつも開発室にいる時のようななりふり構わぬ恰好《かっこう》ではなく、一応は髪も梳《と》かし、きちんとした服装でやってきた。「専務。何か」

「うん。今日の重役会で異動が決定してね。君は営業第三部長だ。まあ、掛けなさい」

軽く早口にそう言って応接セットを差し、彼と向かいあって腰をおろすまで、能勢はわざと難波の顔を見ないようにした。尻《しり》を据えてゆっくり難波の顔を見ると、彼は眼をぎらぎら光らせ、あわただしげに眼球を動かしていた。どう対処すべきか迷っているようでもあった。

「それは、専務のご推薦ですか」固い声で難波は言った。

「まあ、不本意かも知れないが」責任転嫁《てんか》がいやで、能勢は質問をはぐらかした。

「どうも、ありがとうございます」にやにやと無気味な笑いを浮かべて、難波は軽く頭を下げた。

難波にしては冷静であり、しかも皮肉を言うのは珍しいことなので、能勢は彼の角張った顔をしげしげと眺めた。

「だいぶ前に、それとなくお願いしたことなので、専務はすっかりお忘れかと思っていましたよ」突然難波は、浮き浮きした口調で喋《しゃべ》りはじめた。「ただ、同じことなら無公害車完成直後に営業へ移った方が理想的だったわけですがね。まあ、時間がかかったかわりに昇進、ということですから、というより、わたしを昇進させるために時間がかかったのかとも思いますが、とにかく、願ってもないことです。もちろん、すべて専務のお気遣いだと思いますが。いやあ。申しわけないことに、ぼくはあの、以前お願いしたことを、専務が忘れてしまったのじゃないかと思って、なかばは思い出してもらおうとして、ずいぶんいやがらせをしてしまいました。ぼくの将来にかかわってくることなので、かえって、くり返してお願いすることができにくくて、ああいう歪《ゆが》んだかたちで気持を伝えようとしたわけでして」やり手の技術者らしい早口と、時にはひとり合点《がてん》にもなる饒舌《じょうぜつ》で難波は喋り続けた。

能勢はくすくす笑いが出るのを抑えることができなくなった。無公害車の開発初期、難波が遠まわしに、実用化の暁、自分には販売政策があるので営業へ行きたいと洩《も》らしていたことを思い出したのだった。そのときはとんでもないことを言うやつだと思い、気まぐれであろうと断じて、以後、すっかり忘れてしまっていたのだった。難波がことごとに突っかかってきたのも、営業方針にいちいち横槍を入れたのも、実はすべて、自分の希望が適《かな》えられない不満からだったのである。

「おかしいですか」能勢の笑いに、難波も笑い出しながら反撥《はんぱつ》した。「営業向きでないぼくが営業部長になってどんなへまをしでかすか、そんなことを想像して笑っていらっしゃるとしたら、その通りかもしれません。専務みたいな歴戦の勇士から見れば、ぼくが営業部長をやるなんてとてつもなく危なっかしいに違いないと思いますよ」

「いやいや。君。そんな」

「いえいえ。専務。ぼくだって自分自身の資質くらいはわきまえています。ただですね専務、そんなぼくではあるにしても、自分の将来というものは、やはり、いろいろと考えるわけですからね」

あながち職人肌というだけでなく、思っていたよりも頭の良い、そして出世欲のある男だったらしい。万年開発室長では重役になれないことも悟っていたのだ。この男なら営業部長になればなったで、営業のプロになったという思い込みから研究開発に打ちこんだと同じ求道《ぐどう》的な姿勢で営業方針や販売方法を追究し、この饒舌癖を生かして営業部長としての対人関係の技術なども案外早く身につけるかもしれない。喜びと安堵《あんど》と希望で眼を輝かせ、興奮して喋り続ける難波の顔が虎竹と重なり、たいへん懐《なつ》かしいものに見えはじめていた。

「で、わたしの後任は、欣市さんですか」

「ははあ。君はそういうところまで考えていたか」

「そりゃまあ、ぼくだって馬鹿《ばか》ではありませんからね」難波はまたにやにやした。ずいぶん以前から、開発室長の地位をいずれは社長の甥に奪われるだろうことも予測し、前もって新たな仕事への心構えをしていたのだったらしい。

難波が自身の開発＝栽培した無公害車＝ヴェジタブルを売りたいという希望を以前自分に語っていたことを、あの夢は思い出させようとしていたのだ。難波が退出したあと、能勢は初めて夢の本来の意味に思いあたって驚嘆した。なんということだ。夢の中で、すべては解決ずみだったのだ。罪悪感から解放され、能勢は気が軽くなった。

「ようし」と、能勢は低くつぶやいた。

今なら篠原に電話できそうだった。パプリカから言われていたにもかかわらず、いやな真相を知ることになるかもしれないという恐れと気おくれで、あれからずっと篠原への電話をためらっていたのだった。

家で中学の同窓会名簿を見て、篠原の電話番号は手帳に控えてあった。篠原と電話で話すのは半年ぶりだった。その時は、今は市になった故郷の村の料理屋で開かれる同窓会への出席を勧める電話だったのだ。

家業の金物屋を継いでいるらしい篠原は、能勢の方からかかってきた電話に驚いて声をはねあげた。「珍しいなあ。どうしてる。みんなお前に会いたがっているぞ」

「いつも行けなくてすまん」いじめグループの一員だった篠原へのこだわりはなくなっていた。「ちょっと、教えてほしいことがあってね」

「うん。うん」

「虎竹が死んで、もう何年になるかな」

「虎竹が何だって」

能勢は声を大きくした。「いちばん仲のいい友達だったことは知っているだろう。最近よくあいつのことを思い出すんだよ。それで一度あいつの」

「待て待て。お前、何を言ってるんだ。虎竹は生きてるぜ。ぴんぴんしてるぜ。今は旅館の親爺《おやじ》になって」

「本当か」能勢は唖然《あぜん》とした。

篠原は笑った。「虎竹が死んだなんて、そんな出たらめ、お前いったい誰から聞いたんだ」

「何言ってるんだ。お前が電話してきて、おれにそう言ったんじゃないか」

「そんな電話するもんか。お前が大学へ行ってる頃におれが電話をしたのはだな、同窓会の知らせのついでに、高尾が死んだということを教えてやったんだ」

能勢は絶句した。三十年もの間、「高尾」と「貴夫《たかお》」をとり違えていたのだった。虎竹が貴夫という名であったことを、そして仲がよかった時はずっと「貴夫」「龍夫」と呼びかわしていたのだったことを、能勢はあらためて思い出した。

「能勢。お前、何か間違えたな」

能勢は送話口に入らぬよう、そっと吐息を洩らした。「ああ。間違えていたようだ」

「虎竹が聞いたら怒るぜ。あいつ、ずっとお前に会いたがっているのに」

では貴夫にはもう、能勢の裏切りに対する昔の感情は残っていないらしい。ひとり故郷から離れた能勢に固着して残存し続けたそのわだかまりは、今は市にまで発展した故郷の村の友人たちの中ではとうに解きほぐされ、ムラの共同体の新たな人間関係の中で、散らばり、消え失《う》せてしまっているものだったようだ。

「高尾は、なんで死んだんだ」

「ああ。あいつは可哀《かわい》そうに、破傷風で死んだ」

自殺、というのもあと記憶の思い込みであったらしい。そもそも篠原からは、高尾の死因さえ聞かなかったのだろう。

次の同窓会には必ず出席することを約束させられ、篠原との電話を切ってから、虎竹の死が自分の思い込みに過ぎぬという可能性さえ、夢が暗示してくれていたことを能勢は知った。虎竹旅館の廊下には虎に象徴される虎竹貴夫がいたのではなかったか。さらに、息子の寅夫に象徴される貴夫が、部屋に入ってきたではないか。

今年は同窓会で、あの貴夫に会えるんだなあ。瞬間、少年時代の気分になって能勢は破顔した。喜びを誰かと頒《わか》ちあいたくなった。相手はパプリカしかいなかった。能勢は別れて以来ずっと、ただひたすらパプリカにもう一度会いたい、話したいと願い続けてきたいささかやましい自分の気持を、これは単なる報告に過ぎないのだからと言い聞かせて、彼女の住まいに電話をした。昼間であり、予想した通り、パプリカは不在だった。

18

この男の善良さは悪に近いものだ。小山内守雄は、サイド・スタンドの黄色い明りの中に浮かぶ島寅太郎の寝顔を見ながらまたしてもそう思う。今、小山内は所長室の奥の仮眠室に忍びこんでいた。開けっぴろげな性格の島寅太郎は仮眠する時すら所長室、仮眠室、どちらのドアにも鍵《かぎ》をかけず、小山内は無断でたやすく入ってくることができた。

政策を持たない上司ほど仕え甲斐《がい》のないものはない。ひたすらことの起らぬことのみ願って自身の安穏を維持しようとするだけのこの所長を、小山内は憎んでいた。室内に立ちこめた、初老の男である島自身のなま暖かくいやな臭《にお》いのする呼気の中に眠っている、何かに甘えているような、安心しきったこの男の寝顔を見ていると、小山内はからだに震えがくるほどの腹立たしさがこみあげてくるのだ。この鈍感さはどうだ。これでも精神科医なのか。

無防備であることがそれほど自慢なら、無防備ゆえの報いを受けるがいい。そして自分が諸悪の根源であったことを思い知った方がよかろう。たまたま教え子のふたりが優秀だったため、ほとんど彼らの功績だけで研究所長としての実績をあげ、今や彼らノーベル賞候補の育ての親としての名誉だけに浸りきっていて、彼らの悪魔じみた独走と倫理の逸脱を手放しで喜んでいる不見識。いくら直接言ってやってもそれを理解できず、理解しようともしない愚鈍さ。小山内にはこの男の本質も、あらゆる側面も、すべてにわたり許すことができなかった。

悪魔の種子、と乾精次郎が名づけたDCミニを、小山内はポケットから取り出した。どのような非人道的な機械が生まれるかも知らぬままに自らが開発を奨励したこの悪魔の種子によって、自らが犠牲になればいい。小山内は乾ゆずりの信念に従って、何の心に咎《とが》めるところなく、枇杷《びわ》の種のようなDCミニを熟睡中の島の頭髪に差しこんだ。小山内はその使い方も機能も、アクセス不能機能がないことまで氷室から聞き出して熟知している。DCミニは不安定なままで薄い島の頭髪にどうにか引っかかった。

小山内は所長室に戻り、デスクの端に置かれている島のパソコン本体に自分が持ちこんできた回診用のコレクターを接続し、島の睡眠中の意識にアクセスした。島に神経症の病歴があるのなら、容易に分裂病者の妄想に影響を受ける筈《はず》だったが、誰からもあやしまれぬためには異常さが徐徐に表面へあらわれるよう、柿本信枝や津村に施したのと同様の、時間のかかる細工をしなければならない。島寅太郎用に氷室に作らせた、間歇《かんけつ》的に軽症の分裂病患者の夢を投射するフロッピーをセットしてから、彼は廊下へ出て所長室のドアに鍵をかけた。その鍵は所長用デスクの引き出しの隅で埃《ほこり》をかぶっていたものだ。珍しくドアに鍵がかかっていることを不審に思った職員がいたとしても、まさかそれくらいのことで騒ぎ立てたりはしない筈だった。

廊下を病院へ戻りながら、小山内守雄は千葉敦子のことを考えた。時田浩作と一緒に、行方不明になった氷室とDCミニを血まなこで捜しまわっていることは知っていた。敦子と時田の緊密な精神的結びつきを考えるたびに、彼はいらいらした。小山内は最近ますます強まってくる、自分の千葉敦子に対する情愛をまた自覚した。悶《もだ》えるほどの愛欲だったが、それを打ち明けることができないのは口惜《くや》しかった。自分をただ敵の一味、単に副理事長の腹心としか思っていない筈の千葉敦子にとって、彼の敦子への愛はただ、ノーベル賞を受賞するための利用価値に換算されるだけであろうからだ。

医局で時田を見かけたが、小山内は前の廊下を素通りした。小山内にとって時田浩作は劣等感の巨大な塊に過ぎなかった。さまざまな機器の開発も、劣等感を含むいくつものコンプレックスに振りまわされた結果としてとらえていた。なぜなら、歪《ゆが》んで噴出する故《ゆえ》にそのエネルギーは倫理道徳を無視して暴走したのだし、それ故にこそ人間性を無視した機器を次つぎと生み出すことが可能であったに違いないのだ。

師の乾精次郎と小山内は、精神分析治療までがテクノロジーの分野にとり込まれてしまってはならないという信念のもとに、考えが一致していた。そもそも自走する科学技術文明が原因で発病することの多い現代の精神病を、科学技術で治療しようという考えそのものが根本的に誤りであり、摂理に反するものだ。もちろん小山内とてPT機器の利用価値は認めていて、研究所の方針に従って治療にも応用してはいたが、千葉敦子のように無批判に患者の心へジャック・インして暴力的に治療してしまうのは非人道的であり、セラピストとしての逸脱行為であると考えていた。そんな行為がノーベル賞を受けたりすれば人類のための精神科学が技術のための科学に落ちぶれ、あらゆる患者はモノとして扱われることになり、小山内たちが苦労して習得してきた人間的な暖かみのある精神分析治療は理論的根拠のない、まるで錬金術や呪術《じゆじゆつ》と同じような古い医学として顧みられなくなってしまうだろう。PT機器が正当に評価され、正しく使用されるのでない限り、今の時田浩作や千葉敦子がノーベル賞を受賞する事態はどんなことをしてでも阻止しなければならないのだ。そうした小山内の信念は、研究所の方針を正しい道へ向けなおそうとする乾精次郎のそれと同様、確固としていた。

とは言うものの、時田浩作の行為に比べれば、小山内には、千葉敦子の行為は彼女が女であるゆえにどうにか許すことができた。なんといっても千葉敦子は女なのだ。だから理念がないのだ。したがって、ただ時田が次つぎと開発するPT機器の利用価値や応用範囲を忠実に、嬉嬉《きき》として追究することしか頭にないのも当然のことだ。女性科学者とはもともとそうしたものだし、女性科学者にそれ以上のことを求めてはならない。女性を貶《おとし》めているのではなく、資質の問題だ。

そう思えばこそ小山内は逆に、女性としての千葉敦子の魅力には抗《あらが》うことができなかった。あああああ。あの小麦色の肌。裸体を見たことはないが、それは引き締まった健康な肉体であることだろう。抱きしめるときの歓喜が想像できる。彼のそれまでの体験が培《つちか》ってきた常識では、いざ自分が真剣に彼女と向かい合い、愛を告白して肉体を求めたとき彼女が喜びで応じてくれるだろうことを疑う理由は何もなかった。なんといっても彼は男でさえ見惚《みと》れる美貌《びぼう》であり、しかもその美貌は確固として知的であり、無内容や軽薄さにつながる美貌ではなく、厭味《いやみ》がなかった。二十九歳の女性にふさわしい性欲を持つ筈の千葉敦子が、それ以上彼女に似つかわしい者がいるとは思えない筈の小山内に愛を告白され、うっとりとして抱かれぬ筈はなかった。そのような事態、さらにそこから必然として生まれる情景がいつでも現実のものになると思えばこそ、尚《なお》さら情愛は亢進《こうしん》した。現実に彼女を抱いているのと変わらぬ性感覚で彼女を思い、自慰をすることができた。彼女の涼しげでさわやかな眼もとを持った知性に光る眼がいかに愛欲に潤《うる》み、あのきっぱりと引き締まった唇がいかに喜悦に歪み、その優秀な知能を秘めた自我が性行為のさなか、自分に抱かれている快感によっていかに崩れ、とり乱していくことだろう。それはあの河馬《かば》みたいな時田浩作ごときと、たかだかPT機器によって共有しただけの感覚などとは異った、ほとんど狂気に近づくくらいの快楽なのだ。小山内はそう思う一方で、それはまた自分にとっても、あの羽村操子の色の白い、たるみかけた肉体を抱くのとはまったく異った体験になるに違いないと想像するのだった。

五階の婦長をしている羽村操子を、小山内はいつであろうと、思うときに抱くことができたし、命じさえすれば独身で欲望の強い乾精次郎の相手をさせることもできた。実際、乾の性欲は彼の本来の交接の対象たる小山内が、いかに乾を敬愛しているとはいえ、とても受けとめきれぬほどに激しいものであり、小山内はせめて自分の愛人を提供することによって自分にかかってくる負担を軽くしていた。そうしたからといって、乾と小山内の間の深い愛情に亀裂《きれつ》が入るようなことはなく、そもそもは師弟愛から始まったその互いへの愛は、共有する秘密が増えるにつれてより強まるのだった。

病院の建物に入ると、誰かに尾行されることを警戒しながら小山内は厨房《ちゅうぼう》の裏の階段から地下二階に降りた。そこには現在使用されていない拘禁室が何部屋かあり、それは過去に凶暴で大声を発する患者を監禁した時代の名残りだった。そんなものが存在することをたいていの研究所員が知らない拘禁室病棟全体の巨大な鉄扉《てっぴ》を鍵で開けると、冷気の強い廊下を奥に進み、小山内は氷室を監禁している拘禁室に入った。ほんの一坪ほどのその拘禁室では、氷室がマットレスさえない鉄製のベッドに作業着のままで眠っていた。横のテーブルにはコレクターが置かれ、今、睡眠薬で眠らされDCミニを装着された氷室は、分裂病者の夢を時おり投射されながらも、けんめいに居心地のよい彼自身の夢へ沈潜しようとしていた。

小山内は吐き気をもよおしながら、眠り続けている氷室の不細工な顔とからだをしばらく眺めていた。懐柔し、時田を裏切らせるためとはいいながら、こんな豚に自分のからだをあたえて、分不相応な快楽に浸らせてしまったことを思い、小山内は後悔していた。一生こいつの夢を見続けて魘《うな》されることになるだろう。ちくしょう。自分自身のプログラムした識閾下《しきいきか》投射によっておのれが狂ってしまえ。そしておれとのことは忘れろ。何もかも忘れてしまえ。

モニターを見ると、氷室はあきらかに彼自身の夢の中で、人間の大きさになって生きているおかっぱ頭の可愛《かわい》い日本人形と戯《たわむ》れていた。コレクターにセットされているのは、どうやら以前、津村か、あるいは柿本信枝に使った識閾下投射用のプログラムのようであった。リフレクターやコレクターを使っているふたりに識閾下投射するよう、小山内は橋本に命じたのだった。

「なまぬるいことを」

小山内は舌打ちした。

DCミニを持ち出させ、いつものようにソファの上での快楽のご褒美《ほうび》を期待して自分の部屋にやってきた氷室を騙《だま》して睡眠薬を飲ませたのは小山内自身だったが、そのあと橋本を呼び、眠りこんでいる氷室をここまで一緒に運んだのち、彼に氷室への識閾下投射を施すよう命じておいたのだった。しかしそれが津村や柿本信枝に使ったプログラムであっては、識閾下投射されるのが三分ごとに二十分の一秒であり、しかも津村と柿本信枝、それぞれのトロゥマをのみ刺激するよう作られていて、これではうまくいっても関係妄想が生まれるだけで、急激な人格の荒廃にまでは到《いた》らない。津村も柿本信枝も、単にセラピストの中でいちばん千葉敦子に心酔しているというだけの職員だったから、ただ関係妄想をあたえて研究治療の現場からはずし、研究所の悪い噂《うわさ》を外部に流す材料にするだけでよかったのだが、小山内の企《たくら》みすべてに参画して全部を知っている氷室は、当然のことながら廃人になってもらわねばならなかった。

小山内はリフレクターに積んであるメモリーからログにとった重症の分裂病患者の夢

内容を直接投射することにした。無意識の底へ叩《たた》きこまれて戻れず、人格が崩壊することは確実だった。

投射を始める前に小山内は念のため氷室の衣類のポケットを全部調べた。六個ある筈のDCミニを、これだけしかなかったと言って氷室が五個しか持ってこなかったため、彼が自分用にひとつ隠したのではないかと疑ったのだった。しかし作業着のポケットから出てきた齧《かじ》りかけのチョコ・バーの中に埋めこまれているのでない限り、DCミニはなかった。

小山内でさえ、そのあまりのおぞましさにモニターを見ることすらためらわれる重症分裂病患者の夢を氷室の意識に直接投射しはじめると、氷室はたちまち四肢を硬直させ、悲しげな表情になり、弱よわしく悲鳴まじりの呻《うめ》き声をあげはじめた。その状態が二分ほど続き、突然氷室は眼を見ひらいて小山内を睨《にら》みつけ、咆哮《ほうこう》した。よほどの衝撃があったようだ。自分を殺そうとしている人間が眼の前にいて、今自分が殺されようとしていることを初めて知ったというような、恐ろしげな顔つきであり、恐ろしげな声だった。小山内はちょっと身顫《みぶる》いした。氷室は身をよじり、叫び続けた。やがて眼を閉じ、すすり泣くような声を出し続けながら、次第に無意識の底へ引きずり込まれていくかに見える痴呆《ちほう》的な表情に変化していき、さらにその表情は、次第に異形化していった。やがて氷室は、快楽の根本的な実態、文明によって洗練され面白くなくなったりしているのではない、それはもちろん邪悪なものに決っているのだが、それを見れば誰でも現実がつまらなくなるような快感の本質に触れたことを示す、だらしのない笑みを浮かべ、低い奇妙な笑い声をあげはじめた。

「うぐう……うぐ、うぐう……うぐうぐう……うぐう」

19

「粉川《こなかわ》。おい。粉川」

例によって業界パーティに顔だけ出し、すぐ帰ろうとしてホテルの廊下をロビーに向かっていた能勢龍夫は、ドラッグストアから出てきた粉川利美《としみ》に気づいて声をかけた。

粉川は能勢の大学時代の親友だった。背が高く、体格がよく、十年ほど前からは鼻下髭《ひげ》をたくわえ、そして学生時代から、痩《や》せていた。

二年前に会った時と比べ、痩せすぎていることに気がつき、能勢は驚いた。

「どうした。元気がないな」うっすらと微笑してうなずき返した粉川に、能勢はそう言った。互いにどれほど出世しようが、まったく遠慮のない間柄だった。

「まあな」粉川は苦笑して、天井を見あげるようにした。「やっぱり、わかるか」

「そりゃあ。だって、痩せたものなあ。今日はまた珍しく私服で、こんなところへ何しに来てるんだ」

粉川利美は警視庁の有力幹部で、俗に特権官僚とも言われているエリートのひとりだった。能勢と同じ年に卒業し、上級職国家公務員試験にパスして、見習い警部補を半年つとめたのちは、警部、警視、警視庁勤めになって警視正、そして警視長といった具合に、他のエリート組とほぼ同じテンポで昇進してきたのだった。

「警視総監が、勇退してね」なぜか言葉が出にくい様子で、彼は眼を伏せたまま途切れとぎれに答えた。「内輪の送別会を、ここでやった」

「ああ。例の、衆議院に立候補するとかっていうあのひとだな。で、その会はもう終ったのか」

「うん」粉川はまた口ごもった。「まあ、二次会に誘われたが、ことわった」

ひどく沈んでいて、能勢の顔をまともに見ることさえできないようだ。こいつ、病気だな。能勢はすぐ、そう思った。

「ちょっと、ラジオ・クラブへ行こう」有無を言わせぬ口調で、能勢は言った。「おれも今、パーティを抜け出してきたところだ」

ほっておけない気がした。大学時代、友人たちと一緒に夜の盛り場をうろつくことを好んだ能勢は、酔った勢いでしばしばやくざ者と喧嘩《けんか》し、この剣道四段の粉川から何度も危機を救われていた。粉川がいなければ腕の一本くらいは失っていたかもしれない。

そう思い返して慄然《りつぜん》とすることが今でもあった。

「しかし」

粉川は気乗り薄だった。能勢の誘いにならいつでも応じる粉川であった筈《はず》だった。そのいちばん気の置けぬ親友に対してさえ、粉川はひどく寡黙《かもく》だった。能勢は異常を感じた。

「いいじゃないか。ちょっとだけだ。な。おれのハイヤーを待たせているから、それで行こう。な。陣内、玖珂のご両人も、あんたに会いたがっているぞ」

「そうか。じゃあ」

六本木へ向かう車内で、能勢は黙りがちな粉川の口から、彼が半年前、警視監に昇進したことを聞き出した。

「へええ。星三つになったのかあ。そりゃあおめでとう。じゃあ次はもう、警視総監になるしかないんだなあ」

自分のいちばんの親友だった男が、これ以上の出世はないというほどの社会の高みに昇りつめようとしている。能勢にはことばに出せぬほどの、泣きたいほどの感慨があった。

その時、粉川が溜息《ためいき》をついた。それは無意識の底から出たかに思える、悲哀と悔恨、さらに絶望と拒絶を感じさせる深い、異様な溜息だった。他ならぬその昇進に関係した悩みに違いない、と、能勢は直感した。話を聞いてやらなければ。社会の頂点に立つほどの重要人物になろうとしている、かけがえのないこの友人を、何とかして救わなければ。

ラジオ・クラブはあいかわらず「ロオラ」だの「フー」だのといった古い曲を流しながら、チーク材の造りによる懐《なつ》かしい葡萄色《ぶどういろ》をした室内の雰囲気を保ち、例によって客のひとりもいない静寂を保っていた。

「これは」玖珂が粉川を見て、仏像のような笑みを浮かべ、重おもしく頷《うなず》いた。「粉川様。お久し振りで」

「ずっと、お待ちしておりました」陣内もカウンターの中から、顔が浅黒いためによく目立つ白い歯を見せ、声をかける。

今までふたりで来たときはたいてい、カウンターに向かって掛け、陣内を加えて雑談したものだったが、今夜だけは膝《ひざ》つきあわせてじっくり話を聞かねばならない。勘のいい玖珂がふたりの様子からすぐに察して、そこだけはまるで個室のようになった、あの、奥のボックス席に案内する。

「で、原因は何だい」十二年もののワイルド・ターキーのオン・ザ・ロックがきてすぐ、能勢が遠慮なしに訊《たず》ねる。

「いやあ。眠れなくて」粉川はずっと、うっすら笑みを浮かべたままであり、その笑顔に変化がないため、能勢にはそれがかえって無表情に思われた。

「だから、その、眠れない原因だよ」

粉川はちょっと不思議そうに能勢を見て答えた。「ないよ」

「ははあ。原因不明か」

能勢のことばの意味を反芻《はんすう》するようにしばらく沈黙してから、粉川は背をのばし、ゆっくりとかぶりを振った。「不明もなにも、原因らしいものはまったくないよ」

その粉川の答えから、自身、不安の原因を探ろうとして読んだ多くの精神病理学関係の本による知識で、能勢はただちに抑鬱《よくうつ》症を想像し得た。現代にもっとも多い種類の抑鬱症は、理由なしに起るというのがその特徴だった筈だ。だからといって、原因がないことを唯一《ゆいいつ》の理由に、粉川に向ってお前は抑鬱症だなどと言えたものではなかった。その上、病人に病名を教えることを精神医学では禁じていたようにも記憶していた。

「じゃあ、健康なのか」

「からだか」そう問い返してから、粉川はことばを選びながら答えた。「年に一度、定期検診というのがある」

「そうだろうなあ」粉川の禁欲的な節制は、彼はうなずく。「どこも、悪いところは、ない」自信ありげに、昔からのことだ。

「なんだか、尋問みたいだな」

能勢は大声で笑ったが、言った粉川の方はあいかわらずのうす笑いだけだった。

「しかし、睡眠不足だと、困るだろう」

さすがに粉川も、悲しげに頷いた。「実に困る。睡眠と覚醒《かくせい》のリズムがうまくとれないからな。それに、食欲がない」

「食欲もか」痩せている原因がのみこめ、能勢は唸《うな》った。「じゃあ、仕事に差《さ》し障《さわ》るじゃないか」

「そうなんだがね」粉川は自分の立場を自嘲《じちょう》する調子で言った。「ところが、われわれ有資格者組というのは、よほどの失敗でもして辞職しない限り、決められたコースを昇進していくことになっていてね」

「ははあ」能勢はしばらくぼんやり粉川の顔を見続けた。警視庁というのが、彼が言うほどの、そんな気楽な職場であるとはとても思えなかった。よほどの秀才でもない限り、その「よほどの失敗」をたちまち犯してしまうような職場であるに違いない、と、能勢には思えた。

ふたりはしばらく黙って飲み続けた。玖珂が、ひどく幸せそうな笑みを浮かべ、黙って二杯目のオン・ザ・ロックを運んできた。

「じゃあ、仕事はうまくいってるのか」

「まあな」言いたくない様子があらわだったが、粉川はぽつりぽつりと喋《しゃべ》り出した。

「警視総監は、在任中から政府関係の人たちとのつきあいが多くてね。で、副警視総監という人が、ま、今度警視総監になった人だが、これが無骨な上に口下手ときている。で、このおれに、警視総監代理として出席してくれという、庁外、庁内からの依頼が増えて」

「お前、押し出しが立派だものな」能勢は男らしく整った、いかにも昔でいう日本男子然とした粉川の容貌《ようぼう》を見てうなずいた。「それで、困ってるのか」

「本来の仕事に差し障りが生じる」と、粉川は言った。「それに、おれだって弁舌さわやかという方ではない」

「そこがお前のいいとこなんだけどな」能勢は笑った。「べらべら喋らないというところがさ。そりゃ、無口な部類かもしれんが、警察の人間としてはそれでいいんじゃないのかい」

粉川は答えない。自分に満足していないことは明らかだった。

やがて、粉川は言った。「本来の仕事で功績があれば、それでもいいんだが」

「あるんだろうが」能勢はちょっと驚いて、この親友の過去の大手柄に注意を向けようとした。「上北沢の連続射殺事件とか」

「解決したのはあれだけだ」粉川は苦笑して言った。「いつまでも言われては困る」

「お前なあ、ちょっと、自分に多くを求め過ぎているんじゃないか。何もしなくても昇進するんだって、今お前自分で言ったばかりじゃないか」

また、粉川は黙りこんだ。これはとても、おれの手には負えない。能勢はそう思った。彼はことばを選びながら、ゆっくりと粉川に訊ねた。

「睡眠不足、食欲不振、そうしたことが精神的な何かによって起っているということ、それは自分でもわかるだろう」

「それはそうだろうな」元気なく、粉川は同意した。

「よし。ではお前は、自分でそいつを治したいと思うかね」

「そりゃ、治ってもらわなければ困るが」粉川は、やや能勢の意気ごみを警戒する眼になった。

「そんなら、どうだ。その治療、おれに任せないか」

「精神病医かね」粉川はうさんくさ気に能勢を見て、かぶりを振った。「あるいは、精神分析とかってやつだろう。困るよ。おれなんかがそんなところへ通っていること、誰かに知られたら」

「うん。それはよくわかるよ」能勢は大きく頷いた。「だからこそ、おれに任せろと言ってるんだ。おれが、君の重大な立場も考えずにこんなこと言うと思うかね。どうだ。絶対に誰にも知られないことを保証するから、騙《だま》されたつもりで、おれの紹介する人物に会ってみろ」

「なんか、すごく自信ありげだが」粉川はやや警戒心を解いて笑った。「誰だい」

「セラピストなんだがね」能勢はテーブルに身を乗り出して粉川に言った。「パプリカ、という名前、聞いたことあるかい」

「変な名前だな。知らんね」あいかわらず関心のない様子で粉川はかぶりを振った。

エリート社会を中心に流れている噂《うわさ》を、粉川は聞いたことがないようだった。

「じゃ、精神医学研究所という財団法人のことは」

「それなら知っている」粉川はやや興味を示し、能勢を見つめた。「あそこには、日本でいちばんレベルの高い精神病院がある。付属施設として。それから、あそこの医者ふたりが、ノーベル医学生理学賞の最有力候補になっている」

「所長の島寅太郎は知っているか。大学では医学部だった。おれとは高校時代からの親友だ」

「医学部には、友達はいなかった」

「パプリカという女性は、その島寅太郎所長子飼いの、最優秀のセラピストだ」

「女か」突然、心もとなげな表情が粉川の顔に露骨にあらわれた。能勢は粉川利美が女性に不信感を抱いているらしいことを昔から知っていた。

「おれは島所長の紹介で、彼女に病気を治してもらったんだ」

さすがに無関心ではいられなくなり、ん、と粉川は能勢へまともに向きなおった。

「お前が病気だったんだって。精神病か」

「心配するな。ちょっとした不安神経症だったんだが」そして能勢龍夫は粉川利美に、いきさつを語りはじめた。

20

夜の十一時半、千葉敦子はひどく疲れてマンションの自室に戻った。遅くまで時田浩作と一緒に、DCミニと氷室の行方を捜しまわっていたのだった。電話をしたが氷室は親と一緒に住んでいる千葉の家には戻っていず、敦子の想像では必ずやどこかに監禁されているに違いなかった。しかし宿直室から合鍵《あいかぎ》をこっそり持ち出して、他の研究所員の部屋へ無断で忍びこんだりもしたのだが、氷室の姿はどこにも見出《みいだ》せなかった。時田に糺《ただ》したところではやはり、DCミニにアクセス不能機能は付加されていず、そんな危険物の紛失が表沙汰《おもてざた》になってはたいへんな騒ぎになることはわかっていて、だから誰に相談することもできなかったのだ。ふたりだけで捜しまわるしかなかった。

明日になれば、しかたがない、島寅太郎所長に相談しよう。頼りにならない所長だが、真相を話せばことの重大さはわかってくれるだろうし、当然秘密を洩《も》らすようなことはしないだろうし、彼の命令とあっては、あの守りが堅くて今夜も入れてもらえなかった五階の病棟の各病室も捜すことができるだろう。そんなことを話しあいながら、敦子は自分のマージナルの助手席に時田を乗せ、マンションに戻ってきたのだった。時田浩作が母親と一緒に住んでいるのは、十五階でもいちばん眺望のいい大きな部屋のある、つまり敦子の住まいの真下に相当する区画だった。

湯に浸りながら考え続けているうち、氷室はこのマンションのどこかの部屋に監禁されているのではないかと思えはじめた。小山内か橋本か、あるいはその他の、乾精次郎の腹心の誰かの部屋に連れてこられているのではないだろうか。小山内も橋本も独身で、それぞれ十五階と十四階に部屋を持っている。このマンションに入居している上級の研究所職員たちは、互いの私生活を尊重するという暗黙の了解の上で、なるべく他の職員の住まいには訪問しないという習慣があった。だから敦子も、島寅太郎とは研究所で話すだけであり、同じ階にある独身の彼の住まいを訪問したことは一度もない。

実のところ、今敦子が、あれやこれやを相談するため、切実に会いたいと思っている人物は島寅太郎ではなく、能勢龍夫だった。頼りになる人物として、今、敦子に思いあたるのは能勢だけだった。愛情を感じ始めているための買いかぶりではない筈《はず》だった。彼になら、監事になってもらい、研究所の会計監査も頼めるのではないかと思えた。財団法人の監事の資格を敦子は知らなかったが、彼なら帳簿の不正を見つけるくらいは容易だろうから、明日、島に提案してみようと思いはじめていた。何よりも、今かかえこんでいる悩みを全部打ち明け、相談に乗ってもらい、知恵を借りたかった。彼なら複雑な研究所や理事会のややこしい人間関係、内部の対立、抗争のごたごたを、比較的簡単にてきぱきと収めてしまう知恵を貸してくれるかもしれない。そして何よりも敦子には、自分を愛してくれている能勢が、真剣になって話を聞いてくれ、助けの手を差しのべてくれるだろうということがわかっていたのだ。

駄目。

突然、敦子は強くかぶりを振った。

だからこそ、それは、してはならないことではないのか。誰の助けも借りずに、今までひとり努力してきた自分ではないか。以前の患者に助けを求めようなどと、そんな情けない自分ではなかった筈だ。能勢には能勢の苦労がある。そんなことさえ想像できずに、能勢の好意に甘えて援助を乞《こ》うなど、世間に甘える身勝手な最近の若い女性たちがしていることと同じだ。

それは、能勢にもう一度会ったりしたら、それこそ深い関係に陥りそうだという危惧《きぐ》の念が敦子に発した警告のようでもあった。敦子はきっぱりと決意し、能勢のことを心から締め出そうとした。

リビング・ルームで電話が鳴った。こんな時間にかかってくる電話といえば、昼間研究所に電話してきて交換台で取次ぎを断られ、敦子の帰宅が遅いことを知っているマスコミやその周辺の誰かにきまっていた。バスタオルをまとい、タオルのスリッパをはいて敦子は電話に出た。

「はい。千葉でございます」

「こちら、能勢と申しますが」

意外。今しがた頭から追放したばかりの能勢龍夫が、まるでそうはさせじとするかのように電話してきたのだった。疲れているため老婆《ろうば》のような嗄《しやが》れ声で応答してしまったことがさいわいし、パプリカ本人とは思われなかったようだ。

「パプリカちゃんですね。ちょっと待ってください。今、代わりますから」

強いて老《ふ》けた声でそう応《こた》え、敦子はバスルームに戻ってからだを拭《ふ》き、部屋着を羽織った。今の声をパプリカだとは思わなかったらしい能勢は、では、いったい誰だと思ったのだろう。敦子はおかしさと、どうしようもなくこみあげてくる嬉《うれ》しさで忍び笑いをしながらふたたび受話器をとった。入口の「千葉」というネーム・プレートは見ている筈だから、パプリカが千葉という姓であることは知っているとして、ではパプリカがノーベル賞候補の千葉敦子とどんな関係にあると思っているのだろう。千葉敦子という研究所職員の存在など、知らないのだろうか。あるいは何もかも知っているのだろうか。

「はあい能勢さん。パプリカです」パプリカになりきると、ごく自然に声の音程が半音ばかり高くなる。しかも思いがけず能勢の方から電話してきてくれた喜びで、さらに明るい声になった。今のかたは。能勢がそう訊《たず》ねるであろうと予測し、母が来ていてなどと答えようか、そう思っていたのだが、能勢は慎み深く何も訊ねない。

「パプリカ。ちょっと長い話になると思うが、今、話していいかな」

「いいわよ。今、何もしていないから」

どこから電話しているのかを訊ねたかったが、能勢を見ならって詮索《せんさく》をひかえる。彼方《かなた》の能勢のうしろには音楽も人声もなかった。自宅の書斎からででもあるのだろう。

「よかった。相談と、それから、頼みごとがあって」

「あら。何かしら」

「その前に、お礼を言わなきゃなあ。病気は完全に治ったようだよ。社内人事もうまくいったし、それに、例の虎竹は生きていた」

「まあ」今はパプリカとなった敦子に能勢の喜びが伝わってきて、彼女自身にもなかば夢心地のような喜びが生まれる。「じゃあやっぱり、能勢さんの思い過ごしだったのね」

「そのようだ」能勢は真相を知ることになったいきさつをくどくは喋《しゃべ》らず、すぐ用件に移った。「実はぼくの大切な友人で、現在社会的に重要な地位にいる人物なんだが、このひとの治療を君にお願いしたいんだ」

あくまでパプリカとしてつきあっている以上、PT機器による個人的な分析治療を彼女が職業にしているという能勢の思いこみを非難することはできない。敦子はためらった。今、個人の依頼を受けている余裕はない。しかし千葉敦子とは別人格の夢探偵パプリカとしては、能勢の頼みをことわる口実がなかった。

「どんな様子なの」とりあえず訊ねてみた。パプリカの出動を必要としない症状かもしれなかった。

「本人が言うには、睡眠不足と食欲不振だそうだ。しかしぼくの観察では、それだけじゃないんだ。ひどく憂鬱《ゆううつ》そうで、無口になっていて、表情にも変化がない。どうもただごとではなさそうなんだが」

「で、能勢さんはその人を、励ましてあげたの」

「いっしょに酒を飲んで、悩みを聞いて、励ましてやったりもしたんだが、反応はない。これという悩みもないって言うんだがね」

典型的な抑鬱症の症状だった。それはいったん起れば気晴らしの飲酒や遊びにも、外からの慰めにも励ましにも、説得や脅しにさえも反応しない。「じゃ、そのひと自分ではそうなったきっかけも自覚してないのね」

「そうなんだが、ぼくの素人《しろうと》考えでは、どうも昇進したことが原因のひとつじゃないかと思えるんだ」

「昇進したの」

「ああ。最近、重要な地位に」

抑鬱症が起るのは、たいてい、まったく理由がないか、あるいは常識的にはごく些細《ささい》なことがきっかけであり、そこには栄転とか昇進とかいった、本来なら喜ぶべき事柄も含まれている。

「パプリカ。やっぱり抑鬱症かね」能勢が訊ねた。

説明がツボにはまり過ぎていると思っていたら、やはり能勢には抑鬱症の知識があったのだ。「そうだと思うけど、能勢さんは本人に向かってそう言ったの」

「言わない」

「よかった。でも、一度ご本人に会ってみないと、正しい診断はできないわ」友人を、最近単身赴任の管理職などに多い抑鬱症と決めこんだ能勢が、それに相応する症状ばかりを述べ立てている危惧もあった。

「そうだろうな。是非いちど会ってやってほしい。でもパプリカ。君、忙しいんじゃないのか」やさしい能勢の言葉で、気の弱っていた敦子は一瞬、不覚にも泣き出してしまいそうになった。

「どうした」

「電話してきてくださってよかったわ。もし本当に抑鬱症なら、安心できないわ。突然自殺をはかったりするのよ」

能勢が息をのむ様子だった。

「じゃあ、ご本人を紹介してください」

その際、能勢に会えるだろう。つい先程、能勢に助力を求めようとした自分の弱さを否定しておきながら、会えるとなるともうすっかり窮状を訴えようという気になっている自分が敦子はおかしかった。能勢の方から助けを求めてきたせいで気が楽になり、相談を持ちかけることに甘えを自覚しなくてすみそうだったからであろう。

「明日の晩はどうだろう。またぼくの時みたいに午後の十一時、例のラジオ・クラブで」

あの居心地のいいラジオ・クラブの雰囲気を思い、敦子はそこが自分の唯一《ゆいいつ》の避難所のように思えた。「いいわ。そのお友達のお名前は」

「粉川利美。警視庁の、警視監だ」

今度は敦子が息をのんだ。「警視監」

「うん。警視総監のすぐ下の階級名だがね。今は警視総監代理としての役目が多いように言っていた」

「重要人物じゃないの」

「さっき、そう言ったじゃないか」

敦子は膝《ひざ》が折れそうになった。そんな人物の前で、とてもではないが能勢に、犯罪が行われているおそれさえある研究所の内紛のことなど、相談できるものではなかった。ましてや警察沙汰《ざた》になってもおかしくないＤＣミニ紛失の一件など、語れたものではない。

さらに言えば、そもそもパプリカという存在やその行為も、曾《かつ》ては違法だったのである。

「能勢さん。わたし、実は精神医学研究所の正式の職員なの」

「うん。想像はしていたよ」

「で、個人的な治療というのは、本来は禁じられていて」

能勢は笑い出した。「ああ。そんなことを心配してるのか。粉川はそれほどの堅物じゃないよ。だいいち君の治療を受けていることがひとに知られて困るのは粉川の方だ」

「それはそうでしょうけど。じゃ、職務に忠実な、カチンコチンのひとじゃないのね」

「常識豊かで、感受性も豊かで、くだけるときにはくだけてくれる、実にいい男だよ。ぼくは学生時代からずっと、いろんな世話になってる。彼が警察に勤務しはじめてからも、仕事の上で発生したごたごたの相談に乗って貰《もら》ったり、解決して貰ったりね」

「まあ。そういう人なの」

少し安心はしたものの、やはり警戒する気持は拭《ぬぐ》い去れなかった。それがいかにもののわかった人物であっても、たとえば深刻な社会的不安をひきおこすかもしれないDCミニの紛失をもしも知ったとしたら、警察の人間として抛《ほう》ってはおけない筈だったからだ。

21

パプリカがラジオ・クラブに着いたのは午後十一時にまだ二十分も前だった。

以前、たった一度来ただけで六本木にパプリカ出現という噂《うわさ》が流れたことを、あの松兼という新聞記者が教えてくれたので、来るのにはずいぶん気を使った。赤いシャツにジーパンというパプリカとしての服装は、それでないとなんとなくパプリカになった気がしないので、変えるわけにはいかなかった。ただし今度は以前初めて来たときのように、ラジオ・クラブの所在を求めて附近をうろうろ捜す必要がなかったため、あまり人に見られずにすんだ。

「おや」玖珂がパプリカを憶《おぼ》えていて、大きな腹を突き出すようにしてから、うやうやしく一礼した。「お久し振りでございます」

「いらっしゃい」陣内もカウンターの中から微笑《ほほえ》みかけた。

カウンターにひとり男性の客がいて、この店に不似合いなパプリカを見て驚き、陣内に何か訊ねはじめる。

「粉川さんは、まだお見えではありません」玖珂はパプリカを以前のボックス席に案内しながら言った。「それから、さきほど能勢さんからお電話がありまして、今夜はお越しになれないそうでございます。粉川さんをよろしく頼むとのことで」

「そう」

パプリカは、ちょっとがっかりした。能勢龍夫の慎み深さであろうと思った。また、粉川利美をだしにしてパプリカに会うという形になるのを嫌う潔癖さでもあるのだろう。そんな能勢をパプリカは好きだった。それに粉川警視監がいたのでは、どうせ彼への相談ごとはできない。

眼を半眼にした仏像の笑みを浮かべ、玖珂が横に立って親しげにパプリカを見おろしていた。パプリカも微笑み返した。なぜこんなに、一度来ただけのこの店が懐《なつ》かしいんだろう、とパプリカは思った。「サテンドール」が流れていた。

何かおいしいものをとパプリカが言ったため、玖珂はカウンターとの間を二度往復して陣内とパプリカの相談を取り次いだ。そうすることが玖珂にはまことに楽しいことのようだったので、カウンターの客はまた驚きの表情を見せた。

バランタインの十七年もので ブラックジャグという珍しいものにありつき、オン・ザ・ロックにして貰い、パプリカが眼を細めて飲むうち、ドアが開いて、能勢から聞いていた粉川利美とひと目で知れる男が入ってきた。玖珂と陣内の彼への応対ぶりで、しばしば来ているらしいことがわかる。

「パプリカです」

パプリカは立ちあがり、礼儀正しく挨拶《あいさつ》した。能勢と違って、若い娘のくだけた態度を好む男でないことはあきらかだった。

「粉川です」

パプリカを見ても、他の男たちほど意外そうな表情は見せず、粉川も礼儀正しく挨拶を返した。パプリカは敬語を使うことにした。歳上《としうえ》の男性に対してなら、本当はその方が楽なのだった。

向きあってはじめて、パプリカは粉川の男らしさに惚《ほ》れぼれしてしまった。警視総監代理として出席を求められることが多いというようなことを能勢から聞いていたが、なるほどと頷《うなず》けた。恰幅《かっぷく》がよく、浅黒く引き締まった顔立ちは整っていて、鼻下髭《ひげ》がよく似合っていた。欧米の映画に主演してもおかしくないほどの男振りだった。多くの男性と接しているパプリカもさすがにうわずり気味で、病気とはいえ警察官の鋭い視線で観察されたのでは尚《なお》さらだった。

「あの、能勢さんは、お見えになれないそうです」

「そうですか」粉川は無表情だった。しばらくパプリカを見つめてから、すぐに興味を失ったらしく、横に立っている玖珂と飲みものの相談を始める。

パプリカは、結局彼女と同じものを注文した粉川に、さっそく質問しはじめた。「お仕事、お忙しいんでしょうね」

「まあ」粉川は苦笑した。「もちろん、あたり前のことですわね。でも馬鹿《ばか》なことを訊《き》くと思わないでくださいね。それは警察の尋問なんかでも、同じじゃありません」

「なるほど」パプリカを少し見なおしたように、粉川はちょっと姿勢を正した。

「能勢さんからうかがったことだけしか存じませんので」

粉川はとまどっているようだった。パプリカの身装《みな》りにふさわしくない礼儀正しい言葉づかいのため、彼女の年齢を推定できないでいるようだった。「では、訊いてください。どうぞ。何でも」

喋《しゃべ》りかたがぎこちなかった。あまり喋りたくないのに無理に喋ろうとしている様子が見えた。かといって、相手の気を楽にさせてやろうとするセラピストの基本的な技術など、この粉川には陳腐に見え、おそらく通用しないのではないかと思えるのだ。パプリカはちょっと困惑した。なにしろこのような身分と立場の患者は初めてだった。

相手への畏怖《いふ》の感情を、パプリカはそのまま投げ出すことにした。というのも、もし彼が抑鬱《よくうつ》症であれば、本来の性質として大きな自負心を持ち、他者からの過度の支持を求めているからだ。「警察の、警視監なんてかたとお目にかかるなんて。しかもそんなかたを診察するなんて。難しいわ」

粉川はやっと微笑を洩《も》らした。「そうですか」

「そうですわ」

粉川のグラスがきた。ふたりはしばらく黙って飲んだ。

「しかし」粉川が自分から、初めて口を開いた。「やり甲斐《がい》のあるお仕事でしょう。あなたのその、セラピスト」

パプリカを安心させようとして言っているのだろうが、粉川のような男が相手の仕事に対して心遣いを見せるのは珍しかった。このひと、今の自分の仕事を「やり甲斐がある」とは思っていないんだわ。パプリカはそう判断した。

「粉川さんのお仕事だって」

パプリカがそう言うと、粉川はまた苦笑した。自分の判断の正しさを、パプリカは確信した。来る前にちょっと調べたところでは、警視監というのは階級名であり、警視総監のように職名と階級名が一致しているというわけではないらしい。だからいろいろと不本意な仕事もしなければならないのだろうと推察できた。

「おやすみになれないんですってね」パプリカは本題に入った。「お困りでしょう」

「はい。まことに」

「こんなこと、初めてですか」

「初めてです」

「食欲も、ないんですってね」

「はい。食欲も」

「その睡眠不足や、食欲不振が、たとえば粉川さんのお仕事に、今、どういうふうに差《さ》し支《つか》えていますか」

粉川利美はながい間、考え続けた。言うことを考えているのではなく、言いかたを考えているのだった。

「自分は」と、彼は言った。「無口な方で、訥弁《とつべん》です。それが役目柄、警視総監代理として、人前で、喋らなければなりません。ところが、その、睡眠不足のため、気の利《き》いたこと、当意即妙のことばが、なさけないことには、出てこない。そして、それが、自分に期待されていることで」沈黙した。

「あのう、そういうことがもともと、お嫌い……」

「しかし、できなければ」強い眼で、粉川は、ちらとパプリカを見た。

完全主義。抑鬱症になりやすい性格の典型だった。自分で、高すぎる要求水準をかかげる。達成できない目標に向って行き、負い目を負う。たくさんの仕事をすべて一定水準以上に、正確に遂行しようとする。それがよくないのだと指摘してやっても、本人は、それができなければそれは仕事ではないし、そして自分にはそれができて当然だと思いこんでいるから、まったく耳を貸さないのだ。

「あのう、なぜ眠れないのか、ご自分でおわかりですね」

「ええ。実につまらぬことが頭から離れないので」

「その、つまらないことというのは、たとえばどういう」

「実につまらぬことです」笑った。「実につまらぬことで、口にするのも馬鹿馬鹿しいくらいつまらぬことです」

なるほど、粉川のような男にとって、そんなつまらぬことを口にできないのは当然かもしれなかった。パプリカは他の抑鬱症患者の症例で知っていたが、それは例えば、寝ているときに何か物音がし、次にその物音がするのはいつか、ということが気になって眠れないといった「実につまらぬこと」なのだ。

パプリカはまだ粉川の私生活をまったく知らなかった。しかしこの無口な人物から聞き出そうとすれば、どうしても次から次から質問をくり出さねばならず、尋問のようになってしまう。とりあえず、ひとつだけ訊いておこう。あとは折を見て、と、パプリカは考えた。「粉川さんは、お住まいは」

「この近くの官舎です。マンションですが」そう答え、沈黙があってから、さすがにパプリカの遠慮がわかったらしく、粉川はつけ加えた。「そこに、妻と住んでおります。息子は大学の近くに、下宿を」

子供の独立。そうした家族成員の異動、負荷の軽減も、抑鬱症の発症前によく見られることだ。粉川が抑鬱症であることはほぼ間違いのないところだったのでパプリカは困惑した。抑鬱症の治療には通常一定の時間がかかる。だが一方には研究所内の葛藤《かっとう》があり、千葉敦子としての仕事もある。治療の時間が作れるだろうか。しかし、拋《ほう》っておくわけにもいかなかった。

「普通、粉川さんの症状にいちばん効果的な治療法は」そこまで言って、パプリカはちょっと口ごもった。

「何です」粉川は専門家の意見を聞く期待の眼をした。

「何カ月かの休息療法なんです」

「ああ」問題外だ、とばかり粉川はパプリカの頭上に視線をそらせた。

「無理なんでしょうね」

「これは、無理ですね」

「本当はいたずらに睡眠不足や憂鬱と戦ったりしないで、現実生活からはっきり身をひく方がいいんですが、それができない相談だとおっしゃるわけですから」パプリカはまた考えた。

勤務しながら休息をとる、などといった芸当は、粉川のような人物には不可能だし、そもそもそれができないから発症したのだと言える。パプリカは決心した。粉川につきあうしかなかった。

「じゃ、やっぱり夢探偵をやらなければ。夢探偵という精神分析治療のこと、能勢さんからお聞きですね」

「ええ」しかたがない、と、あきらめた口調で粉川は言った。夢探偵の効果を、あきらかに粉川は信じていなかった。

「早く治すため、薬物療法を併用します」

「薬ですか」これも粉川には気にいらぬようだった。

「精神的な症状を薬で治すということがご不快かもしれませんけど、粉川さんのような症状の場合は、今までは精神分析治療などは効果がなくて不必要だとされてきていました。だから全面的に薬物療法に頼ってきていました」

「それは睡眠薬ですか」

「抗鬱剤です」

「ということは、自分はやっぱり、憂鬱症ですか」

「そうですわ」

粉川は沈みこんでしまった。パプリカは彼を元気づけるようなわざとらしいことばは避け、彼の治療に対する不安だけをなくそうとした。

「夢探偵も同時にやりますから、抗鬱剤はなるべく少量にします」

「それは、しかし、どのような作用をする薬ですか」

パプリカは自信に満ちた笑顔で彼を見た。見つめたままで彼の知性に訴えかける説明を始めた。それは彼女がもっとも得意とする分野でもあった。

「いろいろな薬ができています。そうした薬のそれぞれの効果も、今でははっきりわかるようになったんです」PT機器の開発で、どのような薬効があるかは、投与した患者の精神内容を走査することによってただちにわかるのだった。「薬は脳の中のシナプス間隙《かんげき》に作用します。シナプスからシナプスへインパルスが伝達される時には、モノアミンという物質が必要なんですけど、そのモノアミンの動きを薬が制御して……」

22

抑鬱症というのは、休息療法なしに短期間で治療しようとして、これほど治療しにくいものはない。精神分析をしても原因はわからず、もちろん自然科学的にも現代の医学で理解できる範囲外にある。フロイトの口唇愛《こうしんあい》期への固着説、ジャネの生物心理学的な心的エネルギーの減退説、いろいろあるがいずれも充分な説明ではない。

パプリカはPT機器による独自の治療で、抑鬱症にある程度の効果をあげていた。抑鬱症になりやすい患者が発症前にどのような状況で生きてきたのかを精神分析的に求め、エンドン指向的状況と呼ばれるその状況がエンドン変動をひき起した時点、つまり発症をひき起した変動点を求めて、ここへエンドン的エネルギーを注入するという方法だった。エンドンというのは心でも身体《からだ》でもない第三の領域のことである。抑鬱症がエンドン因性鬱病と呼ばれているのはこのことによるのであるし、エンドンとは、人間と自然の共通の生成原理が人間個体の内部にとりこまれたものなのだから、本来はエンドン・コスモス因性鬱病と呼ばれるべきなのだろう。

粉川利美はパプリカのマンションでPT機器による夢探偵治療を受けるため、その夜ひと晩、帰宅できないことになった。粉川はラジオ・クラブのコードレス電話を借り、パプリカの目の前で夫人に「今夜、帰れない」と告げただけだった。粉川が電話を切る前に、夫人が切ったらしい音がした。いかに粉川が無口であるとはいえ互いにあまりにも冷淡であり、夫婦の仲の冷たさがパプリカには想像できた。しかし粉川自身そんなことはまったく思ってもいないようだった。カウンターの客はいなくなっていた。ふたりがラジオ・クラブを出ようとする時、陣内はパプリカにそっと「粉川さんをよろしく」と言い、玖珂が「お大事に」と粉川にささやく声もパプリカの耳に入った。能勢龍夫がパプリカの職業を陣内や玖珂に洩らしている筈《はず》はなく、ふたりは勘だけでパプリカを、精神分析医とまでは想像していないにせよ、何かのセラピストであることだけは悟っているようだった。紹介者から紹介者へ受け渡しされる中年相手の少女売春だと思われているのではないかと心配していたパプリカは、ほっとした。

パプリカのマンションへは、ラジオ・クラブの前の路上で流しのタクシーに乗ったのだが、パプリカの話しかたからふたりが親子ではないと知り、運転手は粉川にいや味を言いはじめた。まるで自分の娘のような歳《とし》の女をたらし込んだのやら買ったのやら知らぬが、どうのこうのという、運転手のもってまわった言いかたに、しかし粉川は、まったく無反応だった。喜怒哀楽の感情がまるで高まらないように見えた。抑鬱症になりやすい人格の特徴は秩序に束縛されることで、その中には人と争えず、他人と衝突しそうな場合は自分から折れて出るという気の弱さも含まれている。これでは警察官は勤まらないのではないかとパプリカには思えるのだが、それが犯罪者を相手とする仕事ならまた別なのかもしれなかった。

パプリカのマンションにやってきても、粉川はその豪華さを特に驚くこともなく、無反応だった。その無感動ぶりと無表情は、自分の病気を治せるものなら治してみろと開きなおってでもいるかのようだったが、実はそんな反感や敵愾心《てきがいしん》すらない状態なのだった。パプリカは粉川がどうせすぐには眠れないだろうことを知りながら、とにかく彼をベッドに横たわらせた。

裸に近い気楽な恰好《かっこう》で眠るようにというパプリカの主張に、ダンディでだらしなさを嫌う粉川はややためらったようだった。しかしパプリカが慣れた動作であれこれと粉川の面倒を見たため、安心してシャワーを浴び、おとなしく下着姿でベッドに入った。

パプリカはコレクターのメモリーを八時間にセットした。不眠症の粉川が眠るまで漫然と待ってはいられなかったし、どうせ初めての場所で、しかも年頃の娘の住むマンションで、粉川がそれほど早く寝つけるわけがなかった。しかし粉川が睡眠に入れば、記録装置が作動してその夢内容がコレクターに記録できる。覚醒《かくせい》中はいかに使用者の目的が正当であっても、意識の抵抗が激しくてわけのわからぬ画像しか記録できない。

「眠りにくいでしょうけど、なんとか眠ってくださいね」

そう言いながらパプリカは粉川の頭にゴルゴネスを被《かぶ》せた。能勢のように興味を持ってあれこれと訊《たず》ねることもなく、粉川はされるがままだ。せっかく眠っても夢を見なければなんにもならないから、睡眠薬は使えない。ひと晩眠れなかった、なんてことになりませんように。パプリカはそう願いながら、粉川に安眠させるため、自分はリビング・ルームのソファで寝ることにした。

パプリカもまた、眠るための技巧を凝らしてもなかなか眠れず、睡眠薬が必要なのは自分なのだ、などと思った。千葉敦子としては、研究所で氷室をまだ発見できず、提出すべき論文ははかどっていなかった。粉川が寝ている寝室は静かだった。物音を立てぬよう身動きせず、眠れぬ苦痛に我慢強くじっと耐えているのだろうとパプリカは思った。そして粉川のそんな行儀のよさを、パプリカはいとしく思った。能勢龍夫と粉川利美の男性的魅力の違いを考えたり比較したりするうち、パプリカはやっと眠ることができた。

目醒《めざ》めたとき、きちんと服を着た粉川がリビング・ルームの食卓に向って掛け、それまでじっと自分の寝顔を見つめていたらしいことに気づき、パプリカは羞恥《しゅうち》で顔に血がのぼり、うろたえた。

「あっ。あら。まあ。もうシャワー、使ったんですか」そんなことを言いながらあわてて起きあがり、いそいで服をさがす。

七時半だった。

「お寝《やす》みになれましたか」

「うん」

「では、夢も見ました」

「さあ」

夢などにはまったく興味がないか、見てもすぐ忘れてしまうのだろう。

「コーヒー、お飲みになるでしょ」

パプリカはコーヒーを淹《い》れ、カップふたつを寝室のサイドテーブルに運んだ。粉川が砂糖壺《つぼ》や生クリームの容器を手伝って運んでくれる。

「あなたの夢をリプレイします」

そう言いながらパプリカはコレクターのメモリーを呼び出した。

モニター画面下の数字を見ると粉川は朝がたの四時二十四分から夢を見はじめていた。おそらくそれまで、ほとんど眠らなかったのだろう。ふたりはコーヒーを飲みながら、しばらく画面を見続けた。粉川もさすがに興味深げである。

飛行機の中。ジャンボ・ジェットらしく、大きな客室だ。機は何度も、左右に大きく傾く。客は誰も驚かず、じっとしている。通常ジャンボ・ジェット機がどれほど傾いても、客にはさほど感じない筈だ、と、パプリカは思う。次いで屋内があらわれる。暗い和風の屋敷内部。廊下を行くとやがて板の間の台所で、中年の女性が洗い物をしている。

パプリカは画面を停止させた。

「あ。こんなことができるのか」粉川がちょっと驚いた。

「このお屋敷はどこですか」

「いや。わからない」

「この女性は」

「知らないなあ」

「誰か、この女性に似ているひとは」

「さあ」

「こういう古いお屋敷の台所で、炊事していた人といって思い出すひとは」

「さあ」しばらくのち、粉川は言った。「やはりそれは、母親だろうが」

しかしこの女性は母親ではない、そう言いたいようだ。

「綺麗《きれい》なひとですわね」

「そうかなあ」

綺麗とは思わない、ということなのだろうと判断できた。粉川の妻が姿を変えて登場しているのかもしれなかったが、似ているかどうかを糺《ただ》すことは敢《あ》えてしないことにし、夢の続きを見る。

どこかの庭。犬が一匹出てきたが、すぐ消えてしまう。洋風の屋敷の内部。人が倒れている。廊下に流れる血。同じ屋敷の外観だろうか。火事になっていた。

事件の現場が出てきているようだ。粉川は何も説明してくれない。やりにくいな、と、パプリカは思う。しかしこうしたやりにくさは何度も経験ずみである。

立派な建物の玄関。中ではパーティが行われている。粉川はその中へ入って行こうとしているのだが、守衛らしい男が前に立ち、入れてくれない。

画面停止。「このひとは」

「これは思い出した。これはどこかの大使館で、自分は、館内に爆弾が仕掛けられているから、入れてくれと言っているのだが、この守衛は入れてくれないんだ。パーティにまぎれこみたいんだろうと言ってね」

「そんなことが実際にあったんですか」

「ない」粉川は次第に饒舌《じょうぜつ》になりはじめた。「そうそう。具合の悪いことに、自分はこの時、パーティ用の服装をしていた」

「どうしてです」

「このパーティに招待されていたからだよ。それから、もっと悪いことには、招待状を忘れてきている」

「つまり守衛さんは、『爆弾』が招待状なしに中へ入ろうとする口実だと思っているわけですね」

「でも、爆弾が仕掛けられていることは本当なんだ」粉川は口惜《くや》しげだ。

次の画面。守衛の顔がびっくり仰天でながく伸びている。

「どうしたのかしら」

粉川は笑った。「爆弾を仕掛けたのはこの自分だと言ってやったんだ」

次の画面。入口を通してもらったらしく、そこは人の大勢いるパーティの会場だ。しかしそこには、まるで書籍の見本市のように書物が並べられている。

突然、大写しになった人物を見てパプリカは驚いた。それはまぎれもなく、乾精次郎の顔だった。

「これは誰」

パプリカがなぜそんな大声を出すのかわからず、粉川は怪訝《けげん》そうに彼女を見た。「知らないね」

「なぜこの人が出てきたんです」

「この顔が夢に出てきたことは、今、思い出したよ。でも、見知らぬ人物だ。強いて言えば自分の父親に似ているが、こんな髯《ひげ》はないし」

なぜこんな画像が、粉川利美の夢にまぎれこんだのだろう。他の人物から採取した夢内容の記録の一部が出てきた、などということは、PT機器の構造上、とても考えられなかった。といって、ジャック・インもしていないのにパプリカの意識内容が粉川の夢にあらわれる筈はない。

「どうかしたのかね」

憮然《ぶぜん》としているパプリカを怪しみ、粉川は訊ねた。

「ちょっと待ってください」パプリカは停止画面いっぱいの乾精次郎の顔をプリント・アウトした。

「ほう。そんなことも」粉川がまた、ちょっと感心する。

「次へ行きますわね」パプリカは画面を進める。

だが、乾精次郎の顔は粉川にも、父親に似ていたためか衝撃を齎《もたら》したようだった。夢はそこで、いったん途切れていた。覚醒したようだ。それからは間を置いて断片的な夢がちらちらあらわれるだけだった。

「ほとんど寝ていらっしゃらないのねえ」パプリカは溜息《ためいき》をついた。「これじゃ、大変だわ。粉川さんは体力がおありですから、なんとか保《も》ってらっしゃるんです。普通のひとなふらふらですわ」

粉川はプリント・アウトした乾精次郎の顔を見ながら考えこんでいた。

「何か」と、パプリカは訊ねた。

「あなたはこの顔を見て驚きましたね」と、粉川は言った。「この人物を知っているんでしょう」

23

朝食をとりながら、粉川利美の寡黙《かもく》さに、パプリカは自分から夢の潜在内容をそれとなく示唆《しさ》してやるしかない。

「ジャンボ・ジェット機が、ひどく揺れていましたね」

「そうですな」粉川は食欲がないのに、残しては失礼という行儀よさから、苦労してパンやベーコン・エッグを食べる様子だ。「自分はジャンボ・ジェット機にはあまり乗っていないのだが。それにしても、ジャンボ・ジェット機はあんなには揺れない」

「そうですね」

粉川の次のことばを待つが、彼はゆっくりとベーコンを嚙《か》んでいる。

「たとえば粉川さんの職場が今、揺れているとか」

粉川は、うっすらと笑った。精神分析の初歩程度は知っているようだった。「あのジャンボ・ジェット機が警視庁だと」

「揺れていることに、誰も気づいていないようでしたわ」

「そうですな」粉川はパプリカの解釈を否定も肯定もしないで、考えこんだ。

分析のきっかけがつかめないので、パプリカはしかたなく次に移る。「犬がちょっと出てきましたわね」

「犬は、子供のころ飼っていまして。父親がですが」

「あれは、その犬でしたか」

「そのようです」

「あなたはその犬、好きでした」

「ええ。しかし、自分が勝手につれ出したために、交通事故に」

「死にましたの」

彼は頷《うなず》く。

「まあ」

粉川の表情をうかがったが、そのことに罪悪感があるのかどうかはわからなかった。

「粉川さんが担当なさった事件になんだか関係のありそうな場面も、ちょっと出てきましたわね」

「うん。眼醒めると忘れるが、やはり、見ているんですなあ」粉川が意外そうに言ってから、急に熱心に語りはじめた。「あの八王子の大きな屋敷の使用人殺しは、おみや入りですよ。今までにも、未解決の事件を夢で見たことは何度かある。しかし、おかしなことだが、解決した事件というのは、まったく夢に出てこない」

パプリカは笑った。「それは粉川さん、仕事熱心だから、夢で解決しようとしてらっしゃるんですわ」

「はあ」粉川は真顔でパプリカを見た。「夢とは、そういうものですか」

「ええ。夢で事件を解く鍵《かぎ》が見つかったなんてこと、実例がいっぱいあるんですよ」

「うん。そういうことがあるってことは、聞いています」粉川はまた考えこんだ。「しかし、あの屋敷で火事が発生していたが、あれは実際にはなかったことで」

「火事、ということで、何か思い出すことがありますか」

「火災事件、というものを担当したことはないが」すべて仕事に結びつけたいようだ。「おうちの近所で火事があったとか。昔のことでもいいんですが」

「ありません」

パプリカが質問しない限り、粉川の方から話し出すことはない。ふたりはしばらく無言でコーヒーを飲んだ。

「大使館でパーティをやっていましたわね」

「うん」

「あの大使館の建物、実際にある、どこかの大使館なんでしょうか」

「いや。自分が夢でそう思っただけで」

「あの建物に、何か、ご記憶は」

「特にありません。どこかで見たかもしれないが、ああいう建物はよくあるし」

あの建物に見憶《みおぼ》えがあるのは自分の方だ。パプリカは今になって気がつき、ちょっと驚いた。どこの建物だったろうか。あの建物の場面もプリント・アウトしなければ。

「パーティへは、よく行かれますか」

「いや。滅多に。招待はされるんだが」粉川はちょっとためらってから、ぽつりぽつりと喋《しゃべ》りはじめた。「かわりに妻が、行くようになって。その、行った先のパーティで、次つぎに知りあいができたらしくて、で、また誘われて」

「すると、毎晩のように」

「まあ、毎晩というほどではないが」粉川は苦笑した。

「それは、最近ですか」

「いや。もう六、七年も前からです」だから不眠症の原因はそれではない、と言いたげに粉川はパプリカを見つめる。

しかし、せっかく粉川の方から話しはじめたのである以上、パプリカとしては、もう少しこだわってみなければならない。「それ以前には、奥さまのご趣味は」

粉川が考えこんでいるので、パプリカは言ってみた。「もしかして読書では」

粉川は顔をあげた。「なるほど。パーティ会場に本がいっぱい並んでいましたなあ。趣味というほどではないが、たしかに昔、本をよく読んでいました。じゃ、パーティなどに行かず、本でも読んで家にいてほしいという自分の願望ですか」粉川が珍しく笑った。

「やはり、そうでしょうねえ」パプリカも笑う。「あのう、奥さまのご実家は」

「あれの父親は、警察官です」ちょっと誇らしげに粉川は言った。「自分の父親もそうです」

どちらの家庭も厳しかったのだろう、と、パプリカは想像する。

また会話が途切れた。パプリカが自分から何か言おうとするとそれは必ず質問になってしまうので、矢つぎ早の質問をつい遠慮するせいだった。

「あら。忘れていましたわ。シニョリアの生ハムとグリーン・ペッパーを買っていたんです。お召しあがりになりますか」

粉川の眼が光ったのをパプリカは見逃さなかった。決して美味に無関心な人物ではなかったのだ。話をしたため、食欲が出てきたのかもしれなかった。

「夢探偵というのは、なかなか面白いものですな」生ハムを食べながら、珍しく粉川の方から口を開いた。

「あら。今日のはただの夢の分析ですわ。最初ですから」

「能勢の話では、自分の夢にあなたが侵入してくるとか」

「ええ。この次から」

「さっきの、顔を印刷したあの人物だが」粉川はハンカチで口を拭《ぬぐ》いながら言った。「おたくの副理事長とか言われたが、自分は会った記憶がまったくない。なぜ、ああいう人物が夢に出てきたのか気になるので、あの顔の複写を頂けますか。調べたい」

「どうぞ」犯罪者の記録でも検索するのだろうか、と、パプリカは思った。

乾精次郎が過去に犯罪を犯していて、その記録が警察にあり、それが粉川警視監の記憶に残っていた、などということはありそうにないことだ。パプリカはテーブルの隅に置いたままの乾の顔の写しをじっと見た。いつもの乾の顔ではなかった。乾は微笑していた。眼がなごんでいた。慈愛のまなざし、とでも言えそうな眼だった。乾のそんな表情をパプリカは一度も見たことがない。顔は額の上と顎鬚《あごひげ》の下で切れている大写しなので、背景はわからない。

「犯罪者の顔ではない」その写しをそのまま粉川に渡すと、彼はじっと見つめたあげく、真面目《まじめ》にそう言った。

パプリカは笑いをこらえた。「お父さんに似ていらっしゃるとか」

「この、厳しい眼と口もとが似ている」

「夢の中でも、そのひとをお父さんだと認識なさいましたか」

「わからないな。しかし、父親そのものとは思わなかったでしょうな。違いすぎる」

「でもそのあと、すぐ眼を醒《さ》まされたんですが」

粉川は怪訝《けげん》そうにパプリカを見た。「この顔が父親に似ていて、それが自分にはショックだったと」

「そう思うんですが」

「なぜかな。父親の夢はよく見るが、それがショックだったことはない」写しを見つめ、粉川はまた考える。

「コーヒー、もっといかが」

「いや。もう」

今日はこれだけにしておこう、と、パプリカは思う。「じゃ、お薬を出しますわね。今すぐ、一回分呑《の》んでください」

抗鬱剤《こううつ》を一週間分、粉川に渡す。

「次の診察は」薬を呑んでから、粉川が訊《たず》ねた。

「どうしましょう」

「自分は、まあ、早く治った方がいいので、いつでもいいのだが」昨夜まで分析治療に乗り気でなかったことがパプリカに悟られている筈《はず》と思ってか、粉川は遠慮勝ちに言う。治療効果を信じはじめ、分析治療が楽しくなってきたようだった。

「では、明日はお休みをいただいて、明後日は」

「結構。昨夜待ちあわせた時間くらいにここへ直接来ればよろしいか」

「そうしてください。管理人に言っておきますから」

「で、診察はもう、今日は、これで終りですか」

「ええ。最初ですから、今日はこれぐらいにしておきましょう」

粉川は、もの足りなそうにちょっと室内を見まわした。

パプリカはまた笑いをこらえながら、訊ねた。「何か」

「今朝のこの診察で、何かその、わかったのですか。つまり、治療に役立つようなことが何か」

「あら。だって夢の分析というのは、これが治療になっているんですよ。ご気分はいかがですか」

「そういうことでしたか」粉川が初めての晴れやかな笑顔を見せた。「さっきから、気分が軽くなっています。なぜかと思っていたんだが。自分のことをこんなにたくさん喋ったのは初めてですよ」

粉川にしてみればそうなのに違いないと、パプリカは思った。「本当はもっといろいろお話しいただきたかったんですよ。夢を分析するためには、ご本人のことがもっとよくわかっていないと。でも最初から根掘り葉掘りお訊ねすると、尋問みたいでお厭《いや》じゃないかと思って」

「わかりました。自白して気が楽になるのは何も犯罪者だけではないわけですな。次からはもっといろいろとお話しするようにしましょう」

ふたりは眼を見つめあったままで笑った。パプリカは粉川利美の個性の魅力に心を揺すられている自分を感じた。

「ご出勤ですか」立ちあがった粉川に、パプリカは訊ねた。

「いや。いったん家に帰ります」と、粉川は言った。

自分のベッドでもう一度寝るのだろうか。心が少し安らぎ、昨夜眠れなかったせいで今ごろ眠くなってきたのかもしれない。あるいはその眠気は、いつになく多いめの朝食のせいか。それとも単に妻を安心させるための帰宅だろうか。パプリカにはセラピストの勘で粉川が妻からないがしろにされているように思え、独身女性が素晴らしい既婚男性の妻に対してよく抱くような、あの一種の義憤に駆られた。

粉川はパプリカの、ちょっと忘れられそうにない華麗な笑顔に見送られて彼女の住まいを出た。夢の中に侵入してくるといったが、そんなことをして何をするのだろう。廊下をエレベーター・ホールへ向かいながら彼はそう思った。あの可愛《かわい》い娘の言ったことばが次つぎに思い出された。警視庁が揺れているんだって。その通り。大揺れだ。気がついているのは派閥に属していない自分だけではないだろうか。

夢で事件解決の鍵《かぎ》を得た例というのは、彼女によれば事実であるようだ。あの八王子使用人殺しの鍵を、自分は今朝の夢で得たのかもしれない。そう言えばあの事件の直後、現場の近くで火災があった。現場検証している時だ。あれは殺人事件と何か関係があったのだろうか。調べてみるか。

そんなことを考えながらエレベーターに乗り、一階のボタンを押す。エレベーターは下降しはじめてすぐ十五階で停まる。

乗ってきた若い男性を見て、粉川はぎくりとした。なぜか自分がまるで悪事を働いたかのようなそんな感じに襲われたのは、最近なかったことだ。ギリシア時代の彫刻を思わせるその美貌《びぼう》の男性は、昨夜夢で見て現在その顔の写しが上着のポケットに入っている、あの乾とかいった男に、顎鬚こそないものの、眼つきや口もとがそっくりに見えたのだ。この男性もおそらく研究所の職員だろうから、もしかすると夢で見た人物、副理事長とやらの息子なのかもしれない。

若い男は粉川を不審そうに見た。粉川は、そういえばこのマンションは研究所の上級職員とその家族以外の立入りが禁じられていた筈だったと思い、また、うしろめたさに襲われた。しかし、ここへ来た用件や、身分を説明する気にはならなかった。それに相手の方もなぜか、粉川と眼が合ってどぎまぎする様子だったのである。

24

小山内守雄は、エレベーターのドアが開き、中にいたその男を見て、まず最初、刑事だと思った。眼つきが、過労からしばしば神経症になり、診察を受けにくる警察関係者のものと同じだったからだ。だが、最高級品としか思えない生地と仕立ての背広、やや自信なげな物腰、無表情ながら自分を見た瞬間ちょっとどぎまぎした様子などから、そうではなさそうだと判断した。

十六階の誰かの家族か親戚《しんせき》でもあるのだろう。おそらく千葉敦子か、あるいは島寅太郎所長の。いやいや。この身装《みな》りや男振りからすると千葉敦子の秘密の情夫かもしれない。時間からも朝帰りと考えられる。降りるまで階数指示板を見たまま素知らぬ振りをし続けるつもりだったが、そう思うと急に興味が湧《わ》いてきて、小山内はケージの隅に身を寄せているその男を振り返った。

だが、男も小山内を興味深げに見つめていたのだ。あらためてその眼の光に射すくめられ、思わずどぎまぎしてしまったのは小山内の方だった。

もし彼が千葉敦子の情夫だという確認ができたら、そして彼がふたたびこのマンションに入るところを目撃したら、大朝の松兼に電話してカメラマンと一緒に玄関で張り込むように言ってやろう。男が一階で降りたあと、どぎまぎさせられた腹立ちから小山内はそんなことを思った。

　地下で自分の車に乗る。案の定、千葉敦子のマージナルはガレージの奥にまだうずくまっていて、彼女が出勤していないと知れる。もっとも小山内は今日、早番だった。研究所に向かいながら、小山内は少しばかりの疲れを自覚した。昨夜、夢で副理事長と遊びすぎたようだ。

　乾精次郎の自宅にもなっている乾病院は、小山内のマンションから四ブロックばかり隔たった裏通りに面して建っていた。独身の乾は建物の最上階の四階に住まいを持ち、小山内は今までしばしばそこを訪れていた。「悪魔の種子」と乾が呼ぶＤＣミニを入手してからは、小山内は乾との交情のあと、互いにＤＣミニを装着して同衾《どうきん》する遊びに夢中になった。ＤＣミニの機能がその遊びの中から明確になってきた。時田浩作と千葉敦子も、おそらくはそうしたエロチックな遊びの中からＰＴ機器の機能を開発したに違いないのだと彼は思っていた。昨夜のすばらしい幻想的な体験を、小山内は運転しながら反芻《はんすう》した。ほんのわずかな反芻で疲れがとれるようにも感じた。

　危い。

　小山内はブレーキを踏む。

こら。横断歩道でもないのに、こんなところへ突然飛び出してくるな。大都会の真ん中でなんということだ。このど田舎者の、貧困家庭の落ちこぼれの、ブスの家出娘どもが。白痴め。お前らなど、おれの鼻にもひっかけてもらえないんだぞ。身分が違うのだ。馬鹿《ばか》め。

こらこら。たかが中型タクシーの分際で、おれの前に割り込んでくるやつがあるか。こちらを何と心得る。地位はおろか、教養は桁《けた》はずれの小山内守雄さまだ。聞いて驚くな。いずれノーベル賞を取ろうかという精神・神経科の偉いお医者さまだ。土下座せい。魯鈍者《ろどんもの》めが。こっちは背に太陽を負っている。おれのうしろにいるのは乾精次郎博士だ。あのひとは神だ。このかたこそが世界の中心におられる人で、太陽ともいえる人であって、この人に比べたら時田浩作、千葉敦子などというものは、その中へ飛びこんで太陽を一瞬輝かせるだけの流れ星に過ぎんのだぞ。そしておれはそのかたの庇護《ひご》を受けている一番弟子なのだ。目前のことだが、乾精次郎博士が精神医学研究所の理事長となった暁には、理事にとり立てられるのだ。

乾精次郎の夢の中へ夢で侵入し、小山内は彼に愛されながら新たな薫陶《くんとう》を受けたのだった。夢でありながらそれは乾の広い教養を示す夢であり、深い情操をあらわす夢であり、強い意志の力を見せつける夢だった。小山内は圧倒された。そこには歓喜を伴う恍《こう》惚《こつ》があった。

古今東西にわたる乾の教養の力で見知らぬ異世界に導かれ、驚異の体験をする中で、DCミニに免疫《めんえき》過敏性があることもあきらかになった。それによってDCミニの有効範囲が拡大し続けることも判明した。小山内にはもう、乾の住まいを訪れる必要がなくなった。数百メートルの隔りしかない自分のマンションで眠ったまま乾の夢を訪れることができ、その逆も可能になったのだ。

近くにPT機器があると、画像が傍受されてしまう恐れがある、と、乾は言った。だがPT機器が多く置かれている研究所とは二キロ以上離れていたし、そんな深夜まで研究を続けている者はひとりもいない筈だった。時田浩作や千葉敦子がマンションにPT機器を置いていたにせよ、乾と小山内が気をつけてなるべく深夜だけDCミニを装着する限りモニターされることはない筈だった。

研究所に着き、小山内は自分の研究室で一服したのちすぐ病院へ行き、看護婦詰所で待っていた研究生や看護婦を引き連れ、担当の病室をまわった。柿本信枝は思惑通り、少しずつ病状が悪化していた。疲労感がまだ残っていて、分裂病患者の回診をするさなか、彼らのグロテスクな病態の影響を受け、それが小山内のリビドーを暗く、重苦しく昂進《こうしん》させた。彼は研究生たちの頭越しに、大きく眼を見開くようにして自分を見ていた羽村操子に合図した。午後の休憩時間がきたら自分の研究室に来いという合図だった。

昼休み、小山内守雄は珍しく職員室に顔を出した。自分の机が理事室ではなく職員室に置かれていることが気にくわず、事務的な雑用はなるべく研究室ですませていたのだが、時田や敦子の様子をうかがうよう乾から命じられていたのだ。小山内の席が理事室のいちばん近く、例のいつも開け放されたままのガラス戸の傍にあり、昼食時にはたいていやってくるふたりの様子をうかがいやすくもあった。

理事室にいるのは弁当を食べている時田浩作だけだった。小山内が向かいの席の橋本や数人の同僚とふた言み言会話を交わしてから勤務日程表などに眼を通すうち、サンドウイッチとコーヒーを手にして千葉敦子がやってきた。彼女は自分の机に向かって腰をおろしたのち、小山内を見て少なからず驚いた表情を見せた。

「ああ。びっくりした」だが彼女はすぐ、笑いながら言った。「小山内君。あなたの顔、だんだん乾さんに似てきたわよ。一瞬、副理事長がいるのかと思ったわ」

「まさか」小山内も軽口を返した。「顔が似てくるほど感化されちゃいませんよ」

互いに相手を敵と認識してはいるものの、まだ他の職員の前で表立っていがみ合うようなことはない。

実際、似てきているのかもしれないなと小山内は思う。夫婦の顔が似てくるように、ここ数日の乾との蜜月《みつげつ》ともいえる夢での情交からは、深層にまで及ぶ感化があった筈なのだから。

「何よそれ」千葉敦子が突然、頓狂《とんきよう》な声を出した。「お弁当屋さんの弁当じゃないの」

「おふくろがいないんだ」時田浩作が哀れっぽい声で答える。「田舎の親戚が死んでさ。葬式に帰っちまった。一週間ほど戻らないんだ」

「まあ可哀相《かわいそう》。そんなに」

「田舎の葬式ってのは、大変なんだ」

「それ、どこまで買いに行くの」

「有楽町。あそこの弁当屋がいちばん旨《うま》いんだ。そのかわり、だいぶ並ばないと」

「大変ねえ」

彼らの声はさほど大きくないが、近くの席の小山内には聞き耳を立てるほどのこともなく聞こえてくる。それでもさすがに重要なことは喋《しゃべ》らない。ふたりが喋らないため、氷室の行方不明や新製品の紛失のことはまだ職員室での話題になってはいなかった。

このふたりを、早いうちに何とかしなければな。小山内は思う。このまま抛《ほう》っておくことができないことはわかりきっているのだ。だとすれば津村や氷室や柿本信枝のような下《した》っ端《ぱ》から始末していったのは間違いだったかもしれない。意図を悟られ、警戒されることになってしまったのだから。しかし機会がなかったし、敵に油断もなかった。障壁としての津村や氷室や柿本信枝を先に片づけるしかなかったのだ。そのかわり現在、あの島寅太郎を。

小山内の頭頂部に衝撃があり、耳がびいんと鳴って眼がかすんだ。前にいる橋本が、驚きの表情でこっちを見ている。

何が起ったのかわからず、小山内はぼんやりした頭を二、三度振った。振り返ると、島寅太郎所長が立っていた。どうやらうしろから平手で小山内の頭を叩《たた》いたらしい。島寅太郎はしまった、というような表情を浮かべていたが、そのうす笑いは一方で小山内には、してやったりという会心の笑みのようにも受けとれた。識閾下《しきいきか》投射されていることを悟って、その仕返しをしたつもりだろうか。だとすれば幼稚に過ぎる。いつものように、職員の肩をうしろから突然叩くというよくない癖が出て、その手もとが狂って頭を叩いてしまったというだけなのだろうか。その場にいるたいていの職員はそう思ったらしく、声を出して笑っていた。

時田浩作と千葉敦子は笑っていなかった。ふたりは心配そうに島寅太郎を注視した。異常を感じたようだった。小山内は頭をさすりながら苦笑してみせた。

「ひでえなあ」

だが、島所長はうす笑いを浮かべているだけだった。ふん、ふんと鼻歌のような声を発しながら、ふざけるでもなく、詫《わ》びるでもなく、そのまま職員室を出ていったのだ。

正気を失いはじめている、と、小山内は悟った。他の職員たちはどう思ったのか、島所長が出て行くとあらためてどっと笑い、どんな悪いことをしたんだ、などと小山内に訊《たず》ねたりもした。理事室では時田と敦子が顔を見あわせていた。やはり異常を感じたようだった。

なかば正気を失いながら、それでも小山内による自分への企《たくら》みを感じとり、うすぼんやりした憎悪《ぞうお》、なかば狂った敵意でもって小山内の頭を叩いたのだろうか。小山内はそう考え、すぐに否定した。いやいや。島寅太郎が悪魔の種子で識閾下投射されていることなど、万が一にも勘づいている筈《はず》はない。いつも寝入りばなにあれを付着させていて、その時に気づいている筈はない。気づいたらあれをそのまま頭にくっつけておくわけがないのだから。そしていったん識閾下投射をはじめたらたちまちREM睡眠に陥って、一定時間内に眼をさますことはないのだ。いつも一時間後にもう一度行ってあれを取ってしまうのだが、その時だってぐっすり眠っている。

時田と敦子が何か小声で相談していた。危険だから、今日は所長室へ行かないでおこうか。鍵《かぎ》をあけて入ってきてあれを発見され、大騒ぎされる恐れがある。まあ、島寅太郎などというあんな男、いつだって料理できるんだ。小山内は立ちあがった。

廊下を歩きながら小山内はさらに考える。時田と敦子は、あれにアクセス不能機能のないことが、近くからアクセスしてこようとするコレクターにまで影響をあたえる事実を知っているのだろうか。知るまいな。ふたりであれのいろいろな機能を開発する実験など、している暇がなかった筈だ。あれにはほかにもいろいろな機能がある。おそらくは製作者の時田浩作すら知らない未開発の機能だ。まったくあの悪魔の種子というやつは底の知れない可能性を秘めている。それらの可能性の開発はすべて、いずれおれの功績となるのだ。小山内はここまで考えるといつも、心が昂揚《こうよう》してうっとりしてしまうのだ。

食堂に寄ってまずい蕎麦《そば》の昼食をとり、総合診療室にちょっと顔だけ出してから、小山内は自分の研究室に戻った。津村、橋本と三人共同の広い研究室だが、津村はいず、橋本は午後から総合診療室に詰めている。

コーヒーを淹《い》れて飲みながら羽村操子を持つうち、小山内は次第に興奮してきた。いつも千葉敦子と会ったあとは、特に近くでその蠱惑《こわく》的な姿態を見たあとは性的興奮が甚だしく、つい自慰に耽《ふけ》ったりしてしまうのだが、具合のいいことに今日は羽村操子を呼んでいる。彼女のからだで肉体の興奮を鎮《しず》めることができるのだ。

ドアがノックされ、恥かしげな微笑を浮かべて羽村操子が入ってきた。他の女のように厚かましくなく、いささか古風なところを小山内は気に入っていた。この女には性行為に先立つ面倒な行為やことばは不要であり、自慰と変らない手軽さだ。小山内はドアをロックしたあと、ただちに彼女をソファへと導いた。白衣のままの彼女を抱くことを、小山内は好んだ。

「先生」

ためらう羽村操子を仰臥《ぎょうが》させ、着ぶくれ気味の彼女に二、三度あわただしく接吻《せっぷん》してから、スカートの下に手を入れ、とりあえずパンティ・ストッキングを脱がせる。

「また汗を掻《か》いてしまいますわ」

だから上着だけでも脱がせてくれと言っているのだが、そんなことは小山内のかまうところではない。冷え性で何枚か穿《は》いている下穿きの様子がわからず、小山内は彼女のスカートをまくりあげて、見る。羽村操子はああ、と言って両手で顔を覆《おお》った。

25

粉川利美はそれまで、夢を見ることが嫌いだった。夢は重苦しく彼の胸を押えつけて睡眠を妨害したし、目醒《めざ》めたあとの不快な気分は一、二時間も残り、朝食までまずくした。甘美な夢があるなどということが信じられなかった。

しかし今、彼はなごやかな気分で夢に浸っていた。それが夢であることを知っているからかもしれなかったし、パプリカから夢の機能を教わったからなのかもしれなかった。今夜は珍らしく、もうずいぶんながく夢を見続けた気がする。そして今、彼はなつかしい場所に来ていた。何処《どこ》なのかはっきりしなかったが、まるで羊水に浸っている胎児のように夢に浸っていて、さらにその夢の中で彼は、湯に浸っていた。

銭湯のようだった。タイルの壁に浴用剤の広告があり、ポスターの中から彼に微笑《ほほえ》みかけている美人は古風な顔立ちの映画女優であった筈だが、いつの間にかパプリカになっていた。おややおや。そんなところに出てきたのかい。君がぼくの夢に登場してくることは知っていたけど、まさかそんなところからあらわれるとはなあ。

「でも、覚悟しててね」彼の心のつぶやきがわかったらしく、ポスターのパプリカは可《か》愛《わい》らしく片眼を閉じて彼に向かい、指を立てる。「夢っていつまでもこんなに楽しいままでいられるわけじゃないのよ。知っているでしょうけど」

「うん。いやな夢、それが重要なんだろう」粉川は少しがっかりしながら言う。「まあいいさ。君がついててくれるんだから」

二度目の診療を待ち兼ね、ずっとパプリカのことばかり考え続けていたことを粉川は思い出していた。患者がセラピストのことばかりこんなに考え続けていていいのか。つまりどうやらそれほどパプリカが好きになってしまったらしいということだが、患者がセラピストをそんなに好きになってしまっていいのか。そもそもそれ以前に、セラピストが患者から夢中で好かれるような、それほど魅力的な女性であっていいのか。それでまともな治療ができるのだろうか。そんなことまで考えたほどだ。

「その逆なのかもしれないわね」パプリカの声がした。

彼はホテルの一室のような部屋にいた。パプリカの姿はない。どこにいるんだろう。

「わたしは実際にはそんな優秀なセラピストなんかじゃなくて、自分の魅力を治療に利用しているだけ。だから成果をあげているのかも。反則よね」

ベッド脇《わき》のラジオのBGMの中から、パプリカの声は聞こえてくる。

「君はぼくの考えていることまでわかるんだなあ」夢の中なので、それがわかったからといってさほどうろたえる気にはならない。

ベッドで、彼の隣りに寝ている女が誰なのかわからない。あきらかにパプリカではない。妻でもない。

手で触れてみる。女が寝返りをうち、彼に顔を向ける。その顔が、前に夢で見た乾精次郎とかいう男の顔になっている。

「なぜ、ここへ出てくるのよ」

パプリカの、本気で腹を立てているらしい声に、乾精次郎は非常に驚いた表情を見せ、姿を消した。

粉川も衝撃を受けたが、乾の出現にはさほど本質的な意味がなかったようだ。覚醒《かくせい》には到《いた》らない。

それでも父親を連想したらしい。しかし自分の父親は登場せず、そのかわりのように妻の父親が出てくる。どことも知れぬ大きな寺院の中で、うつろな笑い声を響かせている。伽藍《がらん》の天井に反響する笑い。正面の椅子《いす》にかけた彼の前へ次つぎにやってくる観光客が金を渡している。金は彼の前に積みあげられていく。

粉川を見て、彼は言う。「わしが仕込んだから。わしが仕込んだから」娘のことを言っているらしい。何が「仕込んだから」だ。粉川は腹を立てる。

寺院は株式取引所に変わる。大勢のうつろな声が反響する。そして、さらにそこは証券会社の内部だ。彼の妻が株を買っている。そうか。さっきの金を投資しているんだな。ああ。駄目な株ばかり買っているぞ。大損だ。どうするつもりだ。

「待て。それはおれの金だ」

夢の中で粉川は、誰かに対してかんかんに腹を立てていることが多いのだが、その対象はたいてい、現実には怒るほどのこともない相手なのだ。しかし今、本気で妻に怒ってしまった。夢の中でしか怒れないというのは悲しいことだ。今、彼は枯草の野原にいて、横にはでかい犬が寝そべっている。

「奥さんは、本当に株式投資なんか、やってらっしゃるの」犬がパプリカの声でそう訊ねた。

「そうだけど、君、犬なんかにならないでくれよ」と、粉川は泣き声で哀願する。「驚くじゃないか」

犬の顔だけがパプリカになる。その方がよほど不気味なのだが。

「この犬はあなたが呼び出したのよ」

「そんなでかい犬は知らないよ」言うなり粉川は、罪悪感に襲われた。

「二度とやるなって言っただろう」粉川は叱《しか》られている。警視庁の一室だが、デスクの彼方《かなた》にいて彼を叱っているのは、なんと後輩の菊村警視正だ。「二度物置を◎◆○☆したら充分だ」

「何よこいつ。偉そうに」横にいるパプリカが粉川に叫んだ。「やっちまいなさい」

しかし粉川は身動きできない。パプリカはパイプ製の折り畳み椅子を振りあげて菊村警視正に殴りかかっていく。

「おいっ。よせよ」なかば夢と知りながら、粉川はうろたえてパプリカを制止しようとする。しかし、いつの間にか自分もパプリカと一緒になって可哀そうな菊村を殴りつけている。

「■◇□★！」菊村警視正が驚愕《きょうがく》の表情で何ごとか叫んでいる。反撃されるなどとは夢にも思っていなかったようだ。

爽快感《そうかいかん》があった。だが、菊村を襲ったことによる罪悪感も起る。なぜ殴ったんだろう。いい奴《やつ》なのに。

「あれは、あなたの後輩なんかじゃなかったのよ」

パプリカは、珍らしく二時ごろから眠りに入った粉川利美の夢をずっと観察していた。明けがたになり、彼の夢がくり返している潜在内容をどうにか把握できたところで、ポスターの人物としてジャック・インしたのだったが、不安神経症だった能勢龍夫の治療の時のように、潜在内容を何もかも教え、共に原因を究明するわけにはいかないのがまどろっこしい。ただ精神分析で原因をつきとめようとするだけでは治療にならないのだ。現象学的人間学の知識も必要だったが、経験的な出来ごとのさらに背後にある先験的な構造を求めたところで、やっぱりそれは、治療にはあまり役に立たない。

粉川利美は今、墓地に立ち、墓が燃えているさまを眺めていた。手のつけようがない。彼はそう思っていた。

「また、火事なのね」と、パプリカは粉川に念を押した。火事のイメージは今夜も彼の夢にしばしばあらわれていた。

「ああ。この火事は○◎▲☆の……」

単に、担当した事件にかかわる火事というだけではあり得ない、と、パプリカは思う。どうやら少年時代に、小さな火事を起したらしく、それは物置であったらしい。犬を死なせた時と同じように、父親からひどく叱られたのだ。ただ、それを本人にはっきりと確かめることはできない。頭で理解させただけでは駄目なのだ。それとなく示唆《しさ》し続けるしかなかった。

しかし粉川が自分で、そうした「見捨てられ体験」の意味を理解しつつあることもパプリカにはわかっていた。父親に代って彼を叱っている菊村警視正をパプリカと一緒にぶん殴った時彼は、罪悪感と同時に、あきらかに爽快《そうかい》さを感じてもいたのだから。

徐徐にではあるが、治療は進んでいる。パプリカはそう思った。

粉川がデパートの婦人下着売場で、何やら激怒し、あばれまわり、なまめかしい肌着類をずたずたに切り裂いている。パプリカはそんな彼の前に立った。

「怒らないで。怒らないで。わたしが着ますから」

半醒半睡の状態ながら、パプリカには自分が間違ったことをしていないという確信がある。彼女は粉川の夢の中で裸になった。しかし粉川にはパプリカの均整のとれた裸体が、彼が持つ妻の裸体のイメージと重なりあっている。わたしのからだはそんなにたるんではいません。いつも鏡で見ている自分の裸体のイメージを主張しながら、パプリカはいちばんエロチックな肌着を身につけた。ピンクの肌着だが、ただのピンクではなく、いわゆるショッキング・ピンクであり、そんなものを身につけたことは実際には一度もない。だが粉川の妻が「誘惑の戦略」用に愛用する品であるらしいことは確かだ。

粉川はショッキング・ピンクに脅《おび》えの感情を示しながら、それでもパプリカの裸体に眼を奪われ、なかば放心していた。それがもしパプリカではなく妻であれば、彼女はまた彼の不完全な性行為を非難するであろうから、自信の喪失につながるのだろう。

「本当にパプリカか」次第に魅力を増していく裸体に、粉川は欲望を抱きはじめ、勃起《ぼっき》していた。

「わたしよ」

そこは女中部屋のように見える三畳間で、薄い布団《ふとん》が敷きっぱなしであり、周囲に籐《とう》の行李《こうり》やみだれ籠《かご》などがごたごたと置かれていた。そのみすぼらしい場所が逆に粉川の性欲を刺激している。

厳しい父親の教育と、その父親が母にした精神的にずいぶん惨《むご》い仕打ちへの反撥《はんぱつ》から、粉川の妻は粉川利美にその復讐《ふくしゅう》をしている。父親がしたような浮気や、つれあいをないがしろにすることがそれであり、それ故《ゆえ》の粉川の自信喪失であることをパプリカは知っていた。

「してもいいのか」茫然《ぼうぜん》としたまま、粉川は不器用に自分の、パプリカへの欲望を表明する。

「いいのよ」

精神分析医の中には、ある種の女性ヒステリー患者には性交をしてやった方がいいと堂堂主張する者がいて、それを学説として発表したり、成功例をまとめて報告した者さえいるが、それらは今でも反則として倫理的に非難されていた。

だが、これはあくまで夢の中でのことなのだ。セラピストと患者の間に当然持たれる秘密のひとつに過ぎない。パプリカはいつもそう自分に言い聞かせ、納得させてきた。その一方で、これは愛しあっている患者とセラピストが行う本当の性行為よりも罪深いのではないかという気もして、いつも平静ではいられなかった。欲求不満の解消と自信の回復という違いだけで、実は風俗営業の浴場で働く女性とたいして変わらぬことをしているのではないか、そう思わせるうしろめたさが、その彼女独自の治療法にはあった。それでもパプリカがさほど罪を感じないでそのエロチックな治療を行える理由は、逆ラポールと彼女が呼ぶ、患者への恋愛感情のためでもあった。社会的重要人物には魅力的な個性が多く、いつも彼女は夢中になってしまうのだ。むろん虫の好かない抑鬱《よくうつ》症の人物もいて、そうした患者とはたとえ夢の中でとはいえ、とてもからだをあたえる気にはならない。そしてその治療を行わなかった患者は、常に治癒が遅れるのだった。

もしもこの治療法によって罪悪感を感じるのなら、と、パプリカは思う。治癒ののち、彼と本当に、真摯《しんし》な愛情とともに性行為を行えばいいのだ。いや。あまりの興奮で彼が覚醒してしまったら、その時こそ現実に彼と抱きあえばいいのだ。

しかし粉川は、こうした際のたいていの患者同様、甘美な夢に執着して覚醒することはなかった。今、粉川は三畳間の薄い布団の上で、パプリカを抱こうとしていた。なるほどその動きは、彼に愛情を持たない女性なら不器用だとして腹を立てるかもしれないものだった。おそらく彼の妻はいつも、交接中であろうと彼に不満を表明したのであろうし、それが彼の自信の喪失につながっているのだろう。しかしパプリカには粉川の不器用さが好ましかったし、それこそが彼の魅力だとも思えるし、さらにそれこそが本来の男の魅力なのではないかと思うのだった。

そして今、粉川利美が本格的に激しい欲情を発して強く動きはじめると、パプリカのなかば醒《さ》めた意識からセラピストとしての自意識はなくなった。なかば眠っている意識が情感に包まれ、うっとりとした。肉体の接触もないのに、実際に彼女の股間《こかん》にはバルトリン腺液《せんえき》の流れがあるようだった。

「パプリカなのか。本当か」

粉川がそう念を押すのは、夢での性行為でよくあるように、突然相手がパプリカではなく、最も好ましくないものに変貌《へんぼう》してしまうことを恐れてのことだ。彼がいちばん恐れているのは妻に変貌されることなのかもしれなかった。

「本当にしているのよ。わたしと」

そう言ってからパプリカは思わず呻《うめ》き声を発した。パプリカの声に反応した粉川の激情を感知し、初めて相手の夢の中でオーガズムの洗礼を浴びたのだった。

夢精がそうであるように、粉川も射精してしまうとすぐに覚醒した。

「すまなかった」

「どうして。いいのよ。治療なんだから」

「シーツを汚したかもしれない」

「構わないわ」

羞《は》じらいを全身に見せながら粉川利美がバス・ルームへ行こうとする時、パプリカもコレクターの前から立ちあがった。彼女は彼を呼びとめた。

ふたりはうす闇《やみ》の中でキスを交わした。

26

一週間ばかり前、マンションのマスター・キイを無断で持ち出し、複製を作った小山内守雄は今やどこの部屋にでも侵入することができたが、その夜千葉敦子の部屋を訪れる際はさすがに前もって電話をした。話があると言えば、彼女が自分の訪問を断る筈《はず》がないことを知っていたからだった。

午後十時、部屋から電話すると敦子はもう帰宅していた。あっさりと来訪を受け入れたのは、今夜、他に訪問者がないからだろうと想像できた。小山内はすぐに一階上の敦子の部屋を訪れた。

三日前の夜、例によって互いの眠りの中へDCミニで侵入し、乾精次郎と「根源的な性の本質を求道《ぐどう》的に探索」している時、突然彼らは、千葉敦子が自宅で治療しているさなかのPT機器にアクセスしたことを知った。愕然《がくぜん》とした乾の咄嗟《とっさ》の警告に従い、小山内はただちに覚醒《かくせい》した。だがDCミニはそのままにして、敦子が誰かに施している「夢探偵」をひそかに観察し続けた。乾も同様にして相手に悟られぬようアクセスし続けたようだ。そして今日、研究所にやってきた乾は小山内に言った。

「千葉敦子を犯すべし」

乾精次郎の命令は絶対だった。小山内は常に彼の命令によって、もともと自分の望んでいた行為に超越的倫理の裏打ちをされ、確固とした行動に臨むのだ。

敦子がパプリカとなり、現在自宅で治療している患者が、このあいだエレベーターで見かけた中年の男性であることがわかり、さらにそれが警察の幹部クラスの人物であるらしいため、小山内と乾は危機感を抱いた。社会道徳に反した行為を犯していて、その事実を隠しているのは乾たちも敦子たちも同様だから、争いが表面化した時、より強い立場に立てるのは警察に象徴される「制度」を味方にしている側だ。

小山内はまた、敦子が治療として、粉川というその患者と夢の中で交接したことを知った。観察中の視点は粉川になったり敦子になったりしたが、どちらにしろ敦子への情欲に苦しんでいる小山内にとってそれは大きな刺激だった。乾はそんな小山内の情欲の昂《たか》ぶりを知って今の彼にならば遂行可能と判断し、強姦《ごうかん》という暴力沙汰《ざた》を命じたのかもしれなかった。犯してしまえば言いなりになるだろうというのは、女性に対するいささか大時代な乾の考えでもあるが、それはまた自分の魅力に自信を持つ小山内の確信でもあった。何よりも、欲情に点火された今、それは行為に勢いをつけ、確固たらしめて敦子を圧倒するだろう。そして自分に従属させずにはおかない筈だ。

彼は千葉敦子の部屋の前に立ち、チャイムを鳴らした。

敦子は帰宅し、軽い夜食を食べたばかりだった。

「ぜひ、話したいことがあるんだけど」

小山内からそんな電話があった時、敦子は彼の本当の意図を悟ってはいなかった。二日前から研究所に姿を見せない時田浩作のことを心配し、今夜にでも一階下の彼の住まいに電話してみようかと思っていたので、もしやそのことに関係があるのではないかと悪い想像をし、会わねばならないような気がしたのだった。

一方では乾精次郎のスポークスマンとしての小山内が、いずれは自分と話し合わねばならなくなる筈だという予測もしていた。粉川利美の夢を探偵しているさなか、乾たちがDCミニによって何度かこちらにアクセスしてしまったらしいことは敦子も勘づいていた。DCミニの奪いあいが表面化して社会的な事件になることは彼らも望んではいない筈なのだ。彼らの最終目的が精神医学研究所の全面的な支配である以上、時田や敦子に対して何らかの懐柔策がとられるだろうという予想は可能だった。彼らが津村や柿本信枝に行った非人道的な強硬策が、氷室や島寅太郎所長に対してまでとられていることを敦子はまだ知らない。

「遅くにどうも」にこやかに頷《うなず》きながら、小山内は入ってきた。

通されたリビング・ルームのインテリアを褒め、家具や装飾品を褒め、自信たっぷりの態度で小山内は肱掛椅子《ひじかけいす》に落ちついた。ゆったりとして派手な柄のセーターを着た小山内は敦子の眼にも研究所の彼とは違って見え、なごやかな雰囲気があって、つい油断が出そうになる。

「コーヒー、飲むでしょう」

「いただきます」

小山内が洋酒のワゴンをじろじろ見ていたが、酒をすすめる気にはならなかった。

「あなたとは、いつか話し合わなければと思っていたのよ」

「ぼくもですよ」

キチンとリビング・ルームに離れたままでふたりが会話をする。最初のうちはふたりともその方がさぐりあいには楽だった。話のきっかけをつかんでから向かいあった方が、進展が早い。

「あなたがここへ今夜くること、副理事長の指示なの」

「それもあるけど」

小山内は敦子に見えぬよう、頭髪の中に埋め込み、頭皮に附着させたDCミニを確認した。アナフィラキシーによって今やちらりちらりと互いの覚醒中の意識にまでアクセスできるほど効果の拡大したDCミニによる、乾と小山内の接触がたくらまれていた。自分では敦子を犯すという力業ができない乾は、小山内の体験を遠くから、労せずして体験しようとしていた。

「それで」敦子がコーヒーを淹《い》れながら訊《たず》ねた。「そのお話の内容だけど、話題になる人物は誰」

「やはり、時田さんでしょうなあ」

氷室の行方不明という、研究所でも事件になりはじめているさしせまった話題から入るのではなく、いきなり大きな問題から話しあうつもりのようだ。敦子はカップを運んでリビング・ルームに戻り、ガラスのテーブルに置いて、自分はソファの中央に掛け、小山内と向かいあった。

「研究所の内紛の、すべての原因が時田さんにあるって言うの」

「いただきます」落ちつきはらってコーヒーをストレートのままひと口飲み、小山内は敦子を注視した。「時田さんはたしかに天才ですよ。しかし、非常に危険な天才です」

「危険なひとはもっと他にいそうだけど」

敦子の皮肉を小山内は無視した。「いちばん危険なのは彼に邪念がなく、しかも世間知らずで、つまり子供みたいに無邪気だというあの性質です。不幸なことにはそういう人物が天才で、そういう人物だからこそかもしれないけど、いろいろなものを次つぎと発明する。千葉さんにもこれがどんなに危険なことかおわかりになる筈ですよ」

「そうではないでしょう。危険なのは時田さんではなくて、時田さんの無邪気さをいいことに、発明を悪用しようとする周囲のひとでしょう」

「それはその通りです」小山内はあっさりと敦子のことばを是認した。だがすぐに「周囲のひと」を「世間一般」に拡大解釈して見せた。「そうした世間のことを時田氏はわかっていない。彼の発明はたしかに社会に貢献するけど、それ以上に社会全体に害毒を流しますよ。だって、ああした発明は悪用しようと思えばいくらでも」

「その危険性はあります。大きな危険よね。だからわたしたちで、彼と彼の発明を守らなければ」

「同感です。意見が一致しましたね」小山内はあきらかにそれが魅力的と自覚している笑みを見せた。「ただ困るのは、島寅太郎所長にその自覚がないことなんですね。研究所長であり理事長である島さんまでが、時田氏と同じように無邪気だというのは困ったことです。そう思いませんか」

「そうです。理事長までが時田さんを利用しようとするような人物でなくて、ほんとによかったわ」敦子は笑った。「でも、確かに理事長の無邪気さは注意しなくちゃね。だからDCミニが紛失したことはまだ話していないわ。あなたが時田さんの研究室から盗み出した、あのDCミニのことよ」

「ははあ。あれはDCミニというのか」突然飛んできた矢を避けようともせず、小山内は平然として頷いた。「正確には、あれを盗み出したのは氷室ですよ。あんな危険なもの、彼に持たせてはおけないから、こっちで預かっています」

ここで怒ってはならない。敦子は微苦笑した。「預かってるだけじゃないでしょう。あなたと副理事長、いったいDCミニ使って毎晩何やってるの」

小山内が顔を赤らめ、どぎまぎした。敦子は想像力が蠢《うごめ》きはじめるのを自覚したが、追及が横道にそれることを恐れ、さらに突っこんで訊ねた。

「何でもいいわ。あれを返して貰《もら》うためにはわたしがどうすればいいって言うの。その話に来たんでしょう」

「申しわけないけど、あれはもうちょっと預からせておいてください。あなたはともかくとして、時田氏に持たせておくのだって危険きわまりないことですから」

「副理事長やあなたに預けておくことがいちばん危険なのよ」笑って敦子は言った。「あなたたち、あのDCミニでいったい何してるの。遊んでるの」

「機能を」あとはむにゃむにゃと小山内は口の中でことばを崩した。「……とか、開発……」それから敦子を睨《にら》みつけた。「あれ、アクセス不能機能がないね」逆襲のつもりのようだ。

「そうよ。開発中だもの。だから早く返して頂戴《ちょうだい》。それ、時田さんにやって貰わなくちゃね。あなたたち、できないでしょう」

少し腹を立てたらしく、小山内は子供っぽく膨れっ面《つら》をした。「じゃ、さっきそっちから持ち出した交換条件の話をしましょうか。どうです」

「いいわよ」

「乾先生が理事長に推薦された際、それに同意してほしいということがひとつ。それからDCミニの機能を公平に、われわれが全員で共同開発するという」

「その『全員』には、どうせ時田さんは入っていないんでしょう。どちらも時田さんをないがしろにした提案ね」

小山内は眼を細め、うす笑いをしながら言った。「あなた、時田氏を愛しているんですね」

「愛してるわ」

そう言えば敦子が恥かしがるとでも思っていたらしい小山内は、平然とした彼女の答えで怒気をあらわにした。「あんなでぶでぶの不細工な男をですか。子供の精神しか持っていないあんな男を。とても信じられない。よくまあ、恥かしげもなく愛してるなんて言えますね。あなたはいやしくも千葉敦子なんですよ。やめてくださいよもう。こっちまで恥かしくなる」自制できなくなり、小山内は握りこぶしで肘掛《ひじか》けを殴りつけた。

「何をそんなに怒ってるの」

小山内は肩で息をした。声を落した。「あなたのために怒ってるんです」彼は顔をあげて敦子の顔をじっと見た。それから立ちあがった。「ねえ。よく考えてくれませんか。

本当にあなたはあの時田氏を、自分にふさわしい男性だと思いますか」テーブルをまわり、小山内は敦子の隣りに腰をおろした。「あなたは気がついていなかったでしょうがね、ぼくはもう、ずっと前からあなたを愛していたんだ」

「やめなさい」敦子はソファの隅に身をずらせた。「そらぞらし過ぎます。今まであんなに、事ごとにわたしに突っかかってきたのは全部、愛情の裏返しだとでも言うの」

「裏返しじゃないんだ。あれがぼくの愛情なんだ」敦子の肩を抱いた。

敦子は振りはらおうとした。だが小山内は情欲を秘めた男の力でさらに力をこめ、敦子を抱きすくめた。

「ちょっと。いやね。これ暴力じゃないの」敦子は腹を立てた。

「必要なら、ぼくは暴力でもふるいます」

「必要ならって、何に必要なの。わたしを怒らせることが必要なの」

ふたりは揉《も》みあった。

「ぼくを愛させるために」ソファの上に、敦子を押し倒そうとした。同時に片手をスカートの下から陰部にのばしてきた。

「わたしを怒らせないで」そう叫び、敦子は両手と足を使って力まかせに小山内を下からはねのけた。

いったんソファの隅まで退けられた小山内は、強硬な拒否にあって逆上した。彼はたちまち額に青く静脈を浮き出させた。

「怒っているのは、ぼくだ」

小山内は敦子の顎《あご》を握りこぶしで殴りつけた。眼の前が一瞬暗くなり、敦子の意識が濁った。

27

数秒もたたぬうちに意識をとり戻したらしい。それでもその間に小山内は敦子のショーツを足首までずらせていた。

「よくまあ、恥かしくないわね。同僚にこんなことして」怒りよりも先に、失望と空虚感があった。「あなたそれでも、セラピストなの」

起きあがろうとしたが、広げた掌《てのひら》で勢いよく胸を突かれ、また敦子はソファに倒れた。殴られた顎が痛み、突かれた胸が苦しく、呼吸が困難で、もう声が出なかった。片方の手で敦子を押えつけたまま、小山内はズボンを脱ごうとしていた。彼は鼻息を荒くしているだけで、もう、何も言わなかった。何も言えないに違いなかった。このような暴力行為を正当化できることばなどある筈はなく、あったとしてもそれは敦子を犯したのちにせいぜい、ようやく弁解として通用することばであるに違いない。そしてここまで暴行を働いた以上、どんなことばで阻止されようと、小山内にはもう敦子を犯すという行為しか残されていないのだろう。

敦子はさらに三、四分間、無言で抵抗を続けた。その間に部屋着にしているワンピースの胸もとが破れ、口もとを殴られた。少量の血が飛び散った。

「じっとしていてくれよう」血を見たせいなのか、小山内が突然泣くような声で懇願した。「君を痛い目にあわせたくないんだよ。君が好きなんだから。愛しているんだから。頼むよ」

そんな声を出す以上、おそらくそれは本当なのだろう。しかし彼のその愛は暴力で女を犯すかたちしかとり得ない愛であり、いかに懇願しようとつまりは暴漢の言う「痛い目にあいたくなければおとなしくしろ」と変るところはない。

敦子は馬鹿《ばか》ばかしくなった。相手がどれだけ怪我《けが》をしようと、意識を失っていようと、たとえ半死半生の目にあわせてでも、この小山内という男は、自己の誇りを保つために強姦《ごうかん》を完遂する気なのだと敦子は思った。ワンピースなど惜しくはなかった。しかし、これ以上負傷するのはごめんだと思った。この男に犯されよう、と、彼女は決めた。いやな男というより、むしろ子供に近い男だと思えば我慢できる筈だった。そして子供っぽい男性を、敦子は必ずしも嫌いではない。病気も持たないだろうし、耐えがたい口臭があるわけでもなく不潔でもない。敵ではあるが、だから当然、男なら死んでも抵抗するところだろうが、自分は女であって、死ぬまで戦うという男の愚劣さを真似《まね》ることはない。

「わかったわ。わかったわ」荒あらしく覆《おお》いかぶさってくる小山内の背中を叩《たた》き、敦子は言った。「させたげるから。乱暴しないで。させたげますから」

「ああ」小山内の切羽詰まった顔が、安心で泣き笑いの表情に変った。「やっとわかってくれた」

「そうよ。そのかわり、きちんとするのよ。満足させてくれなきゃ駄目よ」

小山内は非常に不本意な顔をした。「大丈夫だよ」

敦子は笑い出しそうになった。自信があるのだろう。

患者の夢の中で性交渉を持ったことを除けば、現実に男から抱かれるのは何年ぶりのことだろう。研究や治療にかまけてはいたが、リビドーの流れの不自然さや欲求不満を自覚することも時おりはあったのだ。どうせのことならここで解放してもいい。

立ちあがり、服を脱ぎ、肌着をとりながら早くも敦子は、自分が彼を誘惑して部屋にひきずりこんだような気になっていた。小山内が、ちょっとジゴロを連想させる異様なほどの美男だからなのかもしれなかった。しかも相手は、手段はともかく敦子を愛していないのではない。事実、小山内はそれ以上優位に立とうとする気はないようだった。

彼は敦子の言うがまま、こまごまと彼女が快く性行為に没入できるような雰囲気の醸成に努めた。たとえそれが射精直後までの男性の誠実さに過ぎないとしても、今現在の彼の誠実さであるには違いない。

小山内はソファへ身を投げ出した千葉敦子の無抵抗な裸身を見て、今までさまざまに想像してきた彼女を相手の享楽《きょうらく》が、今実現することを改めて認め、冷気が背筋を這《は》いのぼるような期待に裸の下半身を顫《ふる》わせた。これは武者ぶるいだと思い、おれともあろうものが何だとは思ったものの、まだ萎縮《いしゅく》したままだった。目の前に冷たさを感じさせる大腿部《だいたいぶ》があらわに開かれて、あった。まさか、と思い、小山内は焦《あせ》った。局部に押しあて、摩擦した。駄目とわかり、敦子を抱きしめてみた。顔を見ると尚《なお》さら気おくれすると思い、キスはしなかった。敦子、敦子と、彼女の名を連呼してみたりもした。そんな声が聞こえる筈はないものの、DCミニで状況を捕捉《ほそく》しているかもしれない乾精次郎が彼を叱咤《しった》しているようでもあった。

「何をしておるんじゃ。しっかりせんか。しっかりせんかい」

何をしても無駄なままで時間が経《た》ち、あふれ出るのみのカウパー腺液《せんえき》が冷えて、下腹部に粘着する互いの陰毛の存在を気持悪く示していた。

小山内がどういう状態にあるかを知った敦子は腹を立てた。愛しすぎている相手との初めての性交渉や、相手が美しすぎたりした場合、しばしば男性が不能になるということは聞いていた。おそらく小山内は本当に敦子を愛していたのだろうし、人間としての敦子への気おくれもあるのだろう。そうしたことは敦子を人間として認めてくれた証拠のようなものではあるものの、一方で敦子は性行為への期待でリビドーを昂進《こうしん》させてもいたのだ。小山内が何もできないことを局面から解釈すればこれは侮辱だった。

「何よこれ」と敦子は叫んだ。「ひどいじゃないの。するならするで、心の準備くらいはちゃんとしてきなさいよ」

「ごめん」気弱げに、小山内は言った。「君の背光が強すぎて」

敦子は小山内をつきのけ、シャワーはあとで浴びることにしてとりあえず下着を身につけた。「お人形さんしか愛することができないんでしょう。あなたは子供だわ」

悄然《しょうぜん》としていた小山内はたちまち自己愛に満ちたいつもの彼に戻り、忿怒《ふんぬ》の形相で罵《のの》し
り返した。「あんたが悪いんだ。海千山千の中年女みたいに開きなおったり、あれこれ指図したりするからだ」

「あなたは最低よ。からだの一部分さえ自分の意志でどうにもならないんだからセラピストとしても最低だし、人間としても、それから男としても」

「それはこっちが言いたいね」小山内はわめき散らした。「君こそ女じゃない。いくら綺麗《きれい》でも女じゃない。自分の思い通りになる、不細工な男や男の患者しか愛せない女は女じゃない」

サイコセラピストにあるまじき子供のような罵りあいに飽きた敦子が、散乱したカッ

プなどを片づけはじめてからも、小山内はまだしばらく罵り続け、やがて帰っていった。そのあと湯を張った浴槽にあちこちが痛むからだを沈めながら、冷静になった敦子は反省した。確かにサイコセラピストとしては落第だった。不能に終った小山内をやさしくいたわってやるべきだったのだ。博愛主義なんかではない。利害の問題だ。彼を味方にすることができたではないか。しかし敦子は、一時の感情にまかせて彼を罵った自分を責める気にはならなかった。

ただ、点火された欲情のやり場がないのにはとまどった。常に精神で肉体の機能を調節できた筈《はず》だったが、まるでどこかが壊れたようにただ発散だけを求めていた。誰かの手が触れるなり飛散する鳳仙花《ほうせんか》の種が内部にあった。しかもそれは、ふだん快感原則を無視したり抑制したりしている知的女性には当然のことだが、貧弱な女の自慰といった程度ではおさまらない精気の量を秘めていた。敦子は時田浩作のことを考えた。

今夜あのまま小山内守雄と性交渉を持っていたとしたらきっとあとで、それまで時田浩作と一度も交わりを持たなかった自分が悔まれたに違いない。敦子はそう思い、時田に逢《あ》いたくなった。逢って抱いてくれるよう懇願したくなった。あのギリシア彫刻のような美しい容姿を持った、忿怒の表情さえ美しい小山内守雄の醜さをいやというほど味わったあとでは、醜い容姿の時田浩作の純粋さが恋しかった。

彼の住まいに電話しよう。もし彼の母親がまだ田舎から帰ってきていないようなら、彼の部屋へ行こう。彼にこっちへ来てもらってもいい。そして、抱いてくれと頼むことにしよう。突然の頼みにも彼は疑いなど持たず、快く応じてくれるだろう。こんな時間に訪ねたり訪ねられたりするのはこのマンションの住人としては反則だが、その反則を最初に犯したのは自分ではない。小山内が先だ。すべての責任は小山内にある。そんな無茶な理屈を考えるのは自分が浩作との情交を期待して興奮しているためだと知り、敦子は笑ってしまった。笑いながら彼女は手をのばして浴槽の横の壁掛け電話をとり、一階下の時田の住まいを呼んだ。

「はい。はい。あっ。あの、時田でございますが」時田の母親が出た。なぜか非常にあわてているようだった。

ちょっとがっかりしながらも、敦子は訊《たず》ねた。「お母さん。どうなさったの」

「あっ。千葉先生。せんせえー」敦子とわかったためか、彼女のことばが大きく崩れた。

「先生先生。ええ浩作が。あの、浩作の様子が、おかしいんです。変なんですよう」

泣いていた。敦子は浴槽の中で立ちあがった。「どうしたんですか」

「おかしいんですよう。それがもう、とってもおかしいんですよう」

ただの病気や怪我として説明できないような異常な様子なのだろう。

「すぐ行きます」敦子は悪寒《おかん》で肌を粟立《あわだ》てながらバス・ルームを出た。現実的であろうとしながら、悪い想像が次つぎと脳裡《のうり》に浮かぶのはどうしようもない。

時田の住まいに行ってみると、いちばん悪い想像が的中していた。時田の母親の牧子は旅から戻ったばかりの旅装のままだった。彼女に案内されて浩作の部屋に入ると、そこは研究所の彼の部屋とさほど変らぬ様子で、異なるところといえば彼の巨軀《きょく》にふさわしい大きなベッドの存在だけだった。浩作はそのベッドにパジャマ姿で腰をおろし、無表情に眼前の宙を見据えていた。敦子の呼びかけにも反応を示さなかった。

自閉したままの浩作をベッドに寝かせ、敦子はリビング・ルームで牧子から事情を聞いた。

「半時間ばかり前に帰ってきたんです」と、彼女は泣きながら言った。「浩作はあなたがご覧になったあのままの姿勢でした。いつからああしていたんでしょう。可哀相《かわいそう》に」涙を拭《ぬぐ》った。牧子は浩作と反対に痩《や》せぎすで、人のよさそうなおだやかな眼だけが息子のそれと相似だった。彼女はその眼を赤く泣き腫《は》らしていた。

「ドアはロックされていましたか」

「はい。ドア・チャイムを鳴らしても浩作が開けてくれないものですから、留守だと思って、わたしは鍵《かぎ》を使って入りました」

「じゃ内側からは、掛け金をかけてはいなかったんですね」

「はいはい。ドアが自動でロックされますので、掛け金は浩作もわたしも、滅多にかけたことは」

親子そろって不用心だったらしい。浩作がひとりの時にはドアを完全に閉めないこともあるのではないか。敦子は誰かが侵入したに違いないと考えた。だがその一方で牧子の嘆きは、彼女の前で考えに沈んでいる敦子の思考とはまったく無関係なひとり合点《がてん》だった。

「研究が過ぎたんですよ。あんな難しいことばかり考えたからなんですよう。そりゃあもう、あんなこと考え続けていれば、誰だっておかしくなります。ひと一倍ナイーヴな子なのに」

敦子はもう一度、浩作の部屋に戻った。その部屋で浩作を診察しようにも、そこにPT機器はなかった。いや、敦子の知っているようなPT機器、あるいは第三者が見てそれとわかるようなPT機器と言うべきかもしれない。そこにあるのは、いずれは最新型のPT機器になるべきものなのかもしれないが、今のところは何がなんだかわからない組立て途中の電子機器の部品や工具、そして大小いくつかのモニター画面に映し出されている設計図や立体画像ばかりだった。

では、浩作をこんな状態に陥《おとしい》れた者は、この部屋でPT機器を使ったのではない、と敦子は判断した。DCミニを持ってきて使ったのだ。乾精次郎にそそのかされてなのかどうかはともかく、それはおそらく小山内守雄であろう。敦子は浩作の頭髪を調べてみた。すでに取り去られたらしく、DCミニは見あたらなかった。小山内は何度か部屋へ自由に出入りして、睡眠中の浩作の頭にＤＣミニを仕掛けたり取りはずしたりしたのだろう。浩作の精神をこのような自閉状態に追い込むことは、同じ階にある小山内の住まいからの、ＰＴ機器によるアクセスで可能となる。

この天使のような時田浩作に、なんというひどいことをするのか。小山内への怒りに鳩尾《みぞおち》のあたりを熱くしながら、敦子はさらに浩作の頭を調べた。頭頂に疵《きず》があり、敦子の指先には凝固した少量の血が付着した。敦子は不審の念とともに何かで突いたようなその疵を観察した。あの円錐形《えんすいけい》をしたＤＣミニの先端による疵なのだろうか。こんな疵がつくほど強くＤＣミニを仕掛けられたら、いくら深い睡眠の中にあっても確実に眼を醒《さ》ますだろうに。

28

朝方、敦子は浩作の診察を終えた。

くれぐれも戸締りを厳重にするよう牧子に言い置いて、心を閉ざしたままではあるが、女が運ぶには手にあまるその巨体は、誘導してやりさえすればどうにでもなったので、敦子は時田浩作を自分の住まいにつれて帰り、彼が眠ってからゴルゴネスを被《かぶ》せ、コレクターで夢を分析したのだった。

人格の崩壊にまで到《いた》っていないことで、敦子はひとまず安心した。急性の分裂病とでもいうべきものだったが、これは発病直後の急性期にあるというのではなく、そもそも分裂気質ではない浩作に急激に、強烈で、浩作にとっては不自然な妄想を与えただけらしいので、たとえ今は重症であっても、時間さえかければ必ず治せるという自信が敦子にはあった。寛解期に入ってから再発し、慢性化することだけを警戒すればよいのだ。

浩作が投射を受けたのは、どうやら分裂病発病後の氷室の夢であるようだった。可愛《かわい》いおかっぱ頭の日本人形や、強烈な甘味を伴った砂糖菓子やチョコ・バー、幼稚なテレビ・ゲームの世界といった夢内容からは、氷室以外の者は想像できなかった。と、いうことは氷室もすでにどこかで分裂病にされてしまっていることになる。さらに氷室を発病させたのは、敦子も治療してその無意識世界を知っているある重症の分裂病患者の夢の直接投射であるらしいこともわかった。日本人形がドイツ語で「六〇年代には夜も太陽が出ていました」だの「ベトナム戦争のためわたしは父に料亭へつれて行かれて、性的な雰囲気を持たされた」だの「伊勢湾《いせわん》台風の時に中曾根総理と一緒にお風呂《ふろ》に入って、それでわたしはぽっかりと浮かびあがることができた」だのと喋《しゃべ》り続けていたからであり、自閉した時田浩作は覚醒《かくせい》中も、そうした日本人形の饒舌《じょうぜつ》にじっと聴き入っていたのだった。

つまり犯行者は、重症分裂病患者の夢を氷室に投射して彼を分裂病にした上、氷室のその分裂病のいずれかの段階における夢内容を記録し、今度はそれを時田浩作に投射したのだ。知的水準が異るとはいえ、同じ「おたく族」としての浩作に、氷室の夢の潜在内容は比較的すんなり入ってしまったようであり、こうした犯行者の天才的な奸智《かんち》から、敦子は容易に乾精次郎を想像できた。

時田浩作を診察しているさなかにも、乾と小山内がDCミニを使って交わしているらしい画像を、敦子が使っているPT機器のモニターはしばしば傍受した。異教的、秘教的な雰囲気を持ったイメージが多く、夢で小山内が乾から、何やら性的で宗教的な教育を施されているように思えたが、何しろ断片的だから確かなことはつかめない。敦子の使っているコレクターでは、ケーブルのない彼らのDCミニにアクセスすることはできなかった。彼らの夢の交歓がどのようなものであるかを知るためにアクセスし、さらにジャック・インするためには、こちらにもDCミニが必要だった。DCミニが欲しい。敦子は切実に思った。DCミニさえあれば彼らの企《たくら》みを察知し、陰謀を回避し、反撃に転じることもできた。

愛していることを自分でも認めていた時田浩作が、たとえ一時にもせよ自分の声の届かないところへ遠ざかってしまったことが敦子は悲しかった。そして時田をそんな状態にした犯罪者への強い憎悪《ぞうお》が次第に強まった。元凶もその手先も、自分が浩作を愛していることは承知していたのだろう。承知した上でこのような憎むべきことをやってのけたのだ。復讐《ふくしゅう》、という考えが敦子の心に閃《ひらめ》いた。DCミニさえあれば復讐することが可能なのに、と、敦子は思った。復讐、などということを考えたのは、はじめてのことだった。相手が誰であろうと自分にならそれはできるのだ。そんなことを考えてひたすら攻撃的になっている時の敦子は、当然自分の身にも危険が迫っている筈であることを忘れていた。

朝方少し眠っただけで、敦子は九時に起きるとすぐ管理人に電話をし、ドアの鍵を変えてくれるよう頼んだ。犯行者は浩作の住まいだけでなく、各階すべての部屋に侵入できるマスター・キイを手に入れているという想像もできたからだ。時田牧子にも電話をして、留守中の浩作の世話を頼んだ。浩作の身に新たな危険が及ばぬよう、牧子が不審がるほどにこまごまと注意をし、保護を頼んだ。さらに同じ階の島寅太郎の部屋にも電話をした。彼の身にも危険が及んでいる可能性に考え到ったからだったが、すでに出勤したらしく、留守番電話に切り替えられていた。

一度、島寅太郎所長に会っていろいろ相談しなければと思ったのはもう、何日も前のことになる。それ以来、突発的に生起し続ける緊急の用件のためにまったく会っていない。マージナルを運転して混雑した都心の道路を研究所に向かいながら、出勤したらすぐ所長室へ行こうと敦子は思った。

しかし、出勤するなり敦子の研究室に、氷室が発見されたという報告が入った。その電話は病院からで、十分ばかり前、病院一階の受付前待合所で、大勢の外来患者に混ってふらふらうろついている氷室を看護婦のひとりが見つけたというのだった。敦子はすぐ病院に駈《か》けつけた。

一階の病院事務室では氷室をとり囲んで数人の医師と看護婦、それに事務員たちが騒いでいた。氷室は異臭がし、寝起きのような蓬髪《ほうはつ》で、薄い髭《ひげ》をのばし、垢《あか》と埃《ほこり》にまみれていた。いなくなった時のままと思える白衣は汚れて皺《しわ》が寄り、糞便《ふんべん》で汚したためかズボンは脱いでいた。そして彼は裸足《はだし》だった。受付前の待合所で発見されるまで彼がどこにいたのか、どういう経路で待合所まで来たのかはまるっきり不明だった。

さいわい小山内はまだ出勤していないようだったので、敦子は二人の看護婦に、完全に自閉した状態の氷室をとりあえず研究所の、自分の診療室へつれて行くよう命じた。氷室は始終無表情で、周囲の騒ぎに何の反応も示さず、おとなしく導かれるままだった。無表情とはいえその顔は異形化していて、もともと肥《ふと》っていて風船のようにまん丸だった彼の顔は、この世のものとも思えぬ無気味なものに変化していた。

自分の診療室のベッドに氷室の丸まるとした柔らかいからだを横たわらせ、看護婦たちを帰してから彼を寝かしつけ、敦子は隣りの研究室に入って、まずスキャナーで氷室の意識野を走査した。柿本信枝がいないため、セッティングなどもすべてひとりでやらねばならない。

モニターを見て彼女は慄然《りつぜん》とした。そこにあるのは意識の断片に過ぎなかった。ほとんど空白状態の意識野に、ごく稀《まれ》に腐りかけた巴丹杏《はたんきょう》、壊れたブラウン管、それぞれ貝ボタンやホチキスや玩具《おもちゃ》の破片やキャンディの包装紙などのように見える小物、婦人用便所の絵記号や地下鉄の表示その他の記号が時間間隔を置いて点点と散らばるようにあり、さらに稀には意識野の隅に日本人形がにたにた笑いながらあらわれてことことお辞儀をするという荒涼たる心象風景しか見えなかったからだ。

次いでリフレクターを使い、もう少し詳しく脳画像を採取した。あいかわらず脈絡のない断片の断続的な想起だけしかなく、思考らしいものはうかがえなかった。おぞ気をふるい、敦子はコレクターでジャック・インすることを断念した。ここまで人格が崩壊した人間の意識に深入りしては、自分までが確実におかしくなると思えたからだ。

おそらく氷室をこのような状態に陥《おとしい》れた者は、彼の人格を完全に破壊したと知り、もはやいかに手を尽してももとに戻らず、自分に不都合なことを証言することもないだろうと安心して、監禁していた場所から彼を解放したに違いなかった。それにしても人間の生体からここまで人間性を拭《ぬぐ》い去るには、いったいどれほどの時間、どれだけ強烈な投射を続けたのだろう。その姿が漠然と見えている犯行者たちの凶悪さが、ますますあらわになってきた。人殺し同様の犯罪だった。この連続的な犯行をくいとめるには、そして自分の身にまで及びそうな企みを断つには反撃しかない、と、敦子はまた思った。

じっと唇を噛《か》み、敦子は寝ている氷室を強化ガラスのウインドウ越しに見つめた。やがて彼女は間のドアから診療室に入り、氷室の頭部を調べた。犯行者がそこへDCミニを残したまま彼を解放する筈はなかったが、あるいは時田浩作と同様の疵《きず》が残っているかもしれなかった。

男性にしてはずいぶん柔らかく薄い頭髪を掻《か》き分けて調べるうち、頭頂に直径が七、八ミリの禿《はげ》を発見した。その禿の部分の色だけが、ほかの白っぽい頭皮の色とは異っていて鉛色だった。敦子は時田浩作から、DCミニには、蛋白質《たんぱくしつ》の自己組立てができる生物化学素子が使われ、互いのアクセスには生体電流が応用されていると聞かされたことを思い出した。DCミニの形や色も思い出した。

敦子は悲鳴をあげた。

では、これは禿ではなく、円錐形をした、あのDCミニの底面なのだ。長時間付着されたままだったため、DCミニは氷室の頭部に吸収されてしまっているのだ。もはや取り去ることはできず、原子または分子のレベルで融合されてしまっている以上は、手術による分離も不可能であろう。浩作の頭部の疵は、先端が頭皮に吸収されはじめたDCミニを無理やり引き抜いたため、そのあとにあいた穴の疵だったのだ。

敦子は自分が何度も何度も絶叫に近い悲鳴を発し続けていることに気づかず、したがって研究室の電話が鳴り続けていることにも気づかなかった。

29

衝撃からやっと立ちなおり、隣りの研究室に戻り、コーヒーを淹《い》れて飲みながら敦子はしばらく善後策を考えた。できるだけ冷静に考えてみた。やがて彼女は病院の担当病棟に電話し、氷室を空いた個室に入れる手配や、からだを洗ってやり、食事をさせるなどの世話を婦長に頼んだ。

次いで所長室に電話をした。だが、島寅太郎は不在のようだった。

本当に不在なのだろうか。いやな予感がしたので、行ってみることにした。立ちあがった時、電話が鳴った。

「マスコミの方だと思うのですが、朝から何度も電話してこられて」と、交換台の女性が困ったような抑揚で言った。さっきかかってきていた電話もこれだったらしい。

「それならいつものように、ことわって頂戴《ちようだい》」

「それが、重大な用件だと。あのう、取材などではないと。そして、松兼と言えばわかる筈だと」

「ああ。その人なら知ってるわ。じゃ、つないで頂戴」

敦子が出るなり大朝新聞の松兼は急《せ》きこんだ口調で言った。「千葉先生。今、近くまで来ているんですが、ちょっとお話しできませんか」

「今、どこにおられるの。ご用件は」

「研究所の正門前の『コルコバード』ってスナックです。用件は、電話ではちょっと。

ああ」敦子が電話を切るとでも思ったのか、松兼はあわててつけ加えた。「そちらに、
変ったことはありませんでしたか」

「変ったことって、何です」警戒し、切口上で敦子は訊《たず》ね返した。誰も信用できない気分だったが、それがよくないことであることはわかっていた。一時の気分だけで味方を切り捨て、敵にまわすおそれもあった。

「何もなければいいのですが。ええと、あのう、今、電話で申しあげられることは、ぼくが小山内の友人だということです。ああ。いや。友人というほどのものではなく、同窓生なんです」それで想像がつくだろうというように、松兼はしばらく沈黙した。

「では、この前わたしがお訊ねした『研究所内の誰かさん』というのは、小山内君ですのね」

「そうです」

パプリカの正体や、研究所内の医者が分裂病に感染しているなどのことを松兼に教えたのは、やはり小山内であったらしい。

「そしてあなたは彼から、新たな何かを得たわけですね。それで心配してくださってい

るのね」小山内が、自分のあたえた情報によって確実に点数を稼いだ松兼をもはや味方と心を許し、彼に現在進行中の陰謀を自慢げに洩《も》らしたということは充分想像できる。

「この電話、大丈夫なんでしょうか」

「大丈夫じゃないわ」交換台の女性に盗聴癖がないとは言いきれない。「直通電話もないし」

「えっと。研究所内へは部外者立入禁止とうかがいました。ちょっとこちらまで、ご足労願えませんか」

「そのスナックにはよく病院の看護婦たちが行くので、わたしは行けません。三十分後、この前あなたと立ち話をしたガレージの中の入口に来てください。わたしの車でその辺をドライヴしながら話しましょう」

「わかりました」

敦子は受話器を置くと、すぐに立ちあがった。松兼からの電話で、島寅太郎のことが急に心配でならなくなった。以前職員室で目撃した島所長の異常な行動を突然思い出したのだった。松兼の言う「変ったこと」が島所長のことでなければいいがと、何かに乞《こ》い願うような気持で彼女は所長室に急いだ。

所長室のドアは、いつものように少し開いていた。これがいけないんだ、と、敦子は溜息《ためいき》をついた。最近、ノックもせずにこの部屋へ入っていく職員を見かけたことがある。

皆から人柄を愛されているとはいえ、多少は馬鹿《ばか》にした愛しかたをしている職員がいることも事実だった。

ノックをしてからドアを開けたが、所長室は無人だった。ほかの職員ならそこであきらめて引き返すところだが、敦子はいったんドアに内側から錠をおろし、奥の仮眠室に入った。

敦子の抱いていた危惧《きぐ》が、下着姿の島寅太郎のかたちとなって現実になっていた。彼は昨夜の時田浩作と同じくベッドに腰をかけ、遠くを見る眼差《まなざ》しで自分の内部に深く沈潜し、右腕をななめ上にさしあげていた。敦子が呼びかけても答えなかった。

犯行者は津村に施したのと同じ内容のものを投射したらしい。島の姿勢からそう判断して、津村が軽症であることを思い、敦子はいくぶん安堵《あんど》した。また、頭部をさがしたがDCミニはなく、浩作同様、犯行者は断続的にDCミニを装着したり取りはずしたりしたのであろうとも思え、それならば治療は可能と断じてもよかった。

氷室にあたえたような急激な刺激で一度に人格を破壊するのではなく、徐徐に、徐徐に島寅太郎を狂わせていったのは、職員たちの眼に、気の小さい島寅太郎所長が研究所内の内紛という重圧によって、あくまで自然に発病したように映じるよう企《たく》らんだからであったろう。投射されている過程で、彼が職員室へやってきて演じたあの奇矯な行為も、職員たちにそう思わせる望み通りの効果があった。彼らの企みは十二分に成功したといっていいだろう。

この部屋にこのまま置いてはおけない。所長にまで分裂病が伝染したというので大騒ぎになり、研究所内の紛争までがおおやけになる。そんなことをしばらく考え、敦子は島を自分の住まいへつれて帰ることにした。治療よりも何よりも、かくまうことが先だ、と、彼女は思った。今や戦いだった。それも互いの人間性や人格を破壊しあうような、殺しあいにひとしい激烈な戦いになりそうだった。今後の敵の出かたもすぐに予測しなければならなかったが、それも島寅太郎の安全を確かなものにしてからのことだった。

所長室の外線電話から番号案内に電話をして「コルコバード」のナンバーを訊《き》き、まだ松兼がいてくれることを願いながらスナックに電話をした。店内呼び出しがあり、松兼が出た。

「困ったことが起りました。研究所内の誰にも知られたくないことなんですが、協力してくださるかしら」

「なんでもやります」大新聞の記者としての矜持《きょうじ》と、正義漢らしい意気ごみの感じられる返事だった。

「ひと眼に触れないよう、所長を所長室からつれ出したいんです」

「えっと。この電話は直通ですね。どうしたんです」

「所長の様子がおかしいので」

「ああ」やっぱり、と言いたげに、松兼は唸《うな》った。「ちくしょう。遅かった。それで、何をしたらいいんです」

「運転は」

「はい。できます」

「ガレージにわたしの車があります。ご存じでしょう。モス・グリーンのマージナル。あれを研究所の裏の、貨物搬入口にまわしてほしいんです」

「車のキイは」

「わたしがガレージまで持っていきます。でもこの部屋、鍵《かぎ》がどこにあるのかわからなくて、外からかからないの。だから、できるだけ所長をひとりにしておきたくないの」

「十分後に来てください。必ずいるようにします。で、あなたはすぐ所長室へ戻ってください。貨物搬入口からは誰でも中へ入れるんですか」

「くぐり戸から入れます。入ると建物の裏の庭で、その裏庭に面して所長室の裏窓があります。わたしが手を振ります。そこから所長をおろしたいの」

「わかりました。やりましょう」

松兼と打ちあわせたのち、敦子は部屋の鍵を求めて島のデスクを探った。しかし鍵は見あたらなかった。裏庭に面したガラス窓を押しあげ、七、八メートル彼方《かなた》のくぐり戸の様子を確認し、窓の下を見た。地面から窓框《まどがまち》までの高さは約二メートルだった。敦子は松兼の足場用にと、室内にあった来訪者用の補助椅子《いす》を窓から地面に落した。

十分経《た》ち、敦子は車の鍵を手にして廊下に出、ガレージに向った。廊下の突きあたりにガレージへのガラス・ドアが見え、その彼方に松兼の姿があらわれるのを期待しながら彼女は急いだ。しかし松兼が来ている様子はなく、異常を感じ、敦子はドアの手前に立ってガラス越しにガレージをうかがった。

今、出勤してきたばかりらしい小山内が、自分の車からおりようとしていた。彼がいるため、松兼はガレージに入れないのだろうと敦子には推測できた。

30

「粉川さん。柴又《しばまた》隆二がとうとう吐いたそうですよ」菊村警視正が笑いながら警視監室に入ってきて粉川利美に言った。その報告をしたいため、粉川の出勤を待ちかねていたらしい様子がうかがえた。

夢の中ではまるで父親のように粉川の失敗を大声で叱《しか》りつけ、さらにパプリカの挑発にのった粉川から逆襲されて、さんざひどい目にあっていた菊村警視正なのだが、現実にはずっと、粉川とは仲の良い先輩、後輩の関係であり続けている。

「おれの勘が的中したな」粉川はにやりとした。「熊井《くまい》殺しを吐いたんだね」

「それと、放火も保険金詐欺《さぎ》もです」菊村は大学の運動部員がそのまま中年になったような色黒の丸顔に人懐《ひとなつ》っこい笑みを浮かべ、大きな眼で粉川に頷《うなず》きかけた。「計画を、仲の良かった熊井良造にうかうか喋《しゃべ》ってしまったんですな。それまで熊井は友達つきあいとして、柴又の虞犯者《ぐはんしゃ》的な言説に調子をあわせていた。ところがいよいよ本当に、柴又が自宅に放火して保険金を詐取しようとしていることを知ると、一転、真剣になって止めはじめた。よくあるやつですよ。仲間うちで冗談半分に犯行計画を練り、いざ実行という直前に共犯予定者が逃げてしまう。あれに似ています」

「で、熊井が止めたにかかわらず、柴又は決行しようとした。だいぶ金に困っていたわけだ」

「そうです」菊村は後輩の気安さから、粉川のデスクの前のソファに掛けた。「当時借金だらけだったこと、火事のあと借金を返済していることなどをつきとめてから逮捕して問いつめたんです。熊井は、もし実行したら警察に報告するとまで柴又に言ったそうですな。だから殺すしかなかった」

「なぜあの時わからなかったんだろうなあ。火事があった時はまだ、殺人現場の調査を続けていたのに」

粉川の慨嘆を否定するように菊村は強くかぶりを振った。「あの屋敷の住人たちの関係が入り乱れていたため、それに幻惑されたんですよ。皆、そうです。それよりむしろ、今ごろまであの事件のことを考え続けてきた粉川さんの熱心さに、警視連は感心していますよ。山路警視などは警視監から手柄を譲ってもらった喜びよりもむしろ非常に不思議がっておりましたな。いったい使用人殺しと近所の家の火事とをどこで結びつけたんだろうってね。わたしも最初粉川さんから、誰かに熊井を調べさせろと言われた時でさえ、まだぴんときませんでしたよ」

「夢がヒントになった」粉川はいくぶん恥かしげに笑った。「信じるか」

急に真顔になり、菊村警視正は大きく頷いた。「ああ。ああ。そういうことは、あります。わたしは信じます。しかし、粉川さんがそういう夢を見たことがそもそも、事件解決への熱心さの結果ですからね」多少なりともその方面の知識はあるようだ。菊村はデスクの方へ顔を突き出すようにした。「で、それはどんな夢だったんですか」

粉川はちょっとためらった。警察官ともあろうものが後輩に自分の見た夢の話をする。なんとも軟弱なことに思われた。しかし粉川は話すことにした。「まあ、何度か見た夢なんだがね。八王子のあの屋敷の殺人現場。そのシーンに続いて必ず火事が出てくる。おれは子供のころ、いたずらしていて家の物置に小火を起したことがある。それかなと思っていたんだが、殺人事件のあと、近所の家で火事があったことを急に思い出したんだ」

「ははあ。それだけの夢ですか」菊村がやたらに感心した。「すると粉川さんは、夢が事件解決のきっかけになることもあり得るという考えを最初から」

「いやいや。最初からではないよ。そんなこと、考えもしていなかったがね。あることがきっかけで、その」粉川は珍しく顔を赤くしてことばを濁した。

「はあはあ」あいかわらず菊村は感心し続ける。「上層部が、粉川さんほど事件解決に熱心なひとばかりならいいんですがねえ」

庁内政治にかまけている連中のことを言っているらしい。

菊村警視正が部屋を出ていくとすぐ、粉川は能勢龍夫に電話をした。パプリカを紹介され、彼女の治療を受けはじめて以来、一度も経過報告をしていなかったのだ。能勢が出るとすぐ、粉川はそのことを詫《わ》びた。

「元気そうになったぞ」しかし能勢はまず、そう言った。「喋りかたが昔に戻った」

「お陰さまで、だいぶ気分が楽になった。夜もなんとか眠れるようになったし」

「治療はもう、終ったのか」

「それはまあ、まだだが」

「パプリカに、どんな治療をしてもらっているんだ」と、能勢は興味を隠せない口調で訊ねた。

能勢龍夫もまた、出社したばかりだった。パプリカによる粉川利美の治療の進み具合を訊きたくて、今までに何度か電話をしようとしたのだが、粉川に自分の、いささか嫉《しっ》妬心《としん》が混ったパプリカへの恋愛感情を見抜かれそうで控えていたのだった。

「まあ、いろいろ」粉川はことばに困っている様子だった。

くそ。何かいいことをしてもらっているに違いないぞ。湧《わ》き出る羨望《せんぼう》の念を抑えて能勢は言った。「治療を楽しんでいるな」

「うん。治療のたび、気が軽くなる」能勢の気持を察したのか、粉川はあたり障《さわ》りのないことを言った。

「パプリカというのは素晴らしい女性だ。そう思わないか」能勢はさぐりを入れた。

「そう思う」

「実に不思議な女性だ。いったい何者だろうなあ」

「えっ。知らなかったのか」粉川が意外そうに声をはねあげた。「彼女は千葉敦子だよ。ほら。精神医学研究所の医師で、時田浩作という科学者と共同でPT機器って呼ばれているサイコセラピー機器を開発して、その功績でノーベル医学生理学賞の候補にあげられている、あの女性だよ」

声に出さず、能勢は呻《うめ》いた。「島寅太郎は何も言わなかったが、やっぱりそういう人だったか。『千葉』という姓だけは知っていたんだが。それは、本人に訊いたのかい」

「訊かなくても、それくらいはわかる」

「さすがだな。しかし、そういう偉いひとにしては、年齢が若過ぎないか」

「お前な、彼女みたいなヴェテランのサイコセラピストが、本当に見かけ通りの年齢だと思うかね。実際の年齢は二十九歳だ。千葉敦子の経歴を調べたし、写真も見た。間違いない。パプリカは千葉敦子だよ」

そんなことでもあろうと想像はしていたから、能勢にさほどの衝撃はなかった。どうなんだろう、と、能勢は自問してみた。おれの中のメルヘンは壊れたのか。壊れてはいなかった。メルヘンとはもともと架空のものだった。千葉敦子とやらではない独立した人格のパプリカは、まだ能勢龍夫の中に生きていた。

「君の夢を壊したかな」能勢の沈黙を粉川が気にした。

「いやいや。そんなことはないがね」そう言いながらも、さすがに溜息《ためいき》が洩《も》れた。「じゃあ、声まで変えていたんだなあ。電話すると別の、年輩の女性が出る。しかし同居している様子はないし、おかしいと思っていたんだが」

「君にちょっと訊きたいんだけど」粉川は少し心配そうに言った。「彼女、何かトラブルに巻きこまれているようなことを君に洩らさなかったかね」

「えっ。何かあったのか。そういえば一度、誰かに殴られたらしくて眼のまわりを黒く腫《は》らしていたことがあった。患者にやられたのかなと思っていたのだが」さらに能勢は、ある時にはパプリカが何か自分に訴えたいことがありそうな様子を示したこと、またある時にはいつになく沈みこんでいたりしたことなどを思い出した。

能勢が気にして何度も訊《たず》ねたため、粉川は治療中の一件を話した。「で、その副理事長という人物の顔がおれの夢にあらわれたわけだが、当然おれの知らない人物だから、おそらくパプリカがその時、その男のことを気にしていたんだろうと、おれは最初、そう思った」

「いや。それはおかしいな。PT機器で夢探偵されている時に、パプリカの意識が画像として、こっちへ逆に流れこんできたなんてことは、おれの場合一度もなかったぞ」

「じゃ、不自然なことなんだねそれは」

「そう思う」

「おれは気になって、夢に出てきた顔をプリント・アウトして貰《もら》って、乾精次郎という その人物のことを調べてみた」一週間ほど前とはうってかわって、粉川は饒舌《じょうぜつ》であり、熱心だった。「乾病院という精神・神経科の病院の院長で、番地で見るとパプリカのマンションからさほど離れていない。それで昨日車であの近くを通りかかったついでに、病院の前まで行ってみたんだ。裏通りに面して建っているが、なかなか立派な病院だった。驚いたことには、その病院の建物も治療中のおれの夢の中に出てきた建物と同じだった。夢の中では大使館の建物として出てきたから、つまりあの建物のイメージがどこかからおれの夢にまぎれこんできたことになる。で、これは確実に言えることなんだが、おれは今まであの裏通りを通ったことは一度もない。しかもだ、パプリカはおれの夢を探偵していながらその大使館の建物が乾病院だとは気づかなかった」

「じゃ、尚《なお》さらパプリカの意識が流れこんだという可能性からは遠ざかる」

「そういうことだ。研究所で何か起っているとおれは思うんだがね。彼女、何かに悩んでいるとは思わないか」

「うん。おれもそう思う」

「実は今夜十一時から予約している診療の際に、直接訊ねてみようと思うんだが」

「それはどうかな」能勢は唸《うな》った。「訊ねられてすぐ打ち明けるくらいなら、もっと早くからおれや君に相談を持ちかけていたんじゃないのか」

「君に相談したことは一度もないんだね」

「実は、おれに相談しようかどうしようかと迷うような気配はあった。何かを隠そうとしている様子もあった。だからおれも気にしていたんだ」

「君にも相談しなかったとすると、おれのような警察官には尚さら話してはくれないだろうな。おおやけになってはまずいことのようだから」

「今だから言うが、おれが君の職業を言ったとき彼女は驚いて、診療をことわろうとしたくらいだ。研究所以外での、PT機器を使った夢探偵そのものが違法だからね」

「なにせノーベル賞候補になっているような有名科学者だ。毀誉褒貶《きよほうへん》、いやがらせ程度のことならいいが、権謀術数、落し穴、いろいろいやなことがあって当然だよ。研究所に何か変ったことはないか、こちらで誰かに調べさせてもいいんだが、たいしたことでもないのに警視庁が捜査して、パプリカの立場が悪くなってもいけないからね。いったん本人に事情を訊《き》いて、と思っていたんだが」

島寅太郎所長に訊くという方法もある、能勢がそう思った時、電話端末装置に秘書からの青ランプが点《つ》いた。

「ちょっと待ってくれ」粉川にそう言って電話を切り換える。「なんだい」

「青山精器へ行かれるお時間ですが」

「ああ。新製品を見にこいというあれだな。行かなくてもいいんだろう」

「でも、お約束なさいましたよ」

「そうか。しかたないな」すぐ行くので例の自社系列のハイヤーをまわすようにと命じてから、能勢は粉川に訊ねた。「今夜、仕事はあるか」

「ないことはないが、パプリカのことなら何よりも優先する」

おやおや、と能勢は思った。この男もパプリカを愛しはじめているらしい。今のはまるで「愛するパプリカのためなら」と言っているようだったぞ。

「彼女が何かに悩んでいることは確かだ」と能勢は言った。「力になってやりたいね。ちょっとふたりで相談しようじゃないか」

「そうしよう」

「じゃあ、夕食後、君の診療の直前、九時に『ラジオ・クラブ』でどうだい」

「わかった」

能勢は受話器を置いた。パプリカに会いたくてたまらなかった。会いたいがために、つまらないことで事件をでっちあげて騒ごうとしているのではないぞ、と、自分に言い聞かせた。おれは真剣に彼女のことを心配しているのだ。

ハイヤーの運転手は、例の発作を起した時の男だった。あれ以後この男の車には二度乗っていたが、ひとりで乗っても発作のことは口にせず、「ご病気はいかがですか」といったことさえ口にしない。信頼できる男だと能勢は思っていた。

大通りへ出てすぐ、ちょっとした渋滞があった。交差点を渡っても前へ進めなかった。中央のグリーン・ベルトをはさみ、反対車線にモス・グリーンのマージナルが信号待ちをしていた。後部座席を見て、能勢は小さくあっと叫んだ。

島寅太郎が乗っていたのだが、彼の様子はあきらかに異常だった。何も考えていないようなうつろな眼差《まなざ》しを正面に向けたまま、からだを凝固させているように見えた。しかも右腕を、そこには何もない筈《はず》のななめ上に向けて、ナチス式の敬礼のようにさしあげていた。

「ちょっと警笛を鳴らしてみてくれ」電動式のウインドウをおろしながら、能勢は運転手に言った。

「えっ。ここでですか」

「そうだ。あの車の注意を惹《ひ》きたい」

運転手は警笛を鳴らした。たった三、四メートルの距離なのに、島寅太郎はぴくりとも動かなかった。

運転席の女性にやっと気がつき、能勢はまた小さく叫んだ。「パプリカ。パプリカじゃないか」

おそらくそれは、パプリカに扮装《ふんそう》していない時のパプリカ、つまり千葉敦子なのであろう。おとなびたスーツを着て、特徴ともいえるあのソバカスはなく、髪形も異り、全体の印象はキュートではなくエレガントだった。しかしそれは、知的な雰囲気といい、やや危険味を帯びた美貌《びぼう》といい、パプリカに違いなかった。

大きく叫んでみた。「パプリカ」

聞こえなかったようだ。彼女もまた、他のことは何も眼に入らぬほどのさしせまった考えに深く捕われているらしく、能勢にまったく気づかなかった。能勢は異様さを感じた。何ごとにもよく気がつく彼女のようではなかった。

対向車の列が進みはじめた。マージナルは交差点をまっすぐ進んでいった。

少し先に、Uターンのできそうなグリーン・ベルトの途切れめがあった。能勢の乗った車も進みはじめた。

能勢は運転席の方へ身をかがめて叫んだ。「君。今の車を追ってくれ。あの、モス・グリーンのマージナルだ」

第二部

1

十五世紀、ルネサンス直後のローマ・カトリック教会は、帝国の権威の失墜とともにその統一にも破綻《はたん》が生じ、ヨーロッパ各地では改革に努める激しい動きがあった。そうした過程ではさまざまな異端の教会も多く発生した。十六世紀の初めになるとドイツ、スイス地方に民族的な宗教改革運動が起り、これがやがてプロテスタント教会となる。

この時代に起った異端の教派のひとつに、ローマ・カトリック教会の失った文化的、思想的な統制力を受け継ごうと試みるザクセン密儀派と呼ばれるものがあった。これはそののち、教義を学問的に探究するあまり次第に偏狭となり、異端中の異端とされて幾度もの弾圧に遭った。そのため信徒数は少ないながらも、それぞれの時代、主に世に認められぬ宗教学者や芸術家、自然科学者たちが結成した結社を有力で熱狂的な信仰団体として、細ぼそとながら生き残ってきた。

今世紀に入るとウィーンでは、町全体にエロトマニア的な雰囲気が漂いはじめた。フロイトの性の解放と、グスタフ・ヴィネーケンの「青年文化」グループのイデオロギーが複雑に影響しあい、ユダヤ人青年を中心に中産階級、学生の間で同性愛が流行しはじめ、学者や芸術家で同性愛に目ざめた連中がザクセン密儀派に加わって中心的なメンバーとなり、祭儀に同性愛的色彩を取り入れた。そしてザクセン密儀派は「ゼツェシオン」という当時ミュンヘンで起っていた芸術運動とまぎらわしい名に改称し、世間や、同性愛に特にきびしいカトリック教会の眼を逃れて祭儀を続けた。

乾《いぬい》精次郎がこの教派のことを知ったのは彼がウィーン大学に留学した三十歳代前半で、すでに戦後も十数年経《た》っていて、ウィーン大学の一部にも伝統的な同性愛がひそかに復活していた。美男子だった乾精次郎はたちまち医学部のある教授から同性愛の洗礼を受け、彼に誘われて結社に加盟し、今度は宗教的行事としての真の洗礼を受けた。「ゼツェシオン」は、ギリシア的な文化や思想を背景にした古代神秘主義的な信仰が特徴であり、ヘレニズム的な密儀的祭式を行っていた。その点では東方正教会に似ていたが、礼拝に使われるのはロマン派最後期の煽情《せんじょう》的な音楽であり、焚《た》かれる抹香には麻薬が混入されていた。

信者の多くは論客であり、そのため聖書及び信条教義の釈義的論争は無制限に許されていたが、いったん公会議で決定された教義は絶対の権威を持つ信条として守ることを強制された。最先端の文化的・思想的成果をいかに教義にとり入れるかが多く論議され、そこにはニイチェの超人思想なども含まれていたため、教義は現実生活から遊離したものとなり、さらに偏狭になっていった。「現制度」がいつの時代にあっても悪であるとされ、したがって神の子供であり超人である「ゼツェシオン」のメンバーが世間に受け入れられないのは当然であるとされた。したがってメンバーは、制度側のすべての権威、権力との聖戦を戦い抜くためにはいかなる手段をとってもよく、勝ち取った権威、権力はすべて教派に帰属せしめ、メンバーのために役立てるべきものだった。彼らにとってはイエスですら制度と戦う同志であり、時には同性愛の対象でさえあった。

乾精次郎にとって、他の医学者にノーベル賞を奪われたことはひとつの宗教的な受難だった。以後、彼は教義の通り、制度的倫理道徳を超越してでも科学的正統を守ることこそ聖戦と見做《みな》して、それを信条とした。

彼はウィーン留学中にヨーロッパ各地の美術館を遍歴し、ローマのカピトリーナ美術館にあるグイド・レーニの「聖セバスチャンの殉教」をはじめとする異教的、同性愛的な絵画を数多く鑑賞して魅了され、その影響から古典的・ギリシア的な風貌《ふうぼう》の美青年を愛してきた。帰国後、彼はそのような青年が日本人の中にほとんど見られないことで絶望した。

彼は結婚しなかった。制度側の眼をあざむくための女との性行為や結婚は許されていたが、女色に迷うことは教義に背き、神の子であり超人であるおのれに背くものであった。乾精次郎は欲情のはけ口たる女を常に物質として扱い、その精神性を認めなかった。愛したのは、初老と言われる年齢になってからめぐりあった小山内《おさない》守雄だけであった。時代が変ったせいで日本にもこのような美貌が出現したのだと思い、彼は自分が長生きしたことを喜び、同時に自分の老齢を悲しんだ。だが小山内は乾精次郎を尊敬し、やがては彼の愛にも応《こた》えることになった。乾はひたすら、この古典的・ギリシア的な美しさを湛《たた》えた青年を愛した。

乾精次郎が心身症の治療に成功したのは麻薬を使用して神秘的瞑想《めいそう》に耽《ふけ》ったりもする教派の密儀から得たアイディアによるものであり、だからノーベル賞の候補になった時も、自分の功績はあくまで「ゼッェシオン」に帰属すべきものであるという謙虚さを失わなかった。しかしその功績が、単に彼の方法を実際の治療に応用したに過ぎないイギリスの一内科医に横取りされて以来、彼はひたすら現制度を呪《のろ》うだけの悪鬼と化した。自らの治療法と、その理論的支柱である古典的精神分析理論だけが精神医学の正統であると信じ、他をすべて邪道として戦うことになった。今、彼の聖戦の対象は言うまでもなく時田浩作《こうさく》であり千葉敦子《あつこ》であり、彼らの開発したＰＴ機器《サイコセラピー》をひたすら非人間的な治療にのみ利用しようとする制度的な科学技術であった。

ＰＴ機器、特にその終極的な発明としてのＤＣミニを、乾精次郎は必ずしも否定していなかった。それは人間精神の向上に応用して役立てるべきものであり、実際にも時田から奪ったそれを、彼は愛しあうさなか、小山内と共に用いて異教的な法悦に浸っていた。彼が小山内に施したのと同様、神秘的瞑想の中で教義の神髄を教え、法悦に導くためにDCミニほど効果のあるものはなかった。教派のため、DCミニは救われぬ現代人一般に対してもっと広く用いられるべきものであり、さしあたっては特に、制度に全身浸って悪《あ》しきテクノロジーに奉仕している彼の周辺の医学者や科学者を早急に眼ざめさせるべきものであった。小山内の指摘で乾は、慈愛に満ちて小山内を愛しているときの自分の顔つきがイエスに似てきたことを自覚し、精神医学界の救世主を自認しはじめてもいたのだ。

小山内がセラピストとしての能力で乾の心を深く見通して共感し、精神医学研究所の主導権を愛する師にあたえるための下工作を開始したのは半年ほど前のことだった。氷《ひ》室《むろ》を抱き込む最初のたくらみが成功し、時田浩作や千葉敦子の盲目的な崇拝者だった津村を、柿本信枝《かきもとのぶえ》を、首尾よく発病させ、分裂病の伝染という恐怖の噂《うわさ》を広めてからは、なかばは自走的な成り行きで彼らの思惑通りに事は進み、それは彼らにも意外なくらいの急速な展開だった。やがてDCミニを手にしたふたりは、事の運ぶ速度と時期を見誤ることなく一挙に決着をつけるのは今だと決定し、そのように行動した。島寅太《とらた》郎《ろう》所長と時田浩作を、使いかた次第で「悪魔の種子」にもなるDCミニを使って発病させたのだ。残るは千葉敦子ひとりだった。警戒しはじめた彼女をDCミニの犠牲にするのは困難だった。「パプリカ」の名で得体の知れぬ技術を用い、あらゆる精神病、神経症を治療してきた優秀なセラピストである彼女から、おそらくただごとではおさまらぬ筈《はず》の報復、致命的な反撃を受けぬうち、彼女を研究所内で孤立させねばならなかった。

島寅太郎所長の行方がわからなくなったという小山内からの電話を自分の病院で受けた乾は、島が千葉敦子にかくまわれているであろうことを確信した。すでに午後、それもほとんど夕刻に近い時刻だったが、乾は研究所に出向き、研究所と付属病院の職員、セラピスト、看護婦長など主だった者のほぼ全員を会議室に集合させた。それは記者会見なども行われる、二百人以上の収容が可能なあの会議室だった。乾の話に先立って小山内が事情を説明した。

「突然お集りいただいたのは、付属病院を含め当研究所にとって、極めて重大な事態が発生したからです。皆さんもお気づきでしょうが、ここのところ何やかやと不愉快な噂が立ち、研究治療のできる平穏さが乱されておりました。わたしたちはこういう時にこそ事態を真剣に受け止めて、改善の努力をしなければなりません。これから副理事長がお話しになりますが、これは表面的な事態の背後にある、医学界全般に及ぶ重い問題を、いわば皆さんにつきつける形のお話となるでしょう。その内容を、深く考えていただきたいと思うのです」

では副理事長、よろしくと小山内が促し、乾は演壇に立った。ほとんどが白衣の百数十人は、脅《おび》えを秘めた眼ですがるように長身の乾を見あげていた。不安なのだ、と、乾は思う。今まで頼れる者がいなかったのだろう。島寅太郎といい、時田浩作といい、指導者として頼れるような人物ではなく、そして千葉敦子は女だ。乾は職員たちへの哀れみを覚えた。今は脅すことも、威《おど》すことも、導くことも、怒らせることも悲しませることも意のままだ。彼は酷薄とも受け取れる厳しい顔で彼らに臨んだ。

「医学に奉仕する者として、われわれは人間の尊厳を無視し、科学技術にのみ依存することを自らに強く戒めなければなりません。この研究所の今までの方針はほんとうに正しかったのか。このような事態となった今、それは誤っていた、医学の正道を踏みはずすものであったと断定せざるを得ない。副理事長たるわたしにもその責任の一端はあり、強く反対し続けることを怠ったがゆえの今回の、まことに嘆かわしいこの騒ぎとなったのです。つまり何人かの職員たちの、闇雲《やみくも》に暴走したPT機器の開発による無理が祟《たた》っての、中には回復不能の精神の荒廃にまで陥った者さえ出たほどの分裂症状の発病、それが外部マスコミの知るところとなって彼らの穿鑿癖《せんさくへき》を煽《あお》り、ついには過去の法律違反の診療まで暴《あば》かれようとしているこの醜態、さらには今日明らかになった、島所長の原因不明の失踪《しっそう》という不祥事」

所長が行方不明になっていることを初めて聞かされた多くの職員が、ある者は嘆声を発し、ある者は絶望的に呻《うめ》き、大きなざわめきとなって会議室の空気を揺らす。

「したがってこの私が臨時に理事長職を代行させて戴《いただ》くわけだが、この際諸君にははっきりと申しあげておかなくてはなりません。わたしのさしあたっての方針は、これまでの、まるで暴走列車のような技術開発一辺倒の悪習を、とりあえず根絶することにあります。諸君とて今までの非人間的な治療技術について行けない気持を抱き、開発速度の目まぐるしさ、あまりのあわただしさには大いに疑問を感じておられた筈だ」

橋本や羽村操子など、小山内から副理事長への支持を言い含められていた最前列の何人かが大きく頷《うなず》いた。

「すべては特定の個人にノーベル賞を受賞させようとするための研究であったことから起きた弊害でした」乾は声を大きくした。「今後は患者への奉仕という医学の根本原則に戻り、人間的な精神医学の探究に努められることを、私は諸君に強く求めたい。また、PT機器の今後の開発については、理事長の独断で行われていた研究所内、病院内人事の改革に伴い、当然時田、千葉、両氏の独占と専横の手からこれを奪い返し、全員の地道な研究対象とします」乾の熱弁が高潮に達し、それはさらに続く。「決してノーベル賞だけが科学者の目標ではなく、眼に見える栄誉だけが医学に携わる者の栄誉ではない。われわれは医療の正統とは何かを今こそ自らに問いただきねばならないのです。そして、さらにわれわれは」

2

すでに時田浩作を自分のベッドに寝かせていた千葉敦子は、新たにつれて帰ってきた島寅太郎所長を治療用のベッドに寝かせたために、今夜からの自分のベッドがなくなってしまった。能勢《のせ》龍夫や粉川利美《こなかわとしみ》だけではなく、昔のパプリカ時代からしばしば男性クライエントを泊めることはあったので、リビング・ルームのソファに寝ることには慣れていた。しかし自宅に患者をふたりもかかえこんだのは初めてだった。

独身の島所長をマンションの彼の部屋にひとりで寝かせておくことはできなかった。小山内守雄が今程度の島の症状ではまだまだ不充分と思っているかも知れず、もし彼がこのマンションのすべての部屋のマスター・キイを持っているとすれば、侵入してきて何をするかわかったものではない。

ゴルゴネスをかぶせた島寅太郎をコレクターで診察し、やはり津村へのものと同じプログラムを識閾下《しきいきか》投射されていることがわかったので、敦子はさっそく治療にかかった。島の治療に行き詰まると時田に治療を施したりもした。焦《あせ》らず、くり返し話しかけるうち、意味不明瞭《ふめいりよう》ながら島がことばを発しはじめたので敦子はほっとした。

コーヒーを飲もうとして寝室兼用の診察室からリビング・ルームに出ると、いつの間にか外には副都心の夜景が広がっていた。もう九時になっていた。トーストとコーヒーだけの朝食以後、何も食べていないことを敦子は思い出した。

二百グラムの冷凍ステーキ肉を解凍していると、電話が鳴った。大朝新聞社会部の松兼だった。

「ああ。さっきはお力を貸してくださってありがとう。助かりましたわ」

「島所長の具合はいかがですか」

松兼のその口調がそのことの確認だけとは思えぬほど切迫していたので、敦子は悪い予感がした。「軽症でしたわ。で、何かあったのですか」

「研究所のその、例のぼくの友人から」小山内の名前をはっきりと口にしにくいらしく、松兼はためらいながら言った。「その後のことを自慢そうに報告してきたのですが、乾精次郎氏が研究所と病院の主だった職員を集めて、さっそく理事長代行宣言を行ったそうです」

「まあ」では彼らは、自分が島所長を救出して保護するだろうと予測し、それを待ちかまえていたのだ、そう悟り、敦子は不意の一撃を胸に受けた気がした。「ひどい」

「あなたや時田さんの弾劾《だんがい》演説も行ったそうです。人事改革をするなんてことも言っていたそうですから、早く何か手をお打ちにならないと、研究所のあなたや時田さんの研究室まで取りあげられてしまうということに。いや。研究所を追い出されるという事態にも」

「わかっています。わかっています」

だが、どうすればいいのか、敦子にはまったくわからなかった。こんな種類の争いを経験したことはなかったし、そんなことが書かれている本も読んだことはない。

松兼を相手にそんな泣きごとを言ってもしかたがなかった。「教えてくださってありがとう。いずれ、何かご相談に伺うと思いますので」

敦子はそう言うにとどめた。「その時はよろしく」

敦子の冷静さに感動したのか、松兼はやや激した声で言った。「ええ。いつでも。いつでも、何でもおっしゃってください」

受話器を置き、敦子はしばらくキチンに立ち尽した。乾のそんな独断や横暴に研究所の誰ひとりとして反対しなかったのは、やはり自分に人望がなかったからなのだろうか。

戦いは、とうとう表面化してしまった。しかし、これが本当に戦いと言えるだろうか。すでに完敗しているのではないだろうか。今は時田も島も戦力ではなくなってしまい、武器となるべき肝心のＤＣミニはすべて敵の手中にある。

ＤＣミニが欲しい。敦子はまた切実にそう思った。ああ。あれがたったひとつでもあれば、こちらにだって勝ち目はあるのに。敵、武器、勝ち目、戦い。すでに敦子は事態を戦闘と捉《とら》えていた。敦子には理解しようという気も起らない奇怪な思想を狂信し、

DCミニを悪用した非人間的な手段で権力を握ろうとする敵との戦闘だった。そうした自分のその考えを大時代な決意だなどとは思わず、それが現実なのだとはっきり認識しておいた方がいい、敦子はそう思った。

　さしあたって、これからどうすれば、と考え、敦子は、今夜粉川利美がくる筈《はず》であることを思い出した。いくつもの意味で彼の分析治療など、とてもできる状態ではない。断りの電話をしようとした時、マンションの玄関ロビーからの、来客を告げるブザーが鳴った。モニターを見て敦子は凝然とした。能勢龍夫と粉川利美が立っていた。

「はい。千葉でございます」彼らの来訪の意図がわかるまで、とりあえずパプリカが留守であることにしようと決め、敦子はやや老《ふ》けた声でそう言った。

「能勢です」と、能勢が言った。「粉川氏も一緒です」

「パプリカは今、出かけておりますが」

　能勢と粉川が顔を見あわせ、なぜか苦笑してかぶりを振る様子だった。

「自分たちは、今夜はパプリカに用があって来たのではないのです」かわって粉川がマイクに向かい、そう言った。「千葉敦子さんにお目にかかりたいのですが」

　その生真面目《きまじめ》な口調に敦子は、彼らと自分との関係の急変を悟った。パプリカが千葉敦子であることを彼らは知ったようだ。それを彼らがいつ知ったのかはわからない。そしてふたり揃《そろ》ってやってきた以上、それは彼らの、それぞれの病気の相談ではあり得ない筈だった。といって、パプリカの正体がわかったと言って敦子を驚かせるためにのみ、ふたりで一緒にやってくるなどといった子供じみたことをするほど彼らは酔狂でも暇でもない。

「じゃ、おあがりください」

溜息《ためいき》をつきながら敦子は、エレベーター・ホールへのガラス・ドアを開けるスイッチを押した。ふたりとも暗証番号は知っていて、だから玄関ホールを通ることはできた筈なのにわざわざブザーを鳴らしたのは、敦子に心の準備をさせようとしてのことだったのだろう。

千葉敦子としてふたりに会うのは初めてだった。どう対していいのかわからないが、それは彼らとて同じだろう。

能勢と粉川はリビング・ルームに通されると、まるで先生の前に出た生徒のようにきちんとソファに並んで掛けた。

「千葉さん」向かいあって肱掛椅子《ひじかけいす》にかけた敦子に、身を乗り出して能勢が言った。どんな話であろうと、話が硬直することは好まなかった。敦子は笑って言った。「パプリカでいいんですのよ。おふたりとも」

「パプリカ。ぼくは今日の午後、君の車を見かけて、あとをつけたんだ。島君の様子があきらかにおかしかったからね」真摯《しんし》な眼に気づかわしげな色を見せ、能勢は言った。

ああ、と、敦子はうなずく。「パプリカという声が聞こえたような気がしたわ。あの交差点ね」

「車がこのマンションのガレージに入ったことを見届けて、ぼくはいったん退散した」能勢もうなずいた。「今夜九時にこの粉川君と例のラジオ・クラブで会う約束をしていたので、相談してから君に会おうと思ってね。そもそもは今夜会うのだって、最近何やらごたごたに巻きこまれているらしい君のことを相談するつもりだったんだ。われわれにできることは何かないだろうかということをね」

「気にかけていただいて」敦子はもう少しで、涙を出すところだった。声がうるんだかもしれなかった。気の弱りを見せてもいい相手などいないと思っているので、敦子は大きく呼吸し、胸をそらせた。

「われわれが容喙《ようかい》することを、君が迷惑がるかもしれないことは想像していた。しかしここはひとつ、われわれを信じて、われわれに相談を持ちかけて貰《もら》えないだろうか。今日はそのことを、むしろ懇願にきたんだよ」

感動で黙りこんだ敦子をしばらく見つめていた粉川が、話しやすくさせようとしてか、決して尋問調ではなく訊《たず》ねた。「島所長は今どこにおられますか」

敦子はあちらです、と声には出さずに口だけ動かし、手を寝室に向けた。それから立ちあがった。ふたりにすべてを話す時が来たようだ。何から話すべきか、どう話すべきか、どう話せばよりよく理解してもらえるか、敦子は考えながらヴェランダへのガラス戸の前を歩きまわった。夜景を背景にした舞台の女優を見るように、そんな敦子を能勢と粉川がなかばうっとりと注視している。

「お話しします」立ちどまって、敦子は言った。「粉川さんが警察のかただと言うことを気にしないでお話しさせていただきます。そうでなければ正確にお伝えできなくなってしまうからです。でも、その前に」敦子は身をよじりながら、ほとんど悲鳴のようななさけない大声をはりあげた。「何か食べさせてください。朝ご飯を食べたきりなんです。今日はトーストをたった一枚しか食べていないんです」

緊張がはぐらかされ、能勢と粉川が声をあげて笑った。

「わかったよ。わかった。パプリカ」能勢が立ちあがる。「電話を借りるよ」

密談にしばしば能勢が利用する個室のあるレストランを予約できたというので、敦子は外出の準備をした。リビング・ルームの隅にある衣装戸棚の戸を衝立《ついたて》がわりにして服を脱ぎ、いちばんよく着るのにここしばらく着ていなかった杏子色《あんずいろ》のスーツを出した。以前着てから洗濯に出していなかったが、皺《しわ》にもならず、汚れてもいなかった。

着てから、右の腰のあたりに異物感があることに気づいた。ポケットの中をさぐった。手に堅い、小さなものが触れた。

底面の直径が六、七ミリで高さが一センチばかりの鉛色をした円錐形《えんすいけい》の物体。DC

ミニだった。敦子は大声で叫ぶ。

「あったわ。わたしがここに入れたのだったわ。忘れていたのよ。忘れていたのよ」

何ごとかと驚いて能勢と粉川が立ちあがった。

理事会のあった日、理事室で時田から見せられていたこのDCミニを、大和田がやってきたためあわててポケットに入れ、そのまま忘れていたのだった。

「一個はだいぶ前から見あたらない」

研究室にあった五個すべてを盗まれた際、時田がそう言っていたことも敦子は思い出した。

3

能勢龍夫と粉川利美は白いテーブル・クロスの上に灰色のひとつの点として置かれたDCミニを見つめたままだ。こんな小さなものにそれほどの力が、という疑念を隠しきれないようだ。食事を終え、まるでどこかの邸宅の応接室のようなレストランの個室で、三人はくつろいでいる。壁には野間仁根《のまひとね》の油絵、壁紙は葡萄色《ぶどういろ》で照明はやや暗い。千葉敦子は冷凍などではない最高の神戸牛のステーキを食べながら、話すべきことをすべて話した。肩から力が抜けて胸の下あたりが軽くなり、そして彼女は満腹した。能勢が敦子にことわり、粉川にもすすめて珍しく煙草《たばこ》に火をつけた。彼らの精神に、たまの煙草が好ましく作用することを敦子は知っている。うっとりとする男性的な香りが密室にこもり、とうとう敦子も能勢に一本ねだってくゆらせた。

ウエイターがコーヒーを運んできたので、敦子はDCミニをまたポケットに戻す。

「内紛そのものは」ウエイターが出ていき、能勢が話しはじめた。「財団法人によくある例で、さほど珍しくはない」

「ま、そうだね」粉川が同意し、慰めるように敦子に頷《うなず》きかける。

そう言われたからといって、敦子に対処のしかたがわかるというものではない。「こういう場合、どうすれば」

「通常やることは、他の理事や有力な評議員に真相を打ちあけ、味方につけることだろうね」能勢がこともなげに言う。「文書はよくない。電話で話した方がいいね。会いに行くのがいちばんいいが」

そんな暇はない。敦子は溜息をつく。

「東京エレクトロニクス技研と事務局長の葛城《かつらぎ》、さらに副理事長たちとの間には癒着があるようですな」と、粉川も言った。「山辺という監事も副理事長の息のかかった人だとすると、帳簿を調べればその辺の不正は明らかになると思う」

「おふたりは」と、敦子は恨めしげに言う。「わたしにはとてもできそうにないことばかりおっしゃっています」

「もちろん手伝いますよ」能勢はにやりとした。事態を楽しんでいて、それがかえって敦子に頼もしさを感じさせる。

「ところで千葉さん。いや。パプリカ」あいかわらず真面目なまま、粉川は紙入れの中から一枚の写真を出して敦子に見せた。「この建物を見てください」

「あら。これはあなたの夢に出てきた大使館の建物でしょう」何かが敦子の記憶の重要な部分を刺激した。「じゃ、やっぱり実在の建物だったんですね」

「あなたは見憶《みおぼ》え、ありませんか」

「あるような気がします。でも」写真の中の看板を見て、敦子は驚いた。「乾病院。そうだわ。一度だけ車で前を通りました。だけど粉川さんの夢のようにはっきりと憶えていたわけじゃないわ」

「ところが自分など、昨日はじめてこの病院の前を通ったのです。あまり不思議だから、写真を撮った」粉川はじっと敦子を注視し、くだけた調子をとり戻そうと努めながらゆっくりと言った。「ええと。パプリカ。だとするとだね、これはぼくの夢ではなく、また、君の記憶がぼくの夢、またはコレクターに流れこんだのでもないということになるね」

「ええ。乾さんか小山内さんがつけているDCミニからでしょう」敦子は断言した。

「でも、彼らだって就眠中の筈のあんな時間、おそらくふたり同時にＤＣミニを装着したままで、いったい何を」

「ＤＣミニからの映像がコレクターにあらわれるのなら、逆にあなたの、コレクターによる治療を、彼らがＤＣミニで盗み見することも可能だね」

「あなたの夢に乾さんが出てきたので、わたしが思わず怒鳴りつけたことがあったでしょう」

「うん。すると彼はあの時、非常に驚いた顔をした」

「ＤＣミニにアクセス不能機能がないことはすでに知っていたようですが、あれでわたしのコレクターにもアクセスでき、盗み見だけではなくてジャック・インまでできるってことを知ったと思います。ただしコレクターと同じで、強くジャック・インするためには、彼らだって眠っているか催眠状態にならなければなりません」

「では、今後彼らは、君が自宅で行う治療を邪魔することだってできるわけだ」さすがに能勢が心配して言った。「あくまで夢の中であるにしても、彼らだってジャック・インの訓練はしているんだろう」

「そうよ。でも、そういう時こそ反撃のいい機会です。こちらにだってＤＣミニはあるんだし、催眠状態でのジャック・インならわたしの方が熟練しています。でも反撃するためには、彼らがＤＣミニを使って何をしているのかがわからないと」

「ええと。小山内守雄という人物は、あのマンションの十五階に住んでいますか」天井を向いて考えながら、粉川がややあらたまって訊ねた。

「ええ」

「では自分は一度エレベーターで会っていると思う。非常な好男子だった」

「それがどうかしたのかい」小山内へのこだわりをあやしんで、能勢が粉川に訊ねる。

「自分の最初の夢治療のとき、まったく見知らぬ乾精次郎の顔が夢に大きくあらわれて、自分はびっくりした」

「わたしも驚きました」敦子も言った。「粉川さんが副理事長をご存じだったのかと思って」

「微笑していたね」粉川は意味ありげに敦子を見た。

「ええ。副理事長のあんなになごんだ表情、わたし見たのは初めてです」

「なごんだ表情、か」粉川はちょっと首を傾《かし》げた。「見かたによっては淫蕩《いんとう》な笑み、と、見ることもできる」

「どういうことでしょう」敦子には粉川が何を考えているのかわからなかった。

「二度めの夢治療のときの自分の夢の中で、ベッドで寝ている自分の隣りに、乾精次郎が寝ていた」

「すると、あれは」次第に粉川の考えが敦子にもわかりはじめた。「副理事長と同衾《どうきん》している誰かのつけていたDCミニによる映像だと」

静かに、粉川は言った。「自分は、あのふたりのタイプから考えて、小山内守雄と乾精次郎とは同性愛の関係にあると思う」

「おいおい。本当か」粉川がそんなことを冗談で言う人間でないことを知っているため尚《なお》さら驚き、能勢が眼を丸くした。「気持悪いよ」

「能勢さんは小山内君の美男子ぶり、ご存じないから」敦子は笑った。彼女は粉川の推測を信じはじめていた。「そういえば、いろいろと思いあたることがあります。小山内君の表情、最近副理事長に似てきてるし」

「愛してる者同士、顔が似てくるって言うからね。ええと、そうするとつまり彼らは何かい、DCミニをつけたままで同衾してるってことかい」能勢が暗鬱《あんうつ》な顔つきで言う。幾分悩ましげな顔にも見えた。

それが愛している者同士の行為として極めて官能的なものであることには違いあるまいと、PT機器の実験期間の、自分と時田浩作との間に起ったさまざまな体験を顧みて敦子も思う。それによって同性愛などの秘められた愛情は、より暗い熱情となって昂進《こうしん》することだろう。能勢は自分の夢の中にパプリカがジャック・インしてきた時のエロチックな情感からの類推で、愛しあう者と同じ夢を見、その夢の中で愛しあうことの官能性を思い、つい悩ましげな顔になったのだろう。

「くり返すにつれ、別に同衾していなくてもアナフィラキシーによって、遠隔地点からでも互いの夢の中へ侵入できるようになるでしょうね」ふたりに敦子はアナフィラキシー、つまり免疫《めんえき》過敏性の解説をした。

「ははあ。ぼくのクラゲ・アレルギーみたいなものだな」と、能勢が言った。「学生時代に海でクラゲに刺された。以後、近くにクラゲがいるだけでアレルギーが起る。最近では中華料理のクラゲも食えない」

「それがアナフィラキシーです」

「ええと、最初DCミニは六個あったと」粉川が確認する。「ひとつはあなたが持っていた。ひとつは氷室が頭へ吸収した。すると連中が持っているのは、残りの四個だね」

「あともうふたつ、こっちにあればなあ」能勢が言った。「ぼくや粉川が装着したまま眠って、彼らと戦っている君の夢の中へ侵入して、君を助けることができるんだが」

「おふたりにそんな危険なことをさせるわけには参りません」敦子は驚いて言う。「お気持は嬉《うれ》しいけど」

「われわれ素人《しろうと》にそんなこと、できるわけないだろう」粉川が憮然《ぶぜん》とした。

「しかしだね。乾や小山内はすでに、君がパプリカから夢探偵されているのを、DCミニでもって、おそらくは横から観察してるんだぜ」

「そうだろうけど」

「だとすると、君が警察の上級幹部職員だということもわかっている筈だ。君が連中の夢の中へ逆襲的に登場するのは、彼らへの大いなる牽制《けんせい》にならないかね」

「ほんの一瞬なら危険ではないし、それは彼らのすでに犯している人格破壊というあきらかな犯罪や、それから、彼らがこれからしようと企《たくら》んでいることに対して効果的かもしれないわ」敦子は能勢の着想に感心した。「いつか、助けていただくことになるかもしれません」

「そういうことなら、いつでも」粉川は頷いた。「本来なら手っとり早く、警察沙汰《ざた》にして彼らからＤＣミニを没収したいところだがね、そうもいかんのが残念だ」

「そんなことをしたら大騒ぎになってしまうよ」能勢もやや歯痒《はがゆ》げに言った。「社会的混乱は避けられない。君にはくれぐれも、警察沙汰とは無縁にしてもらいたい。なんとかわれわれだけで解決しなきゃあ」

「わかっている。しかし」粉川は敦子を睨《にら》むように見た。「自分の腹心の配下だけは、起用させていただきたい。島寅太郎所長、及び時田浩作氏の警護にあたらせます」

「ああ。それはしかたないだろうなあ」能勢は敦子にうなずきかけた。「それは許してやったらどうかね。君だっていつまでもあのふたりを部屋に置いとくわけにはいかんだろうし、安心して外出もできないぜ」

粉川が島や時田だけでなく、自分の警護もさせる気でいることは敦子にもわかったし、能勢もそうと悟ったに違いなかった。

「ありがとうございます。では、そのご親切はお受けします」敦子は一礼したが、他人行儀に過ぎたことを感じてすぐくだけた調子に戻る。「だけど、ここ二、三日はあのままでいいわ。あのふたり、治療しなきゃ」

「でも、今夜ぐらいはゆっくり寝たらどうだい、パプリカ」能勢が心配した。「眼の下に隈《くま》ができてるよ」

「眼の下の隈なんかを心配してはいられないわ」敦子は笑った。「でも、ご忠告に従って今夜は休ませていただきます。明日の昼間の治療なら、敵に邪魔されることもないでしょうから」

「それがいい」粉川もほっとしたようにうなずいた。

「ところでパプリカ。君は評議員七十人の名簿を持っているかい」

能勢がそう訊《たず》ね、そうだった、というように粉川も敦子を注視した。

「部屋に戻れば、お渡しできますが」

「ではいったん、君の部屋に戻ろう」能勢がせっかちに立ちあがった。「理事の石中氏は知っている。評議員の中にも六人、知っている人がいるが、名簿を見ればもっといるかも知れない。この粉川の知人もいるだろう」

「ああ。もちろん、いるだろうな」粉川も立ちあがった。

「ふたりでそれを拾い出して工作にかかる。こっちは今夜から行動開始だ」

4

その翌日の午後から始めた治療によって、島寅太郎は急速に回復へ向っていた。軽く夕食をとり、島や時田浩作にも食べさせたあと、眠りに落ちた島の夢の中へ、敦子も半睡眠状態になり、パプリカとしてジャック・インしたのだった。以前、パプリカから治療を受けた記憶は島の中に、懐《なつ》かしさを伴って強く刻印されている筈《はず》だった。乾精次郎や小山内守雄が治療を観察、または邪魔しに入ってきた時のために、彼女はDCミニを装着していた。尖端《せんたん》に少量の接着剤を塗り、頭皮にくっつけているだけだった。結果としてはコレクターによる治療にDCミニを併用することになる。

津村が投射されたのと同じ分裂病患者の夢内容は島の中で、彼自身の無意識と混りあっていたが、独裁者への敬礼が象徴する父親への服従や同一化はもともと彼にはないものであり、すでに駆逐されていた。あとは島に夢の中でできるだけ多くを語らせることが必要だった。彼によって語られるのがたとえ妄想であったとしても、自分自身の妄想を語ることによって彼は、失われた自我をとり戻すだろう。

島寅太郎は今、彼の夢の中で大学の学生食堂に来ていた。あれえ。大学の食堂だ、と、パプリカも思う。現実の敦子がパプリカに扮装《ふんそう》しているわけではなかったが、パプリカの人格になりさえすれば、ジャック・インした夢主もそれをパプリカと認めてくれる。

実際の学生食堂は、敦子の在学中に改装されて、より明るく、広くなっていたが、島の夢にあらわれたのは以前の、狭くて暗い時代の学生食堂だ。そして島自身はまだ学生の身分であるらしい。彼は金がないのか、一種の脅《おび》えとともに廊下との間仕切りのスクリーンの裂け目から中を覗《のぞ》きこんでいる。さっきの夕食ではあまり食べなかったためか、すでに空腹らしい。いや。単に慢性飢餓状態だった学生時代の内臓記憶なのだろうか。

食堂では学生に混って理事の大和田が食事をしていた。大和田もまた、学生であるようだったが、彼の母校がここではないことをパプリカは知っている。島は彼の存在に脅えてもいて、だから食堂に入って行けないのかもしれなかった。

「すみません。すみません」

島が大声で叫び出す。しかしその声は大和田の耳に届かないようだ。

不安神経症が再発しては厄介なことになるから、パプリカは、大和田に代表される理事たちへの島の罪悪感を忘れさせようとし、テーブルのひとつに掛けて廊下の島を手招きする。「島君。謝らなくてもいいのよ。ここへ来ない」

「間《あいだ》への喧嘩《けんか》です」パプリカの前に掛けた島が、弁解するように言う。「ちょうど、そんなことはできないようになっているんだね。君は女のひとのようだから」

「そうよ」パプリカはにこやかに相槌《あいづち》をうった。「あなたはわたしじゃないのよ」

パプリカとの同一化ができないことを認めはじめながらも、彼は自分とパプリカとの境界に居続けることに固執していた。島の言いかたで言うなら「間」への嗜癖《しへき》と「喧嘩」している状態なのだろう。DCミニを併用しているためか島の夢中の思考はそれなりに明確に読めたし、視覚的にも明瞭《めいりよう》さが加わり、周辺のぼやけ加減も含めて視野も広かった。

「わがもの顔で開始したんだ。魔物が台所にいて」劇場の客席。二階の片隅で島はパプリカに身を寄せ、恐ろしげにつぶやく。

「心配ないったら。で、そこには他にも誰かがいるの」

「パプリカ」刺激性の強い彼女の質問に、やっとパプリカという名を思い出し、島は今までの彼女への恋情を思い出す。「ああ。パプリカ。ジュースの空き瓶を置いて君が帰ってしまってから、ぼくが坊主《ぼうず》になったので君は怒っていた。時田君は出征して勇ましかったので、君はいなくなったんだ。だけど目白の家はまだ沈んではいない」

島のお喋《しやべ》りを聞きながら、この島寅太郎の夢独特のムードの中に何やら異質なものの気配を感じ、パプリカは眼を舞台に転じた。舞台中央に法衣のようなものを纏《まと》って乾精次郎が立っていた。祭壇があらわれ、照明は燭台《しよくだい》の上に立つ何百本もの蠟燭《ろうそく》のみ。そこはいつか礼拝堂の内部の様相を呈していた。観客がすべて、いっせいに起立した。島がまた脅えた声で叫ぶ。

「すみません。すみません」

乾精次郎の夢がまぎれこんできている。パプリカはそう悟った。あるいは島の治療を邪魔しようとしてのことだろうか。どちらにしろ島が怖がっている以上、島の夢とは遮断しなければならない。パプリカは乾の夢に自分だけが残り、彼と対決することにした。この機会を待ってもいたのだ。

半睡眠状態ながら、パプリカの慣れた指はひとりでにキイを叩《たた》き、ゴルゴネスから流れこんでくる島からの接続を断った。あと、島にはひとりで自分の夢を見続けさせるほかない。

礼拝堂の中にはまったく荘厳《そうごん》さのない、淫蕩《いんとう》にさえ思える曲が流れ、乾精次郎は何やら世を呪《のろ》うかの如《ごと》き弁舌で聴衆を煽動《せんどう》し続けている。パプリカが、今は回廊となった二階から大声でやめろという意味の声を発すると、いったん驚いて彼女を見あげた乾精次郎が、すぐさまにやり、と侮蔑《ぶべつ》の笑みを浮かべ、まっすぐ彼女を指さしてさらに弾劾《だんがい》のことばを並べ立てる。

「科学の◎★◇……でありながら……■☆女の……恐れを知らぬ◆○！」

何を言おうとしているか、乾精次郎の夢の思考を感知できるパプリカにわからぬわけはないのだ。彼のいつもの持論だった。彼女は腹を立てた。これが自分の夢であれば、宙を飛翔《ひしよう》してたちまち壇上の乾のところまで殴りかかりに行けるのだが、あいにく乾の夢の中であり、乾の抵抗でそれは不可能かもしれない。自分の夢を見るためにはさらに深い睡眠に入らねばならないが、それでは意志の通りに行動できない弱点が生じてしまう。パプリカはしかたなく、階段を降りて祭壇へ近づくことにした。

まどろっこしく曲りくねった階段を駈《か》け降りたもののなかなか祭壇にはたどりつけず、廊下だの、ホテルのロビーだの、商店街だのを通り抜けたりするうち、ついには美容サロンらしき店の中に出てしまった。乾が自分を近づけまいとしているのか、自分の中に乾へ近づきたくない気持があるからなのかとパプリカは考える。この場合はどちらでもない筈だ、と、パプリカは判断した。

乾精次郎と直接対決する前にすることがあるという意味だったのだ。鏡に向かい、頭にカーラーをいっぱい巻いて椅子《いす》に掛けていた小山内守雄が振り返る。乾の援護に出てきたのだろう。そう。先にこの男と会わねばならなかった。

「千葉敦子、じゃ、ないのか」パプリカの姿が小山内の眼に映っている。彼は警戒しながらパプリカを観察した。「ああ。やっぱり千葉敦子だな」

「どうしてわかったの」

「プワゾンの香りだよ。なぜそんな小娘の恰好《かつこう》をしてるんだ。ははあ。パプリカなのか。わかったぞ。君は今、パプリカになっているんだ」

見ていると、同衾《どうきん》して夢を見ているわけでもないのに。それともDCミニを装着して同じ夢を見ている者同士は、同衾と変りなく、互いの体臭まで嗅ぎ分けられるのだろうか。半睡眠の思考の中で、そんなことをパプリカは思う。あり得ないことをそうは思わなくなっていた。睡眠が深くなりつつあるのかもしれなかったし、それは小山内の企《たくら》みなのかもしれなかった。

危険を感じ、パプリカは大きく笑って逆襲に出た。「パプリカだよ。若いから無茶するぞ」

えっ、と、小山内は今聞いたパプリカのことばからの衝撃を分析する。自分はなぜ驚いたのか。危険だから。その通り。なぜ危険なのだ。この女の自信。それにアクセスは双方向からのようだ。まさか。DCミニをつけているのでは。

「DCミニは全部あなたが持っているんでしょう」

しかし、やはりDCミニをつけている小山内に、パプリカの思考は読まれてしまったようだ。コレクターだけで一方的に観察するのとはわけが違う、DCミニに慣れぬままの対決だった。慣れている時間がなかったのだ。

小山内はあきらかにうろたえていた。彼は立ちあがって逃げようとした。ちくしょう。この女、DCミニをつけていやがる。どこにあったのだ。

「逃がさないわよ」パプリカは小山内に彼の眠りを深めさせようと、暗示的に笑う。

「あなたの夢の中で、たとえあなたがどこへ逃げたって、わたしは追えるんだってこと忘れないで」

手近にある化粧品の白いプラスチック瓶を投げつけてきた小山内の思考を読み、彼がとりあえず覚醒《かくせい》するつもりでいることをパプリカは知る。今、覚醒させては新たな作戦を模索させることになる。そうはさせまいとパプリカは、論理を無視した女の執着を利用するのはこの時とばかり彼の覚醒への意志にしがみつく。

「おれはもう眼が醒《さ》めている」悲鳴まじりに小山内が叫んでいた。

同じマンションの十五階、そこは小山内の部屋だ。PT機器の置かれた寝室。そのベッドの上でパプリカはパジャマ姿の小山内に武者振りついていた。

「なんでここまで追ってくるんだ」恐怖の叫びを小山内はあげている。「覚醒してるんだぞ。もう夢の中じゃないんだぞ」

現実に戻っているわけはなかった。現実の彼女は敦子のままだが、まるで不良娘がふざけ散らしているように小山内に抱きついている今、彼女はあいかわらずパプリカのままだった。以前犯されそうになった時のこの男の口臭とまったく同じ臭いを知覚できるのが不思議だった。

「あなたが眼醒めたと思ってるだけよ。夢から眼醒めたという夢を見ているのよ」

パプリカは笑いながら小山内の頭に手をのばす。夢の中とわかっていても、小山内の頭部のＤＣミニを奪わずにはいられない。「これ、寄越しなさい。没収します」粘着テープで貼《は》られているらしいＤＣミニの固体感が掌《てのひら》の中にあった。小山内の頭髪も摑《つか》んでいるようだが、どうせ夢の中でのことだ。パプリカは力まかせにもぎ取る。

「痛い痛い痛い。そんなことしたって」小山内が叫ぶ。「自分で夢だと言ったくせに」

苦痛のあまり、小山内はパプリカを突きとばした。何かで腰骨を打ち、パプリカは敦子として眼醒めた。

ＰＴ機器の前にいた。右側の診療台としてのベッドには島寅太郎、左側の敦子のベッドには時田浩作が寝ている。部屋は暗く、モニター画面の明りが唯一《ゆいいつ》の光源だ。

腰が痛んでいた。実際の腰の痛みが突きとばされた痛みとなって覚醒を促したのだろうと思いながら、ふと握りしめている右手を見た。指の間に毛髪がはさまっていた。

こぶしを開き、敦子は息をのんだ。島と時田が横で寝ていなければ、悲鳴をあげていただろう。彼女はＤＣミニを握っていた。粘着テープと若干の頭髪。小山内の装着していたＤＣミニだった。「持って帰ってきた」敦子は大きく顫《ふる》えながら言った。「持って帰ってきたんだわ」夢の中から。現実へ。

5

「恐ろしいことが起ったの」

翌朝、電話をしてきた能勢龍夫に敦子は、彼の用件を聞くより早くそう言った。

夢の中からものを持ち帰ったなどという気色の悪い非現実的な話を、それでも能勢はすぐ信じたようだ。彼は大きく唸《うな》ってから一応念を押した。「パプリカ。それは本当に、君が持っていたDCミニではないんだね」

「わたしのは頭につけていたわ。だから今、手もとにはDCミニがふたつあるの」

「由由しきことだ」ことの重大さを認め、能勢は慎重な口調になった。「パプリカ。小山内守雄の様子を見て、確認することはできないか。実際に彼から奪ったものなのかどうかを」

「その必要があります」敦子も頷《うなず》いた。「今日、これから研究所へ行って小山内君に会おうと思います」

研究室には、私物はともかく、未発送のままの製本した論文のコピーや書きかけの論文などを置いている。

「研究所。四面楚歌《しめんそか》だぞ」能勢は大胆な敦子の身を案じて痛ましげに声をひそめた。

「君はつらい目に会う」

「子供じゃないわ」敦子は笑う。「それに、優位に立ったのはこちらなんだから。だってDCミニを奪ったんだもの。あっちの方がもっと仰天してるわ」

「気をつけて」

「大丈夫よ。ありがとう。それより、ご用件は何だったの」

「君たちや乾精次郎以外の理事三人に声をかけた。石中氏を知っていたので、君に会って君の話を聞いてやってほしいと頼んだんだ。君は彼らにすべてを話す方がいいと思う。粉川も同意見だ。石中氏は、ためらいながらではあるが了承してくれた。大和田氏と堀《ほっ》田《た》頭取には石中氏から声をかけてもらった」

「大和田さんは味方だけど」

「そう。大和田氏も了承した」

「堀田さんは」

「堀田氏は断ったそうだ。争いごとの言い分は双方から同時に聞かねばと言ったそうだ。まあ、公平な考えかたではあるが」

「何が公平なものですか」敦子は二週間前の理事会を思い出して憤然とした。「あっちの味方なのよ」

「とりあえず、ふたりに会ってほしい。今日の夕方はどうかね。ぼくや粉川も立ち会うつもりだが」

粉川利美が来れば大和田も石中も、確実に事態の重大さを認識する筈《はず》だった。

「じゃ、夕方四時に。ここへいらしてください」

「島君や時田さんの容態はどうなの」

「島さんはとてもよくなったわ。時田さんの治療は今夜から本格的に」

「じゃ、島君を自分の住まいに戻らせよう。粉川に連絡して護衛をつけさせる。彼がいつまでもそこにいたのじゃ、君も大変だろうから」

「ええ。そうしてくだされば助かるわ」

「君の部屋にも時田さんのための護衛を配備してもらおう。君は護衛が来るまで、研究所に出かけるのを待ってほしい」

「わかりました」

一時間後、粉川が菊村警視正と山路警視、それに警部ふたりをつれてやってきた。粉川は敦子に四人を紹介した。警部のひとりは阪という叩《たた》きあげのヴェテランで、西郷隆盛に似た色黒の中年男性。宇部警部は阪よりだいぶ若く、エリート組と思える頭のよさそうな青年だった。

「この四人には」と、粉川警視監は部下たちを指して言った。「何ごとでもご相談下さっていい。腹心の配下だから」

コーヒーを振舞ったりしながら敦子は彼らとしばらく相談をした。山路警視と阪警部が島の住まいで彼を護衛し、菊村警視正と宇部警部が敦子の住まいで警備にあたることになった。ただし菊村警視正と山路警視は本来の業務でしばしば警視庁に戻らねばならず、いわば交代要員といった立場である。

島寅太郎を自室に戻してから、敦子は粉川と菊村の同乗する警視庁の車で研究所まで送ってもらうことになった。警視庁の車で敦子が出勤したとわかれば研究所も病院も大騒ぎになると思えたが、さいわい警視庁幹部の乗る車はパトカーではなかった。

職員の車以外は病院の玄関前までしか入れないため、車をおりた敦子は受付前待合所を通らなければならなかった。敦子を見て凝然とし、眼を丸くし、立ちすくんだりもする、そこに居あわせた医者や看護婦、医局員や事務員にことさらにこやかに挨拶《あいさつ》し、手を振ったりしながら敦子は研究所の建物に入り、自分の研究室に向かう。

研究室には橋本がいた。

「橋本君。勝手にひとの研究室へ入って何してるの」

敦子の書類を抽出《ひきだ》しから出して机に積みあげ、その一部を盗み読んだりしている橋本に敦子は眼をいからせた。しかし橋本は、できる限りのいやがらせを命じられてでもいるのか、うす笑いを浮かべて答える。

「ここ、今日からぼくの研究室になったんだよ」

「そんな話、わたしは聞いていないわ」橋本の手から自分の論文をひったくる。「こういうの、犯罪行為じゃないの」

「君が無断欠勤するからいけないんだ。文句があるんだったら副理事長に言ってほしいなあ」彼はさらに敦子の私物を机の上に置き、ひとまとめにしようとしはじめた。「これ、持って帰ってね」持ちこんできた自分のものは椅子の上に置いていた。

「そういうこと、やめた方がいいように思うんだけど」

「君のいる場所、もうないんだよ。情勢が変ったの」楽しんでいた。

「そう。じゃ、警察に電話しましょうね」敦子は受話器をとりあげる。

たちまちいつもの気弱さを見せ、橋本は鼻声を出した。「あーん。わかったよ。わかったよ。とりあえず退散します。はい。退散します」苦笑し、ふざけて女性的に身をくねらせる。「うん。怖いんだから。もう」

「おやおや。まるで今までしてたことは冗談だったたって言いたいみたいね」敦子は笑い返した。「それじゃすまないのよ」

敦子は橋本の持ちこんできた書類の重いひと束をとりあげ、開いたままのドアから廊下の床へ力まかせに叩きつけた。

半時間ほどのち、敦子が論文を整理しているところへ、彼女が出勤したことを橋本から教えられたらしく、小山内が入ってきた。

「千葉さん」

「ああら。小山内君。昨夜はどうも失礼」

彼が来たらまっ先に言おうと準備していた科白《せりふ》だった。先制攻撃を受けて小山内の眼球は惑乱の激しい動きを見せる。やはりＤＣミニは夢で彼から奪ったのだったことを敦子は確信する。

「君はＤＣミニにあんな危険な機能があること、知ってたのか」

体勢を立てなおして睨《にら》みつけてきた小山内を睨み返し、敦子は攻勢を保つため知っていたことにする。「何を。危険な機能はいっぱいあるけど、あなたが言うのは現実から夢を経て、ＤＣミニを別の場所へ移動させられるってことかしら」

「現実じゃない。夢だ。夢からだ」なぜか小山内は瞬間狂気に見舞われたかのように叫んだ。

「だって、あなたはあの時、眼醒めていたんでしょう」

「違う。あの時君が言ったように、眼醒めていると思っていただけだ。あのあとで、ぼくはもう一度、今度は本当に眼醒めたんだ」彼は抜けた頭髪の量を気にしてか、ほとんど無意識ながら頭に手をやる。「ＤＣミニは君に奪われていた」

では、現実から自分の夢を経て持ち帰ったのではなかったのだ。現実から小山内の夢と自分の夢を経て現実に持ち帰ったのだった。そしてさらに敦子は、今、小山内が漏らした別のことばを気にしていた。何が気になるのかわからなかった。

「他にも、まだわれわれの知らない機能があるのか。あるのなら早くわれわれに言っといた方がいい。そしてあんな危険なものは、高い隔離レベルの下で機密を保持してだね、厳重に管理すべきだ。君の持っているDCミニも全部われわれに」

「さっきから、われわれ、われわれって言ってるのは、あなたがた仲のいい同性愛のお仲間のことなのね」敦子は笑いながら逆襲に出た。「そのお仲間、もうご出勤かしら。お話ししたいことがあるんだけど」

小山内は少し顔を赤らめたが、乾精次郎との関係を知られていることは想像できていたらしく、すぐ攻撃に移る。「ほうら。君なんかに持たせておくと、そういうふうにすぐ悪用してひとの秘密を覗《のぞ》く。乾さんは今日は来ないけど、とにかくあれは返しなさい。どんな危険な物質か、君にはまだ認識できていない。DCミニそのものだけではなく、他の物質まで夢の中から持ち帰ることができる機能なんてものがあったら大変だぞ」

まさか、と、敦子は思う。それだと夢にしか存在しない非現実的なものまで持ち帰り得るということではないか。だが敦子は何も言わなかった。彼らが実験の段階で何か発見したのかもしれず、敦子がそれを知っているかどうかを試しているのかもしれなかったからだ。

「何かお間違いのようですね。DCミニを返して戴《いただ》きたいのはこちらですよ」敦子はよそよそしく言う。「あれは同性愛者のお遊びの道具ではありません。さあさあ。返す気がないのなら出ていって頂戴《ちょうだい》。わたし、すごく忙しいの」

小山内もただでは引きさがらなかった。彼はドアの前で振り返り、にっこり笑う。

「研究所の方針が変って、君のいる場はなくなった。いずれ通告が行くと思うよ」

6

「つまりだな。DCミニが、DCミニ自身の持っている機能、または装着している人間の潜在的な精神力のエネルギーでもって、いったん原子とか分子とかのレベルに分解され、同様にしてDCミニを装着した別の人間のところで、ほぼ同時に再合成されたということかい」能勢龍夫がそう言った。「つまり、SFやなんかに出てくる物質の転送と同じ理屈で」

「そうとしか考えられません」敦子も、物質の転送に関してはジョルジュ・ランジュランというSF作家の原作だという『蠅《はえ》』なる映画を見ただけの経験だが、頷くしかない。「PT機器などができる以前なら、何を馬鹿《ばか》なと笑いとばしていたところだが」大和田が唸って言う。「時田浩作氏なら何を作っても不思議はないという気がする」

「いいえ。この機能は偶然、副作用のようにできたのだと思います」敦子は言う。「治療とは関係ありませんもの」

「それにしても、あまりにも現実ばなれを。そ、そう。文字どおり現実ばなれした話です」石中が額の汗を拭《ぬぐ》った。それから詠嘆した。「しかし、これは信じないわけにはいかんのでしょうなあ。これは、やはりその、現実なんでしょうからなあ」

部屋にいるのはほかに粉川利美、そして警備の菊村警視正、山路警視、宇部警部で、阪警部だけは島寅太郎所長の部屋で護衛にあたっている。呼ばれてやってきたふたりの理事は多くの警察幹部の同席に、すぐただごとではない事態と知り、敦子の詳細にわたる状況説明をいちいち心臓が撥《は》ねあがる思いで熱心に聞き入った。

「するとこれはもう、研究所だけの問題ではないじゃありませんか」良識豊かな日本内科学会会長の大和田は、警察幹部連の同席をやっと納得した顔で言った。

「そうですが、しかしおおやけにできる問題でもないのです」と、粉川が言う。「それが副理事長たちのつけ目でもあるのです」

「あのう。政府レベルのその、何には」やっと政府ということばが石中の口から出た。

「自分は、これはあくまでわれわれだけで処理しなければならない事件だと思っております」決然として、粉川は言った。

石中とて頭が悪いのではなく、秘密裡《り》の解決が望ましいことはただちに納得できたようだった。しかし今や怯《おび》えの色あからさまである。「では、皆さんはその、われわれにどうしろと」

「それがこれからのご相談になります」と、能勢が言った。

善後策の話しあいが始まった。それは約四時間に及び、終った時には夜の八時になっていた。さほど重要な決定があったわけではない。事態がどう変るかわからないためもあって、理事会に臨むさしあたっての方針が決ったただけだった。自分たちの地位を固めるため乾精次郎が早急に理事会を開こうと呼びかけてくることは確かなので、島と時田の病気による不在を理由に開会には反対するということが申しあわされただけだった。あと、できる限り多くの有力評議員に事情説明を行い力添えを乞《こ》うことも打ちあわせたが、これは真相を話すことができぬ以上大きな成果は期待できない。

大和田が時田を内科的に診察し、さらに島を診察するため山路警視に案内されて同じ階にある島の住まいへ行き、仕事上のつきあいもある能勢と石中がレストランでの夕食に去った。そのあと粉川、菊村の両幹部が警視庁に戻り、宇部警部はすぐ戻りますと言い置いて近くへ食事に出る。

敦子はスパゲッティを茹《ゆ》でて、シーフードの缶詰を開け、胡麻油《ごまあぶら》で妙《いた》めながら混ぜあわせた。阪、宇部両警部の夜食用にもと、多いめに作る。スパゲッティ用のシーフードの缶詰は能勢龍夫が、これから自宅での食事が多くなる筈《はず》の敦子のため、知りあいのホテルの料理長に特別に作らせたもので、さっき彼から大量に貰《もら》ったばかりだった。スパゲッティと冷したポタージュ・スープだけの簡単な夕食を終えた時、宇部警部が戻ってきた。

「これから、時田さんの治療をなさるのですか」敦子からコーヒーの相伴にあずかりながら、若者らしいきっぱりとした眼を向けて宇部警部が訊《たず》ねる。

「そうです。あなたにいて戴いて助かりますわ。だって治療中はわたし、半睡眠状態でジャック・インしていますから、まったく無防備なんですものね」

「半睡眠状態」宇部警部は不思議そうに質問した。「意図的にそういう状態になれるものなんですか」

「訓練によってです。それに他人の夢だろうと、夢自身が催眠性を持っていますから」

「では、眠ろうとする意志があればどこでも眠れて、眼醒《めざ》めようとすればいつでも眼醒めることができるんですか」宇部は羨《うらや》ましげに言った。「いいなあ。警察官なら張込みの時、仮眠が自由にとれる」

敦子は笑った。「いいえ。やはり自分の眠りにはなかなか入れない時だってあるんですのよ」

「ジャック・インしているさなかに、いつの間にか熟睡してしまう、なんてことはないんですか」

「それは非常に危険なことです。だから熟練が必要なんです。患者の夢の中で理性が朦《もう》朧《ろう》としてきて分析できなくなったら、すぐ覚醒《かくせい》しなければなりません。あっ、でもDCミニの場合」

説明している途中で敦子は昼間から気になっていたことが何だったのかを思い出し、

絶句した。DCミニは睡眠を深めるのではないだろうか。昨夜、半睡眠の思考の中で、睡眠が深まっていくような危機感にちらと襲われたし、相当に熟練している筈の小山内でさえ覚醒しようとしてすぐにできず、一般に知られた、覚醒した夢だけを見て覚醒したと信じるあの夢を見たのではなかったか。それがアナフィラキシー効果から派生した副作用だとすると、DCミニを長時間使用することは極めて危険だということになる。もしそうだとして、乾や小山内たちはそのことに気づいているのだろうか。

「どうかなさいましたか」考えこんだ敦子に宇部警部が訊ねた。

「いいえ」敦子はあわててかぶりを振った。まだ疑念があるだけだ。話すにしても確認してからでなければならないだろう。

寝室に入る。時田浩作は昏昏《こんこん》と眠り続けていた。食事は、さっきの会議が始まる直前に中華粥《がゆ》を食べさせていた。一日二回の食事で少しは痩《や》せてくれるかもしれなかったが、何ぶん肥《ふと》り癖がついているから、運動不足でかえって肥る心配もあった。ゴルゴネスを被《かぶ》せるついでに、彼の世話で触発された母性愛が愛情に重なってつい彼の頬にキスしてしまったりしながら、敦子は浩作の治療にとりかかった。DCミニの装着も忘れなかった。

浩作がいつも見る夢内容は熟知していた。しかし彼が投射されている同じ「おたく族」としての氷室の夢内容とは弁別が難しく、しかたがないので敦子は氷室のものとはっきりわかる断片のひとつひとつを、丹念にとり除いていくしかなかった。日本人形が出てくれば、それを浩作が執着している工作機械に置き換え、幼稚なテレビ・ゲームが登場すればPT機器に置き換えた。さいわい浩作は甘いものが嫌いだったので、砂糖菓子やチョコ・バーが出てくれば浩作の好きな茄子《なす》の鴫《しぎ》焼きや焼魚などで代替し、すぐとり除くことができた。浩作の夢の中で、ひと仕事終えた、と敦子は感じた。もう深夜の十二時をまわっているだろうか。

今、浩作はやっとふだんの自分の夢に戻ったようだった。浩作と敦子は建物の三階の窓から、地上の広い操車場を見おろしていた。そこにはさまざまなタイプの機関車がいて、中の一台、あの、特に凶悪な顔をした敦子も馴染《なじ》みのディーゼル機関車は以前から浩作に反感を抱いていて、いつも彼を執念深く追いかけてくるのだ。

「あいつ、またいるわよ。あそこに」

敦子がくすくす笑いながら指さすと、浩作は怯えて「ふうん」というなさけない声を出す。浩作にとってそのディーゼル機関車の存在は笑いごとでなく、いつも夢では狂気に近づくほどの恐怖を煽《あお》られるのだ。しかしその恐怖はあくまで浩作自身の恐怖であり、恐怖すればするほど浩作自身の自我は強まるのである。

ディーゼル機関車がうわ眼遣いに浩作を睨みつけながらレールを無視し、平行して走る他の軌条をななめに突っ切り、建物の下まで驀進《ばくしん》してきた。

「こんな高いところにいるのだから大丈夫よね」

　敦子がそう言った。それは浩作自身の考えでもあるのだが、その考え通りにことが運ばないであろうことは彼も予想し、敦子も知っていた。

　案の定だ。ディーゼル機関車は建物の外壁をよじ登ってきた。

「うーん」と唸《うな》って、浩作が心で悲鳴をあげる。

「あらあら。来ちゃったわね。さ。逃げましょう」敦子は浩作の手を引き、建物の内部へ走り出す。「振り返らないでね」

　振り返ったりすれば、窓から入ってくる機関車を確認してしまうことになる。

「でも、やっぱり、振り返ってしまうんだなあ」切羽詰まったため、浩作がやっとことばを発した。敦子が傍にいる心強さも手伝っているのだろう。いい兆候だった。

　ふたりが振り返ると、そこはひろびろとうち広げたヨーロッパ風の草原であり、ふたりが立っているのは山荘のテラス。そして手摺《てす》りの手前のベンチには乾精次郎と小山内守雄が並んで腰掛けていた。

「あ。時田君じゃないのか」小山内がにやりとして立ちあがる。「今夜は島さんじゃないんだね」「また邪魔しに出てきたわね」咄嗟《とっさ》に敦子はパプリカとなり、背後の浩作を護《まも》る姿勢になる。なんといってもパプリカは攻撃に適したキャラクターなのだ。

　一方でパプリカは、ほんの瞬間だが、彼らが背にしている景色の異様さを意識した。

草原には点点と黒い物体が転がっている。日用雑貨のようであり、それらが次第に近づいてくるようにも見えた。何だろう。患者の誰かの夢で見た光景なのだが。

「どっちが邪魔してるんだか」

そう言って小山内が苦笑した時、乾精次郎はゆっくりと立ちあがった。何やらいかめしい法曹界の制服のようなものを身に纏《まと》い、彼は教壇の上から浩作と敦子を見おろした。その様子はたしかにふたりにとって威圧的だった。なんといっても乾は彼らが卒業した大学の教授のひとりだったのだから。しかし乾が説教口調で喋《しゃべ》り出したその内容は、彼がほとんど睡眠状態にあるためか、まことに陳腐なものだ。

「人類の、全体の幸福のために使用されるべき☆■◎●ではないか。せっかくの□★なのだから、夢の中でつながっている人類全体の集合的無意識によって、皆が皆を理解できるような方法の発見に努めるべきでだね」

「あらあら。ユングなの乾先生」パプリカが挑発する。「古いわねえ」

怒りで乾の顔が尖《とが》った。少し覚醒に近づいたようでもある。眼をいからせて、彼は咆《ほう》哮《こう》した。「黙れ黙れ。このスケ番。不良娘」

広い講堂の高い天井が、ボール紙細工のようにくしゃっ、と崩れた。浩作が悲鳴をあげた。天井の一角の破れ目から覗《のぞ》きこんでいるのは、アド・バルーンほどの大きさの巨大な日本人形の顔だった。無気味にくすんだ白い顔に無表情な黒い眼。浩作はわあん、と子供のように泣きはじめる。

氷室の夢はすでに取り除かれているのだから、この日本人形の出現は、快方に向っている浩作の病状をふたたび悪化させようとしての、乾と小山内による陰謀に違いなかった。敦子の指がキイを叩《たた》いて浩作の夢をコレクターから遮断し、同時にパプリカが怒鳴る。

「やっぱり邪魔してるんじゃないの」

だが、乾も小山内も停止画像のようにその表情と動きを固着させた。恐怖にすくみあがっているようでもある。急な場面転換に驚いているのかもしれない。その荒涼たる風景。周囲は荒廃した団地だった。汚物の入った青いビニール製のバケツが道路にころがっている。ひと気がなく、空気も色彩もすべて陰鬱《いんうつ》で、建物の窓ガラスはほとんど破れ、そのひとつひとつから日本人形が青白い顔を出し、両手を真横に拡《ひろ》げて陽気に笑っている。団地中央の空地に座った十メートルもの高さの大仏が、やはり笑いながらこくり、こくりと頷《うなず》いている。

「これは、おれたちが再生しているんじゃない」小山内が身もだえていた。「乾さん。早く眼醒めないと」

病院にいる氷室の夢がそのまま、直接こちらに流れこんできているのだとパプリカは悟った。それは乾や小山内の装着しているDCミニにも、同じように直接流れこんでいる筈だった。パプリカは恐ろしさに顫《ふる》えながら叫ぶ。

「早く覚醒しないと。わたしたち、みんな変になっちまうわよ」

自分も覚醒しようと努めてパプリカは覚醒時の意識をとり戻そうとした。覚醒は困難だった。人格が荒廃したあとの氷室の夢の恐ろしさは彼女も窺《うかが》い見て知っていた。見続ければ精神分裂に到《いた》ることは確実だった。

アナフィラキシー効果。DCミニを頭部に吸収してしまった氷室がのべつ発信し続けている分裂病患者の悪夢は、病院にいる氷室からの発信が次第に強くなったのか、パプリカや乾、小山内たちの受信範囲が徐徐に広がっていったのか、ついに五キロも離れたDCミニへ、凶《まが》まがしくも精神の破壊力に満ちたイメージをたっぷり含ませて飛びこんできたのだった。

7

「千葉先生。千葉先生」

うす闇《やみ》の中で敦子のからだを誰かが揺すっている。敦子は呻《うめ》き、身をよじらせ、眠りの中から分厚いビニールの膜か何かをはがすような苦労をして、やっと自分の寝室に戻ってきた。

「ひどく苦しんでおいででしたので」と、宇部警部が気遣わしげに言った。「お起ししてよいのかどうか、わからなかったのですが、あまりにもその」

呻き声がリビング・ルームの、それも窓際《まどぎわ》の、彼が寝ているソファのところにまで届いたらしい。自己催眠の状態から自由に覚醒できることを自慢げに話したばかりなので具合が悪く、敦子は椅子《いす》の上で身をすくめ、かぼそい声で礼を言う。「いいえ。助かりましたわ」

それからすぐ、ただならぬ事態にあることを思い出して彼女は言った。「大変です。病院にいる氷室君の夢が、こちらに流れこんできています。彼は重症ですから、DCミニを使った人が全員、影響を受けることになります」

それがどのような夢であったか、記録を再生した映像で宇部警部に見せると、彼はその破壊的なイメージの洪水に驚き、すぐに重大性を悟った。「DCミニは、彼らの手もとにあと三個あるのでしたね」

「ええ。そして彼らがそれを自分たち以外の誰に使用させているか、誰に使用しているかはまったくわからないんです」

「氷室氏を遠隔地へ隔離する必要があるわけですね」

どのような遠隔地に隔離しても、アナフィラキシーによってたちまち接触可能距離が広がるのではないか。そう思い、敦子は無力感と軽い眼まいに襲われた。

「ええ。とりあえずは隔離を」と、敦子は言う。「でないと、彼らが氷室君を」

殺す、ということばを敦子は呑《の》みこむ。しかし彼らならやるかもしれない。彼らにとって、DCミニの利用をあきらめでもしない限り氷室を殺す以外にないのだ。

「そうですね」宇部警部はすぐに諒解《りょうかい》し、頷いた。「氷室氏の身が危険です」

彼はすぐ粉川利美の自宅に電話をして報告した。粉川は宇部に命じ、ただちに十五階の小山内守雄の部屋を見張らせる。彼が何かの行動に出るのを阻止するためだった。電話をかわった敦子は粉川に、島寅太郎所長の部屋にいる阪には橋本を見張らせてくれるよう頼む。彼ら警察にそれ以上の警戒を望むことはできないだろう。まだ何も起っていない病院へ警察が踏みこむことはできない。

自分が病院へ行かなければ、と敦子は思ったが、疲労が甚だしかったので、この深夜の病院行きは極めて危険であるという宇部警部の断固たる反対に甘え、ひとまず眠ることにした。

翌朝、敦子が朝食をとっていると、九時前になって宇部警部が見張りから戻り、小山内と橋本が出勤したという報告を齎《もたら》した。

「行かなければ」敦子は立ちあがる。

「気をつけてください」宇部は敦子がまるで暗黒街の探訪にでも出かけるかのような心配の表情を見せた。

街並みはいつもと違ってほの暗く陽光は射《さ》していながら、いずれの色彩も眼に沈んで見えた。いつものマージナルを運転していつもの大通りを研究所に向かっていながら不思議なことだった。氷室の夢の影響から脱しきれていないのだろうか、と敦子は思う。分裂病患者の夢を観察しはじめた頃、一時このような感覚に陥ったことがあったが、それはもう何年も前のことだ。ジャック・インした対象から受けた異常感覚が覚醒後にまで残る原因が、もしDCミニを使ったことにあるとすれば、それもまたDCミニのひとつの副作用的な効果による危険性であるのだろう。そしてこの感覚もまた、DCミニの頻用で鋭く高まっていくのかもしれない。

それにしても、自分はいったい何をあたふたして、車で走っているのか、と敦子は考えた。真に氷室の身を案じているのではあるまい。DCミニの争奪が原因で殺人事件が起ったりすれば、自分や時田浩作の名に傷がつくからだ。なんのことはない。乾精次郎の言うように、栄誉欲に駆られているだけなのだ。ほんの少し反省し自嘲《じちょう》しながらも、やはり敦子は自分の心に言いわけをしたいのだった。自分のためではない。愛する時田浩作のためなのだと。

駐車場から敦子はまず病院へ駈《か》けこんだ。あわただしい敦子の様子が、受付前待合所ではまたしても注目の的となる。

自分の担当病棟へ行くと、橋本の担当階の婦長だった初老の杉という女が詰所から飛び出してきて前に立ちふさがる。

「どこへ行かれますか。ここは橋本先生の担当病棟になったんですよ」

「氷室君はわたしの患者です。心配なことがあるので、見にいきます」

「いいえ。お通しできません」

「ねえ、杉さん」敦子は故意におだやかに言った。「警察の介入はいやでしょう。急を要するので、わたしはこれから力ずくででもここを通るつもりだけど、あなた、わたしと一緒に新聞記事に名前を載せたいの」

杉が詰所にいる看護婦たちにちらと救いを求める眼を向けてから、しぶしぶ細身のからだを壁ぎわに寄せた。

氷室の病室に入ると、まるで危惧《きぐ》が必ず的中する悪夢のように危惧が的中していて、ベッド上にうずくまった姿勢で氷室は死んでいた。全身性のチアノーゼを呈していて、毒物を投与されたことはあきらかだった。彼の異形化した顔貌《がんぼう》はさらに歪《ゆが》み、自分が殺されることになった経緯を思い返して面白くてしかたがないような表情をしていた。

自分が殺した、などと言い立てられてはたまったものではないと思い、敦子はすぐさま病室を飛び出した。

「死んでるじゃないの」

大声でそう叫びながら看護婦詰所に駈けこみ、受話器をとりながら、仰天して走っていく婦長や看護婦たちの背中へ敦子はさらに叫ぶ。「警察にはわたしが連絡するから、橋本君を呼んできて」

もちろん一一〇番などにはかけず、粉川利美から教えられている警視庁の彼の部屋の直通番号をダイアルする。

「氷室が死にましたか」粉川の声はひどくけだるげだった。

「殺されていたんです」なぜわかったのだろう、と思いながら敦子は言う。

「氷室は、誰に殺されましたか」のろのろとした声で、彼は訊《たず》ねる。

「小山内、橋本、羽村婦長」それから。それから。他にも氷室を殺しそうな人物が何人かいそうなのだ。

敦子は自分の研究室に走る。橋本はきっとそこにいるだろうと思う。そして橋本の死体を発見する。彼は絞殺《こうさつ》されていて、敦子のデスクだった机に伏せ、首に巻きついているネクタイは誰でもが見知っている島寅太郎所長の、黄色に黒い水玉模様のネクタイだ。ネクタイをとり、片手に握り、敦子は小山内の研究室へと走る。階段をあがる途中で眼がくらんできた。階段が揺れていた。

小山内の研究室の床には羽村操子が倒れている。なぜだろう、と、敦子は思う。この研究室のドアを開ける寸前、そこに羽村操子が自ら毒をあおいで死んでいる光景が見えたのだ。そこに、そして、そこにいるだろうと、それから、それから、敦子は副理事長室に走る。ドアは開いていて、敦子が部屋へとびこむなり彼女の背後でそのドアは、音を立てて閉まる。敦子はネクタイをとり落した。閉めたのは小山内だ。彼は敦子の背後に立つ。そして正面のデスクには乾精次郎がいる。彼は笑っていた。

「乾さん。笑っている時ですか」

「千葉君。落ちつきなさい。無理かもしれんが、落ちつきなさい」歌うように乾は言ってまた肩をゆすり、笑う。

小山内も背後で笑い出す。

「氷室の夢は、君のマンションから遠く隔たったこの病院から、君やわれわれの夢の中に流れ込んできたものではない」と、乾は言った。「同じマンションにいるこの小山内君によって再生され、われわれの夢の中に流れこむよう仕掛けられたものだ」

「やっぱり陰謀だったのね。いかにもびっくりしたようなお芝居までして。なぜ、そんな危険なことを。あなたがただって変になるでしょうに」

「なあに。われわれはあれからいったん、すぐに眼醒《めざ》めたさ」乾は敦子のうしろの小山内に視線を向け、彼と笑ってうなずきあう様子だ。「眼醒めなかったのは君だけだ」

あれからいったん、という乾のことばにこだわりを感じながら敦子は言った。「ええ。眼醒めるのに苦労したわ」

乾と小山内が、大笑いに笑う。ざらざらとした、女には笑えない種類の笑いだ。

「そうとも。そうだろうとも」乾は大きくうなずく。「それはつまり、この小山内君が君にDCミニを奪われることになったあの時、彼がいったんは覚醒したように思いながら、実はそれがまだ夢の中だったのと同じだ。DCミニには夢、眼醒めの夢、それは非常に現実に酷似した眼醒めの夢、実はさらに深い眠り、そしてさらに深く深く、深い夢という過程の、そのような作用、副作用、作用、副作用があって、そういう機能でもあるのだ」

乾の言うことが敦子にはよくわかる。わかり過ぎるほどわかる。その彼の口調のいつにないたどたどしさによって、尚《なお》さらよくわかるのだ。患者の夢にジャック・インした時のように彼の思考まで読めるようなのだ。しかしその内容の途方のなさに、敦子はそれが自分の錯覚だと思う。「それを研究なさって、そしてそれを。おやおや。そしてそれをわたしに応用なさったのね。実験なさったのね」

敦子には答えず、乾はふわりと宙に浮かぶように立つ。「君にはわかりはじめたようだね。君はそもそも、分裂病患者の夢に長くアクセスするとその無意識にとり込まれて、覚醒が困難になるということを未発表の論文で報告している」

「盗み見たのね」

「そんなことはどうでもよろしい」不機嫌に乾が吐き捨てた。「わたしはもっと重要なその。ええい。これだから女は」

「もっと重要なことはね」小山内がうしろに立ったままで敦子に言った。「君にはもうわかりかけているんだが、現在、今、この今、君のいうその、応用中であり実験中であるということさ。その機能の」

小山内の思考も流れこんできた。敦子は慄然《りつぜん》として瞬時にこれまでの出来事をたどり返した。乾精次郎の、まるで夢の中の発話の如《ごと》き舌足らずな喋《しゃべ》りかた。電話の粉川の、彼らしくもなく奇妙な鈍い反応。次つぎに起った非現実的な殺人事件。殺伐として眼に映じた街の風景。いつの間にか小山内の隣りに橋本が気弱げな笑みを浮かべて立っている。

あっ、と叫んで敦子は壁ぎわまで跳躍し、身構える。「これも夢なのね」

「さすがに素早い」敦子の頭のＤＣミニを奪おうとして近づきつつあった小山内が苦笑した。

「その通りだよパプリカ」と、乾が敦子を睨《にら》みつけながら言う。

パプリカですって。

敦子は赤いシャツを着てジーパンをはいている自分に気づいた。夢であることを意識した途端にＤＣミニを奪われると悟って瞬時の跳躍をしたその時、ほとんど無意識で自分がパプリカに変身したことを敦子は知った。

8

非現実的な部分もあるとはいえ、ふり返ってみるとなんとそれは現実的な夢であっただろう。宇部警部に揺すり起されてから、いったん寝たのだが、では、宇部警部に起されたそのことは現実だったのか、夢だったのか。彼らが自分たちだけはそれ以前に「いったん眼醒めた」と言っている以上、自分だけは以後もまだ眠り続けていたのだろう。だから、やはりあれも夢だったのだろう。そしてその後いったん眠って起きるという夢を見たことになる。氷室の身を案じて宇部警部と相談し、電話で粉川利美とこまかく打ちあわせたこともすべて夢だったとすると、なんと現実そのままの夢であったことか。

そして次第にその現実的な夢は現実らしさを失っていった。自分がより深い眠りに陥っていったということなのだろう。彼らの術中にはまってしまった。身構えたまま、今はパプリカとなった敦子は優位をとり戻そうとして男たち三人を観察する。早く覚醒《かくせい》する方策も見つけなければならない。さもなくば、ついには死にいたる筈《はず》の、ますます深い眠りに落ちこんでいくだろう。

「橋本君まで出てきたわね」パプリカは彼を見つめる。イメージの背後の思考が誰のものか判断するのは容易ではない。今や彼女自身の夢まで混っているのだ。「これはあなたの夢でもあるのかしら」

「DCミニの実験に参加しているのさ」軽く橋本は言う。頭に手をやり、そこにDCミニがあることを確認する様子だ。

橋本の軽さが、乾には気にいらぬようだった。「余計なことを言うな」

橋本はまだDCミニに慣れていない、と、咄嗟《とっさ》にパプリカは思う。では次にDCミニを奪うのはこの男からだ。

「逃げろ」小山内が叫んだ。

橋本もすぐパプリカの考えを悟ったようだが、彼は逃げることができない。まだぼんやりパプリカを見つめている。自分の夢を制御できないでいるようだった。

周囲がデパートの化粧品売場になってやっと、橋本は逃げはじめた。棒杭《ぼうくい》のような人間たちとショウケースの間を縫って走る彼をパプリカは追う。いやな記憶のある小山内の整髪料の匂《にお》いがした。デパートの、それも男性用化粧品売場などというこの背景は小山内の夢なのであろう。

パプリカは橋本の行く手正面にドアの開いたエレベーターを想像する。首尾よくエレベーターが出現し、両側を刑務所の塀のような灰白色の壁にはさまれた橋本はそこへ逃げこむしかない。しめた、と、パプリカは思う。エレベーター・ケージの密室へ追いこんでドアを閉め、DCミニを頭からむしり取ってやるのだ。覚醒する方法も早く考えないと危険だし、まだいい思いつきはないものの、どうせ眼醒めるものならDCミニをひとつでも奪い返してからだ。

エレベーター・ケージの中は広くて、ずっと奥へ続いていた。両側に目鼻立ちのさだかでない縫いぐるみのような男女が何人か立っている。パプリカの背後でドアが閉まる。パプリカは奥へ逃げていく橋本になかなか追いつけない。ケージが、ごっと、ごっとと上昇しはじめている。なんと、広いケージの彼方《かなた》にもドアがある様子だ。反対側のそのドアから、橋本は逃げるつもりらしい。ケージが停止しないうちにと、パプリカは橋本に追いすがる。

ケージが停止した。橋本は手動でドアを開けた。しかしパプリカが強く念じたため、ケージのドアと何階かわからぬその階の開口部は二メートル以上も離れていて、下は暗黒の奈落《ならく》だ。開口部に近づけようとして、橋本はケージを揺する。ケージが揺れはじめた。開口部が近づく。彼方のフロアーへ跳び移ろうとする橋本にパプリカはとびついた。

「あなたたち、氷室君はまだ殺していないんでしょうね」

重なりあって倒れながら、パプリカは気になっていることを確認しようとする。

「あんな奴《やつ》、生かしておいたら」橋本が道徳観念の低下した意識を制御できぬまま呂律《ろれつ》のまわらぬ舌でそう口走り、真相をイメージしはじめた。

「考えるな」小山内の、悲鳴のような絶叫。

だが罪の意識、罰の意識の薄らいだ橋本は考えてしまった。そこは斜面になった内壁によって球場を連想させる囲われた広い空間。深夜のゴミ処理場だ。投光器の照らし出すその真ん中でパプリカと橋本はもつれあっている。

「殺したのね」パプリカは叫ぶ。「そしてここへ捨てたのね氷室君を。ここはどこなの。どこの処理場なの。言いなさい」

「起きろ。お前は起きろ」小山内が躍起になって叫び続けている。

地面の下から、ゴミを身に纏《まと》い、腐敗しかけた顔の氷室が直立してずぶ、と、出現し、やっと橋本が悲鳴をあげた。その氷室はおそらく、恐怖によって橋本を覚醒させようとする小山内なのであろう。しかし橋本は眼醒めない。パプリカに抱きつかれ、抱きつき返しているうちにリビドーが昂進《こうしん》し、ポテンツの上昇が起っているらしい。いつしか裸の彼がホテルの一室と思える白っぽい部屋のベッドで、からだの重なりを反転させパプリカに覆《おお》い被《かぶ》さっている。かつて彼が多くの情事を行った場としてのホテルのベッド。呼気がなま臭くなり、交接の体勢となり、彼女の股間《こかん》にズボンを隔てて固いものをつき立て、うつろな眼で交接の動きをしはじめた橋本にパプリカは「こら」と叫ぶ。

「何するのよ」

夢の中からこんな男の子種を持ち帰ったなど、笑い話にもならない。しかしエロチックな情感に溺《おぼ》れて無防備の橋本の頭から、ＤＣミニだけは奪いとった。

「どこなの」とパプリカは問いつめる。「あれはどこのゴミ処理場なの」

「■○の★の」橋本の思考は朦朧《もうろう》としていて読みとれない。

橋本の顔が小山内になった。しかし全裸であることやその姿勢に変りはない。

「橋本君は」

「今、覚醒した」小山内はくすくす笑いながら、組み敷いたパプリカに上からうなずきかける。「知ってるだろ。リビドーの昂進は覚醒を促すんだ。奴《やっこ》さん、夢精したよ」

ドリーズン、または夢律によるものだろうとパプリカは思う。強姦《ごうかん》という夢中の行為が罪悪感を促し、彼を覚醒させたのだ。射精は彼が眼醒めてのちのことと思いたい。

DCミニを握ったパプリカの右手の指を力ずくで拡《ひろ》げ、小山内は彼女からそれを奪い返そうとする。そうさせまいとしてパプリカは左手をのばし、小山内の萎《な》えた陰茎を握って笑う。

「あいかわらずね」

小山内は逆上した。「その気がないからじゃないか。この売女《ばいた》」

「握り潰《つぶ》すわよ」パプリカはすでに握り変えて、小山内の陰嚢《いんのう》を握りしめている。脅《おび》えながらも、夢だから現実にそれはできまいと小山内はたかをくくり、さらにパプリカの右手の指を一本一本のばしにかかっている。

たとえ夢であっても、睾丸《こうがん》を握り潰すなどという行為は気味が悪くてとてもできない。

では、とパプリカは彼の頭に手をのばした。そこにもDCミニが装着されている筈だ。しかし彼女の左手はただ彼の頭髪をあわただしくまさぐり続けるのみ。

DCミニはなかった。

乾精次郎の笑い声がすぐ耳もとでする。やはり全裸の、これは瘦《や》せこけて、萎えた陰茎を垂らしたひどく醜い姿をさらし、彼はベッドの傍らの椅子《いす》に掛けていた。

「アナフィラキシーということを知っているか。知っているようだな。今やわれわれはDCミニを装着する必要さえなくなったのだよ」彼は次第に淫蕩《いんとう》な笑みを浮かべてパプリカを睨《ね》めまわしはじめ、小山内に言う。「その小娘を、裸にしてしまえばどうかね。それに、DCミニを無理やり手から奪わずとも、彼女の頭に装着したものを先にむしり取った方が手っとり早いぞ」

そうだった、というように小山内が狡猾《こうかつ》そのものの笑いでパプリカの頭に手をのばす。奪われる、と、パプリカは迂闊《うかつ》さを悔んだ。しかし、パプリカにとっても不思議だったのだが、彼女はDCミニをつけていなかった。「あれっ。ないぞ。つけないでジャック・インしたのか」

小山内が叫び、乾も怪訝《けげん》そうな顔で手をのばし、パプリカの頭髪の中をまさぐる。

宇部警部に覚醒を促された夢を見たとき、本当にDCミニをはずしたのかもしれない、と、パプリカは思い返す。ちょうど患者の夢にジャック・インしたままでコンソールのキイを叩《たた》くのと同様に。

それならば、というような開きなおった笑みで、乾がベッドにあがり、小山内の反対側から抱きついてきたのでパプリカはおぞ気をふるう。「嬲《なぶ》る」という漢字そのままに両側から抱きすくめられて彼女は身動きがとれない。ふたりの男はパプリカのシャツやジーパンを脱がせにかかっていた。

しばらくは彼らを油断させるため、されるがままになっていた。しかしパプリカの得意技は場面転換なのだ。クライエントの夢を操作するための必要から習得したものだった。

突然、三人は広い喫茶店の店内にいた。周囲には若い男女が多く、ほとんどは二人連れだ。その中ほどのテーブルでパプリカはコーヒーを飲んでいて、彼女の両側へ椅子を寄せて、両方から乾と小山内が生まれたままの全裸で抱きついている。

夢とはいえ衆人環視の中への裸の出現はさすがに衝撃だったようで、ふたりは呻《うめ》き声を洩《も》らし、ただちに姿を消した。

パプリカは周囲を見まわした。早く眼醒《めざ》めなければ。理性が急速に混濁していく。眼醒める方法は。ジャック・インしたクライエントや分裂病患者の夢から離脱して現実に戻る技法はいくつかあるが、今度ばかりはそんななまやさしいことでは覚醒に到《いた》るまい。夢世界外からの助けがあれば醒めるだろうが、助けを求めるにはどうすればいいのか。

そもそも今は何時なのか。窓から見る喫茶店の外は真っ昼間の大通りだが、夢世界外の現実の夜はすでに明けているのか。

パプリカはぐらりと傾くからだを立てなおしながら立つ。能勢龍夫に助けを求めよう。つい先日まで彼の会社の彼の部屋へ、夢治療の時間の打ちあわせやその変更などの用件で何度か直通電話をかけたため、どうにか電話番号は記憶している。だが、かかるのだろうか。かかったとして、今は昼間で、彼は自分の部屋にいるのか。

乾と小山内は去った。しかしまだ、どこかからこっちを観察しているに相違ないのだ。ああ。壁の絵の女が乾精次郎だ。そうに違いない。あの鋭い眼は彼の眼だ。「電話なんかかかるものか」と、わたしを馬鹿《ばか》にして笑っている眼だ。

レジスター横のプッシュホンの受話器をとる。だが、押そうとしたボタンの数字は乱数表のようにひどく乱れていて、ボタンの配列も不揃《ふぞろ》いだ。数字のかわりにローマ字が書かれているボタンがあったりもする。さらに押している途中でボタンがその位置を変えたりもする上に、ボタンの数もどんどん増殖し、小さくなる。パプリカは余計な数字やローマ字のボタンを隅の方へ押しやり、必要な数字だけを中央に残して能勢の部屋の番号を叩く。

「もしもし。もしもし。誰。誰」

ああ。かかったようだ。かすかに能勢の声が聞こえてきた。しかし周囲は新宿駅の構内だ。気がおかしくなるほど騒がしく、能勢の声は聞き取りにくい。

「能勢さん。能勢さん」パプリカは悲しげに呼びかける。

「誰ですか。あなたは誰ですか」遠い世界、遠い部屋からの能勢の遠い声。

「パプリカよ。助けて。助けて」

「ああ。パプリカ。愛しているよ。君は今、どこにいるの」

「夢の中なの。夢の中から電話してるのよ。わたし、ここから出られないの。ここから出して頂戴《ちょうだい》。助けて頂戴」

「ああ。愛するパプリカ。君は苦しんでいるのだね」

「とても苦しい目にあっているのよ」

「助けに行くよ。助けに行くよ。そこはどこなの」

「夢の中の新宿駅なの。早く来て頂戴」

「よし。すぐに行くよ。助けてあげるよ。ああ。パプリカ。ぼくは君を愛しているよ。君を愛しているんだよ」

9

千葉敦子がPT機器にアクセスしたまま眠りこんでいていくら揺すっても覚醒せず、

しかも様子がおかしいという宇部警部の報告に驚き、粉川利美は菊村警視正と共に敦子の住まいへ駈《か》けつけた。治療を受けていた筈《はず》の時田浩作はすでに起きていて、リビング・ルームの食卓に向かい、宇部が作ってやったものらしいトーストを食べ、コーヒーを飲んでいた。だいぶ具合はよさそうだが、話しかけてもまだ反応は鈍い。

寝室では敦子が、うす暗い部屋にぼんやり光るモニターの前の、コンソールのキイの上に突っ伏していた。唸《うな》り、悲しげにうわごとをつぶやき、小さく泣き声をあげ、時おり身もだえていた。確かに誰が見ても異常であったし、そんな様子の敦子を見るのは粉川も初めてだった。

「これが今、千葉さんの見ている夢だとすると」宇部警部が画面を指して言う。「相当に恐ろしい夢ですが。さっきから、こんなのばかりですよ」

画面では深い谷にかかった吊《つ》り橋が大きく揺れていて、前方では踏み板が落ちたり鋼索が切れかかったりしている。谷底に流れる川は赤かった。

「完全に地獄のイメージだな」粉川は夢の中の敦子の気分を顧慮して憂《うれ》いの表情になる。

「早く眼醒めさせてやらないと」

「さっき、冷たい水を数滴、突然ぱっと顔にかけてみたのですが、駄目でした」

「そんな、なまやさしい方法ではとても無理だろうなあ」

「ええと。たいていの者なら、鼻をつまめば息が詰まって眼を醒ましますが」と、菊村警視正が言った。

「馬鹿《ばか》な。窒息している夢を見るだけだ。死ぬことはないにしろ、後遺症が出たらどうする」粉川は強くかぶりを振った。「駄目だ。彼女が自分の夢から抜け出る方法は、彼女自身の中にしか見つからない」

菊村警視正が眼を丸くする。「えっ。それ以外に方法はないんですか。ではいったい、どうすれば」

粉川は敦子の頭髪を掻《か》き分けた。DCミニはなかった。「この彼女の頭から、DCミニを取ったのは君か」粉川は宇部に訊《たず》ねる。

「朝の七時ごろです。覚醒できない原因のひとつではないかと思いまして。いけなかったでしょうか」彼はポケットから、敦子が頭部に装着していたDCミニを出した。

「君はなぜ、そう思ったのかね」小さな灰色の円錐《えんすい》を受け取りながら、粉川はさらに訊ねた。

「宵の口、千葉さんが、ジャック・インのさなかに熟睡してしまう危険性をわたしに話していた際、DCミニの使用に話が及ぶと、千葉さんは非常に心配そうな表情をして黙りこんでしまったからです。アナフィラキシーのひとつとして、DCミニには睡眠を深める作用があるという疑念を、千葉さんは持っていたんじゃないでしょうか」

「正しい結論だろうね」若い宇部警部の記憶力のよさと観察力の鋭さに感心しながら粉

川は言った。「そうでなくても、DCミニをつけている限り敵は彼女にアクセスし易《やす》いし、変なプログラムを送れるからな」

もちろん、粉川も宇部も知らなかった。夢の中のパプリカが、ベッド上での格闘の際に小山内守雄から自分のDCミニを奪われなかったのは、すでに宇部が彼女の頭部からそれをはずしていたからだということを。

「そうそう」宇部はもうひとつのDCミニを別のポケットから出した。「千葉さんは、手にもうひとつDCミニを握っていました。これからも影響を受ける筈ですから、とっておきました」

「おかしいな」粉川は宇部の掌《てのひら》の上のDCミニをとり、見つめた。「なんで彼女はもうひとつDCミニを持って、時田氏の治療を始めたりしたんだろう」

「ええと。いつも彼女はそれを、予備としてこの抽出《ひきだ》しの中に保管しておりましたが」

コンソールの下の抽出しをあけ、宇部は大声をあげた。「あーっ。ある。ここにもある。警視監。その三つめのDCミニは彼女が持っていったものではありません。彼女はまた、夢の中で敵のDCミニを奪ったんです」

10

早朝からの販売会議が終り、能勢龍夫は自室に戻った。

早く起きたので、企画書に眼を通すうち、どうしようもなく眠くなってきた。家でも、会議でもコーヒーを飲んだのだが、それでも眠かった。こういうことはよくあるのだが、いつになく強い蠱惑《こわく》的な衝動だった。なぜか切迫感すらあった。

からだの疲れを自覚するのは、能勢ほどの年齢や地位の人間にとってさほど不愉快なことではない。気苦労による疲れではないのだし、企画書にしてもさほど急ぐものではなかった。彼はデスクに向かってゆったりした事務用の肱掛《ひじか》け椅子《いす》に掛けたまま、全身をうっとりと気だるさの中へ浸し、とろりとろりと居眠りすることをしばらく楽しんだ。生を実感できる、手足が溶けていくような痺《しび》れに似た感覚。朝寝といえば意味が違うし昼寝という時間でもない。能勢はこれを追い寝などと勝手に称している。

電話が鳴っていた。夢うつつに聞きながら能勢は手をのばす。夢の中で手をのばしているだけかもしれなかったし、そもそも実際には、電話など鳴っていないのかもしれなかった。今、彼が受話器を耳にあてているその場所にしても、会社の自室なのかどうかさだかではない。

能勢さん。能勢さん。

誰かが呼んでいる。深いところから能勢の心をつき動かすその声は秘書の声ではなく、女性社員の誰かの声でもない。

誰ですか。誰ですか。能勢は訊ねる。もしもし。もしもし。誰。誰。

声は相手に届いているのだろうか。空《むな》しく宙に消えていくような自分の声。電話の中の彼女はさらに彼を呼んでいる。悲しげに。そして、あわただしげでもある。

誰ですか。あなたは誰ですか。

だが能勢にはそれが、すでに誰だかわかっている。ああ。懐《なつ》かしい声だ。あの子の声なのだ。あの子の名はなんと言ったのだろう。

パプリカよ。助けて。助けて。

そうだ。パプリカだった。わたしの恋人の名前だ。彼女もまた夢の中にいるらしい。そして眼醒《めざ》めることができずに苦しんでいるようだ。助けに行かなければ。

そこはどこ、と訊ねる能勢に、パプリカは夢の中の新宿駅だと答える。

夢の中の新宿駅。どうやって行けばいいのだろう。思い浮かべさえすればすぐにでも行けるような気がする。彼は訊ねる。どうやって行くの。どうやって行くの。

眠っているわたしを起さないでね。眠っているわたしを無理に起さないで。あなたがわたしの夢の中に入ってきて頂戴。ＤＣミニをつけて。お願い。お願い。

お願い。お願い。彼女のことばを夢うつつにくり返しながら彼は眼醒める。彼はデスクに向かい、受話器を耳にあてていた。受話器の彼方《かなた》からはツーという連続音が聞こえるのみ。彼女が電話を切ったらしい。いや。初めから電話など、かかってこなかったのかもしれない。夢だ。すべては夢の中での会話なのだ。

しかしDCミニの機能を知っている能勢は今や、夢の中でのことだからといって今の会話を無視することはできなくなっている。あんなにはっきりとした会話である以上、パプリカは実際に助けを求めているのだろう。そして実際に、おそらくは誰かの、何らかのたくらみによって、眼醒めることができなくなり、困っているのだろう。どうすべきか。新宿駅と言っていたな。だからといって現実の新宿駅に行ってもしかたあるまい。DCミニをつけて彼女の夢に侵入し、彼女を助けるのだ。以前言っていたことを本当にやらなければならない時がきたようだ。DCミニは彼女のマンションにある。行かなければ。彼は立ちあがった。

11

「やはりおれたちがDCミニをつけて眠り、彼女の夢の中へ入っていって助けてやる以外に、方法はないんじゃないか」

なぜか胸騒ぎがして、という口実で敦子の住まいへやってきた能勢は、警察官たちから前後の事情を聞いたあと、粉川と少し議論した末にそう言った。夢でパプリカから電話がかかってきたことは話さなかった。粉川なら信じるかもしれなかったが、あとのふたりの警察官から正気を疑われるおそれがあった。むろん粉川にだけはあとで話すつもりだったが。

「それはしかし、サイコセラピーという専門職の、しかも高等技術だろう。われわれにできるのか」粉川はためらう。「おれたちまで眠ったままになったらどうするんだ」

「だからパプリカと一緒に覚醒《かくせい》する方法を、パプリカと一緒に模索し、考えるんだ」

「夢の中でか」

「夢の中でだ」

ふたりの問答を菊村警視正と宇部警部が、息をつめるようにして聞いている。

「彼女の内部にしか覚醒を促す糸口が見つからないとすれば、そうするより他にないな」粉川は決断した。「どうする。まずおれが行くか。それで眼醒めなければ、次に君が」

「いやいや。それはできるだけ同時にジャック・インした方がいい」と、能勢は言った。「パプリカが夢から脱出するために利用しやすいのはおれなのかお前なのか、おれたちにはわからないからね」

「自分たちが眠ったあと、頭につけたDCミニをすぐとりはずすように」粉川は部下たちにそう言った。「DCミニが睡眠を深めるとすれば、アクセスしてしまったあと、いつまでもつけているのは危険だ」

「あのう、眠る、眠るとおっしゃいますが」菊村警視正が気づかわしげに訊ねる。「今すぐここで、そんなに突然眠れるもんでしょうか。だいたい、どこで眠るんです。ベッドはふたつしかありませんよ。千葉さんを寝かせればあとひとつ。どなたかがリビング・ルームのソファでおやすみになりますか。でもあんなソファではますます眠れませんよ」

「三人、近い場所で眠った方がいい」菊村の気づかいを打ち切るように能勢が言う。「DCミニの副作用として何が起るかわかったものではないんだ。おれたちは今後、夢と現実を区別しちゃいけないと思う」

思いがけず過激なことを口走ってしまい、驚いた三人の注視を浴びて能勢は顔を赤らめた。「いやまあ、それはともかく、パプリカをいつまでもあのままにしておくのは可《か》哀相《わいそう》だ。ベッドに寝かせようよ。身動きはしているけど、治療の時みたいな、半睡眠でPT機器を操作できるという状態じゃないからね。むしろぼくがその椅子に掛けて寝よう。多少はコンピューターの知識もあるから、夢の中でパプリカから指示を受けた場合に、夢うつつのままで、なんとか操作できるかもしれない」

「お前、そんな椅子に掛けたままで眠れるのか」寝つきの悪い粉川が疑念の表情で能勢を見た。

「最近じゃ会議中でも、考えごとをしているふりをして居眠りする技術を体得したんだ」と、能勢は言う。「それに今日は朝早く起きて、今、眠りたくもあるしな」

菊村と宇部が敦子をかかえあげ、本来の彼女のベッドに寝かせた。粉川は服を着たままでクライエント用のベッドに横たわり、同じく能勢がPT機器に向かい、椅子に掛ける。敦子は横たえられてのちも軽く唸《うな》り、時おり身動きし、ほぼ無表情ながらちらりちらりと悲しげな、また苦しげな表情を見せた。そんな彼女の姿態は蠱惑的ながらも幼く見え、能勢は自分の頭にDCミニをつけながら、夢の中での彼女はパプリカになっているに違いないと思う。

眠れそうにないなあ、という弱音を洩《も》らしそうになり、いや、眠らなければ、と強く思い、粉川は頭につけたDCミニを手でまさぐり、確認する。こいつの催眠効果に頼るしかなさそうだ。

「お前たちがそこにいると眠りにくい」と、粉川はまだ心配そうにドアのあたりに立っているふたりの部下に言った。「しばらくあっちの部屋にいてくれ」

どの道、今の彼らにするべきことは何もない。

「そうですね。では、熟睡された頃合を見て、DCミニを取りにまいります」

菊村と宇部はリビング・ルームに去り、うす闇《やみ》の中には三人の立てる静かな呼吸音が残る。

「今、彼女は、小さな噴水のある公園らしいところにいる」画面を見ながら能勢が、早くも眠気を覚えはじめているらしい声でそう言った。その声の、粉川にあたえる催眠効果を自覚し、粉川の入眠に協力しようとしているようでもある。「そこでおれたちを待っているんだよ。きっと」

「早く行ってやらなければな」

「パプリカが、夢の中からの電話で、おれに助けを求めてきたんだよ」

「そうか。お前が突然やってきたから、どうして彼女の危機を知ったのかと」

「うん。それで知ったんだよ」

「そうだったのか」

ふたりの会話は途切れた。

椅子に掛けたままの能勢が、いつかがっくりと首を落としている。おや。おれもなんとなく眠れそうだぞ。粉川は意識の混濁の中でそう思う。夢の中からの電話。そんな話も至極当然のように思えるのだから、きっと夢の世界に入りかけているのだろう。できれば夢の中でも、警察官としての毅然《きぜん》とした態度を保っていたいもんだ。はて。自分にそれができるだろうか。

そこは建売り住宅のような小さな家の、たったふた間しかない一階の茶の間だ。ああ。両親がまだ若かった頃の、わたしが生まれた家だわ。パプリカは両親の姿を求める。両親はいない。玄関のドアは開け放されている。開けっぱなしで外は夜だ。誰か怖い人が入ってきたらどうしよう。留守勝ちだった両親と留守番をさせられた記憶。そら。誰か今夜は女の人だ。いつもの押売りの、時には乱暴を働こうとするあの怖いおじさんではない。薄っぺらの黄色いワンピースを着、髪を振り乱している。

「ちょいとあんた。あんたは自分が美人だと思ってるんでしょ」玄関の土間に股《また》を開いて立ち、女は幼いパプリカに怒鳴る。それは赤茶けた髪の柿本信枝だ。眼尻《めじり》が吊《つ》りあがっていた。「その上頭がいいと思ってるんでしょう。威張らないでよ。あんたなんか、ちっとも頭がよくはないのよ。美人が馬鹿《ばか》だと男に利用されるだけだと思って、必死になって勉強しただけでしょうが。美人の体面を保つためと、ちょいとばかり負けず嫌いなだけじゃないの。このフェミニズムの時代に、美人なんて流行《はや》らないのよ。あんたはただの馬鹿な女なのよ。その証拠にあんた、ほかの男はみんな頭が悪いんだ、だから自分には手が届かないんだと言わんばかりに、わざとあんな不細工な時田さんを好きになって、それでいったん時田さんに惚《ほ》れちまったら、もう善悪の判断さえなくして」

ああ。やめて。やめて。幼いパプリカは泣き叫ぶ。しかし声が出ないのだ。声が出ないのも当然なのだ。怒鳴り続ける柿本信枝は、今や千葉敦子のシャドウなのかもしれないのだから。いわば彼女は自分で自分に怒鳴っているのだ。

「やめろ」大声で怒鳴り、父親が外から戻ってきた。「悪い女中だ。ダイレクトメールを見てやってきたな」

いや。これは父親ではない。

「能勢さん」パプリカの涙声が弾む。

「あらあ」能勢龍夫がやってくるなり、柿本信枝は一瞬若かった頃の母親の姿になり、ちらと能勢に媚態《びたい》を示してから階段の下の押入れに消えてしまう。

「パプリカ。起しにきた」

「能勢さん。お茶を」パプリカは立ちあがって流し台へ行こうとする。睡眠の長い彼女に「起しにきた」という能勢のことばはよく理解できない。

「パプリカ。パプリカ。君が呼んだんだ」能勢は苛立《いらだ》たしげに言ってパプリカの腕をつかむ。

能勢の香りがした。そうだった。眼醒めなければ。「ああ。すぐ傍で寝ているのね」

「モニターの前で寝ている。君は自分のベッドだ。どうすればいいんだ。キイのどれかを叩《たた》くのか。できるかどうかわからないが、君が取材してくれたら、なんとか腕を散らしてやってみる」

「そんなキイはないのよ」パプリカはかぶりを振った。「どこか、よそを探さないと」

ふたりは腕を組み、真昼間の住宅地の道路を、電車の線路に沿った大通りへと向かっている。犬が一匹、通りの片側に寝そべっている。粗くて黒い毛を持つ大きな犬だ。ああ。あいつ、いつも夢でわたしに嚙《か》みつくのよ。パプリカは能勢に自分の怖い思いを送り、彼の腕にしがみつく。

犬がのそっ、と、立ちあがった。

「こいつ、小山内とか乾精次郎とかじゃないんだろうね」

「違うと思うわ。今、何時ごろなの」

「そろそろ正午だろう」

「ああ。わたし、そんなに寝たの」パプリカは悲しげな抑揚で言う。パプリカの思考はPT機器の同じ回線に入っている能勢に伝わってくる。ああ。わたしこのままいつまでも眼が醒めないまま、きっと脳髄を腐らせていくんだわ。

そんなことはないっ、と、能勢はパプリカに向け、心で強く否定する。

「その時間なら、あのふたりがジャック・インしてくることはないと思うわ」研究所にいる時間だから。

そうだろうか。PT機器のあるところからなら、どこからでもアクセスしてくるんじゃないの。「ほら、この犬だろ」今、犬の姿で君を犯してやろうとか何とか、変なことを考えてるのは。

「そうだわ」もはやアクセスするのにDCミニなど必要ない。乾はそう言っていた。犬がパプリカに向かって走ってきた。

「やめろ。逮捕するぞ」

住宅の塀の石垣の中から煙のように粉川利美がいかめしい制服姿であらわれ、実体化するなり犬を一喝する。

犬はやはり小山内だった。彼は驚愕《きょうがく》したようだ。けけけ警察官をやっぱりやっぱり何と何ということだDCミニをあのエレベーターでおれの会った上級幹部警察の男にでは警察を介入介入この女夢に畜生。

画面の電源を切りでもしたように、犬は突然、ぽ、と消えた。DCミニをつけず、ただPT機器でモニターしながら、今や任意にこちらの夢へ侵入できるらしい。

「あなたがたの精神だけ残って邪悪なものが消えた。それがはっきり見える。もう、誰がきてもすぐにわかるのかね」

今、眠りに入り、パプリカの夢にジャック・インしてきたばかりの粉川が訊《たず》ねる。彼の思考もパプリカと能勢には読み取れる。夢の中の揺蕩《ようとう》する言語の意味も、思考の直接の伝達で明瞭《めいりょう》だ。

大通りに出たが、現実への脱出方法はまだ見つからない。群衆がいるのかいないのかよくわからない駅の周辺を、パプリカは見まわす。だが、手がかりはなかった。彼女は泣き笑いをしながら、駅舎の正面にかかるモニター・スクリーンに似た長方形の大時計を指さす。その時計の文字盤は小山内の顔になっている。

「あいつ、あんなところにいるわ。まだわたしたちをモニターしてるのよ」

粉川が大時計を睨《にら》み、顔に向けて指を突きつける。あわてた表情で小山内の顔が消え、文字盤に戻る。

駅前広場の中央に赤い広告塔があった。パプリカはそこに貼《は》られている何枚かのポスターを見て、覚醒への手がかりをつかもうとする。

『セクショナリズムは母性だ』

『新発売・立腹図鑑・図鑑の図鑑』

『哀愁の味・ラジエーターで簡単に作れるペーソス・シュークリーム』

「気になるなら」と能勢が言う。「あそこにドアがある」開けてみようか。

自分が。粉川は錆《さ》びついた鉄板の戸を開けて広告塔の中を覗《のぞ》く。からっぽだ。

「からっぽだ。いや。そういう意味ではなくて」自分がからっぽなのだ、そう思ったパプリカの心を知って粉川はあわてる。この広告塔はあなたではない。

駅舎の中に入るとそこは千葉敦子が論文をまとめようとして以前よく宿泊したホテルのロビーである。フロントがある。何人かの客がいる。数人のボーイが棒杭《ぼうくい》のように立っている。パプリカはホテルの一室で乾と小山内が、両側から自分を犯そうとしたことを思い出した。あれは現実でだったのか、夢でだったのか。

もちろん夢でだ。能勢と粉川がほぼ同時に答えを返してよこす。あっ。待って。何か思い出しそうなの。思い出しそうなのよ。パプリカは立ちどまる。ロビーの隅のソファを、彼女は見る。

じゃ、あのソファへ。と、能勢がパプリカを誘導するように歩きはじめる。あそこで休むかい。

夢の中で休息する必要なんかないわ。あ。そうだ。パプリカの心に何かが閃《ひらめ》く。なぜそうするのかという理由よりも早く、するべきことをパプリカはふたりに伝えた。

「能勢さん。あそこでわたしを犯して」あのソファの上で。あたりに客やボーイのいるところで。

驚愕《きょうがく》する能勢と粉川。しかしパプリカの考えはひとかたまりの論理となって、少なくとも論理的にだけはふたりを納得させる。

夢律。ドリーズン。夢中の性行為は罪悪感によって覚醒《かくせい》に到《いた》る。特にこのような公的な場所での性行為は、恥かしさのため尚《なお》さら速やかに眼醒《めざ》めに到る筈《はず》である。

「しかし、無茶な」そんなことは無理だ。できない。

否定する粉川を能勢が笑う。無茶ではなく夢茶。無理ではなく夢理。これは夢なのだ。

今、能勢は、パプリカと粉川が以前治療中の夢の中で結ばれたことを知った。そうら。

お前はすでにそんないいことをしているんじゃないか。おれに隠していたんだな。パプリカと粉川が同時に胸を赤くする。違うわ。あれは治療のためのの。そうとも。あれは治療のためだった。だが能勢は、胡麻化《ごまか》されたりはしない。パプリカと粉川、互いの愛情あってこその、夢の中での交わりだったのだ。

しかし一方では、自分に今、そんなことができるのだろうかという疑念がある。ほらほら。これからここでこのパプリカを犯すなんて刺激的なことを考えただけで覚醒しそうだ。

「醒めないで」悲鳴のようにパプリカが叫んだ。「駄目よ。お願い。わたしをここで犯して頂戴《ちょうだい》」いいえ。犯すという言葉に罪悪を感じるのなら、そうでなくてもいいわ。ここでわたしと愛しあって頂戴。能勢さん。わたしあなたを愛してるのよ。粉川さんを愛するよりもずっと前から。

12

「それはまあ、こんな場所で◆○★□たとしてもだね」能勢龍夫は周囲を見まわす。

「夢だからかまわないだろうけど、乾や小山内が☆●◎■して、ちょっかいをかけてきたらどうするの。連中、昼間でも研究所のPT機器からときどき君の様子を☆●◎■してるみたいだし」

「では自分が見張りに立つ」粉川利美が決然として言う。連中らしきものの影がちらりとでも見えたら一喝し、脅かしてスイッチを切らせてやる。

すまんな。パプリカへの粉川の思慕を知っている能勢はひたすら申しわけないと思い、それはパプリカも同じだ。ごめんなさいね。あなたの眼の前で。あなたとは一度△★○ったんだし。なあにいいのさ。思考も感情も感覚も●□までも、同床同夢なら一心同体。君たちの▲◇◎を、きっと自分も感じることができるのだろうから。

もうそこはホテルのロビーではない。家具の何もないがらんとした畳の部屋だ。わたしの高校の、家庭科のための裁縫室よ。わたし放課後ここで、◎■◇って不良の男の子から押し倒されたわ。よく夢に出てくる場所。粉川は戸を開けて校舎の廊下に出、午後の放課後、中では高校らしからぬことが行われている裁縫室の前で見張りに立つ。パプリカは畳に寝て能勢と抱きあう。畳にこもる熱気は青春の抑圧されたものの熱気。窓の外の木立。だからこそわたしはできるだけしどけない恰好《かっこう》をして。そんなことをパプリカが思っている。そう。できるだけ恥かしい恰好を。ふたりはすでに裸だ。媚態。あられもない声をわざとパプリカは張りあげ、一方で能勢と粉川に対し、恥かしいわ、と、思う。本当のわたしじゃないのよ。わかってるよ。それがわかってるからこその、この高まる情感なのだろう。わたしは、本当に、これほど、はしたなくは、ないのよ。能勢さんを興奮、させるためよ。わかってる。もう興奮してるよ。急速に比例の直線。激情。ああ。パプリカ。もう、ぼくは、もうどうしようもなく、興奮してるよ。興奮してるよ。もう、どうしようもないよ。能勢は切なげに呻《うめ》き、射精する。そして三人は、粉川だけがやや遅れて、ほとんど同時に眼醒める。

敦子は何やら叫んでしまったようだ。菊村警視正と宇部警部が驚きの表情でベッドに跳ね起きた敦子を見ている。彼らはすでに能勢と粉川の装着したＤＣミニをとりはずしていた。

「ああ」今までの夢の中での痴態をモニター画面で見られていたのだと思い、敦子は顔を赤くした。

「ああ。よかったあ」と、宇部が叫ぶ。「全員、一緒に覚醒した」

菊村警視正も、三人が無事に覚醒したことだけを喜ぶ表情しか見せていない。「どうやって眼醒められたのです」

モニターには三人の視野が入り混って映し出されていたため、どんな夢なのかわからなかったのだ。それを知って敦子は安心した。能勢も警察官たちの手前、体面をとりつくろうのに懸命であり、今の今絶頂に達して眼醒めたのであることなどは、そぶりにも見せない。むしろ粉川が、彼自身も相当な興奮状態に達して眼醒めたらしく、顔を赤らめて、部下たちの顔をまともに見ることができない様子だった。

「ま、ま、非常手段だったのですよ」無法な手段、いや、夢法な手段というべきかな。能勢は笑って言う。「あなたがたにはとてもお話しできない方法によってです。訊《き》かないようにしてください」

「実は、さっきから何度も研究所から電話がかかっております」菊村が、かかえこんでいた悩みを吐き出すように喋《しゃべ》り出した。「氷室氏の家族が行方不明の彼の身を案じて研究所へやってきたそうです。それから柿本信枝の家族も、彼女がどんな様子なのか知りたいため上京すると言ってきたそうです。研究所では、柿本信枝の家族に対しては、小山内氏が担当している以上知らぬ顔ができないらしくて、病院へ来いと言ったそうですが、氷室氏の家族には、時田浩作氏に会って訊ねるようにと言ったそうです。で、彼の母親からも、ここへ直接二度ばかり電話が。どうしましょう」

「よし、その相談をしよう」と、粉川は言った。「とりあえず、千葉さんに食事を」

敦子の空腹は、夢の中で能勢や粉川にも、痛みに近い感覚として受け止められていたのだ。

13

まるで浴場のように巨大な、東側半分が高いガラス天井のレストランへ千葉敦子が時田浩作、粉川利美とともに入っていくと、窓ぎわの目立つ席にいた氷室の両親が、何度か会っている時田を見て立ち、まだ遥《はる》かに遠い場所から深ぶかと一礼した。そこはあまりにも広く、高過ぎる天井によって直接陽のあたることのない客席の、ボックスごとのスクリーンのため、他にどれだけ客がいるのかもよくわからず、客の数が多かろうが少なかろうが、のべつうおん、うおんと反響し続けている会話のざわめきによって隣りの席の会話も聞こえないという、敦子たちと氷室の家族とのこれからの話しあいにはうってつけのレストランだった。何かの折にしばしばここを利用するという菊村警視正から教えられた場所であった。

木更津から上京してきた氷室の両親は六十歳代の善良そうな夫婦で、そのとまどい続けている表情は今までずっと、理解不可能な息子に振りまわされ続けてきたことを語っていた。粉川利美を紹介されると彼らはたちまち泣き出しそうになった。

「あのう。すると啓は何かの事件に」

「まだ、わかりません」漁師の顔をしているが実は衣料品店を経営しているという氷室の父親に、粉川はかぶりを振った。「こちらの時田さんから失踪《しっそう》届が出ていますので、事件に巻きこまれた可能性もあると考えて、ご両親からも何かの参考になるお話がうかがえればと、こうやって自分も同席させていただいております」

「はい。でも、参考も何も」母親は絶望の眼をあたりにさまよわせる。「あの子といったらもう、それはもう、親を馬鹿《ばか》にして、今までだって電話も、一度だって自分からかけてはこなかったし」

「氷室さんは、たいへん重大な研究に携わっておられました」敦子が説明した。「わたしも共同研究の一員です。その研究をめぐって所内で内輪《うちわ》揉《も》めがあったんです。ご覧のように時田さんは、そのことですっかり落ちこんでしまって」

家族用の円いテーブルで、敦子と粉川の間に巨体をすくめていた浩作は、敦子のことばに呻き、いやなことを思い出した表情で身をよじる。「すみません。氷室君のことは、ぼくの責任だ。あんまりその、あいつのことを考えていなかった」

「あの、まさかその、殺された、なんてことが」テーブルの上で握りこぶしを作り、父親は声を低くした。

ああ、と、母親が呻き、かぶりを振る。

真実を語れないための自責で時田と敦子は思わず顔を伏せた。実際には失踪届など出ていないにかかわらず両親から失踪届が出されることをなんとか阻止しようとしている粉川だけは、良心の呵責《かしやく》にさからって彼らを説得する。

「重大な研究にかかわることなので、現在、懸命に捜査しております。なんとか見つけ出します。ご心配でしょうが、もうしばらくお待ちください」

彼らはいつまでも待ち続けることになるだろう。たとえまだ殺されていない氷室が発見されたとしても、その氷室はもはや以前の氷室ではないのだ。そう思い、敦子の胸に苦痛が走った。

夢で見た深夜のゴミ処理場。氷室は本当にあそこへ埋められているのだろうか。どことも場所の知れぬあのゴミ処理場の風景は、リフレクターの記憶装置から再生しプリント・アウトしたものを粉川に渡してあり、粉川の部下が内密にその所在を調査しはじめた。敦子は橋本が不用意にゴミ処理場の様子を夢であらわにした時の小山内のあわてぶりから、十中八九、氷室は殺されているものと推測していた。

「あのう、わたしどもには研究の内容など難しいことはわかりませんが、その内輪揉めというのは、いったいどういう」

父親の質問に、敦子は粉川へちらりと視線を走らせ、ある程度までは真相を明かしてもよい筈という彼の判断を見てとり、話しはじめた。どの程度話すかは、すでに打ちあわせてあった。

「早く申しますと、わたしたちの研究を妬《ねた》む人たちとの、研究所での主導権争いです。さらにその人たちは、わたしたちの研究そのものも奪おうとしていて、氷室さんはその研究内容の一部を知ることのできる立場に」

大浴場のようになごやかな、うおおおん、うおおおんという店内の反響の靄《もや》を、突然鋭い悲鳴がつん裂いた。それはすぐ近くのボックス席にいた若い女性のものであるようだ。次いでウエイトレスの粗相によると思える、床に落した金属性のトレイの破裂音とガラス食器の割れる音が、おそらくはこのレストランの設計者が予想もしていなかったであろう音量で店内に響き渡った。

あちこちで客が立ちあがり、ガラス天井を指さして騒ぎはじめていた。天井の彼方《かなた》、青空を背景にして、巨大な日本人形がガラス越しに店内を見おろしていた。おかっぱの彼女は漆黒の眼をまん丸に見開いたまま、青白い顔で不気味に笑っていた。おちょぼ口である筈のその赤い唇が大きく開かれていた。笑い声は聞えなかった。

「ひゃあ」「きゃあ」

「何あれ」

「化けものだ」

敦子は立ちあがれなかった。これは氷室の夢ではないか。氷室の夢が現実に流れこんできたのだろうか。それともこれは、またしても自分の夢なのだろうか。自分はまだＤＣミニの副作用で眠りから醒めず、乾や小山内によって氷室の夢を見せられているのか。

「これは氷室だ」時田浩作が悲鳴まじりにそう叫んだ。

「何ですかこれは」父親も驚愕《きょうがく》の叫びをあげる。

粉川だけが、人形を睨《にら》みつけたままでゆっくりと立ちあがった。それから周囲を見まわした。時田は顔を手で覆《おお》い、氷室だ氷室だと言い続けている。喧噪《けんそう》の中で母親がテーブルに身を乗り出し、大声で時田に訊《たず》ねた。

「あの、どうしてですか。どうしてあれが啓なんですか。あの人形は何ですか」

敦子はすぐ、自分のことよりも時田の精神状態に不安を向けた。これが夢であろうと現実であろうと、今、時田の精神だけは退行させてはならなかった。「大丈夫。しっかりして。しっかりしてね。気を確かに持ってて頂戴。お願い」
二、三度自分の胸や腰を叩《たた》くしぐさをしてから、粉川は敦子に言った。「これがＤＣミニの副作用であるかどうかはともかく、断言してもいいが、これは夢なんかではありませんよ。夢の中でこれは夢ではないと断言しているのでもない。今は現実です。これは現実です」
自分を励ましているかのように彼はくり返した。ＤＣミニの副作用。それにはもしかすると、夢をまるで現実そのままに感じさせてしまう効果も伴っているのではあるまいか。そして今こそ、そのような夢の中に自分たちはいるのかもしれない。敦子と同じそのような不安があればこその粉川の断言であるように彼女には思えるのだ。

「見世物だよ。見世物」

瞬発的な叫びがおさまり、うおう、という低音の嘆声に移りはじめると、立ちあがって手をさしのべながら周囲にそう言い、自分とともにあたりの者を安心させようとする者も何人かいる。

「何かのキャンペーン」「くそ。悪いいたずらだ」「テレビの」「そうよ」「きっと」

ブーイング。

「馬鹿」「やめろやめろ」

日本人形が短い両手の指をいっぱいに拡《ひろ》げて、掌紋のように見える胡粉塗《ごふんぬり》の黒いひび割れを下に向けた。振袖《ふりそで》姿の彼女はさしのべた両手をいったん肩のあたりにまで振りあげてから、それを天井のガラスに叩きつけた。

ガラスが砕け、フロアーの中央部に落ちてきた。今度こそただごとではないことを客の全員が理解した。客が一斉に立ちあがったため、レストランがほぼ満席だったことがわかった。負傷者も出たようだ。阿鼻叫喚《あびきょうかん》は反響で増幅された。ほとんどの者がこの世のことにあらずと思い、恐怖で常識と平静さを失った。恐慌《きょうこう》となり、失神した者以外は全員が玄関へ殺到した。

敦子たちのいる窓ぎわまでガラスの破片がとんでくることはなかったが、一刻も早くここを出た方がいいと粉川も考えたようだ。

「さあ。とにかくあっちへ」

粉川が誘導し、五人は壁ぎわを出口に向かう。騒ぎで警察がやってきた場合、敦子や時田と同席していた粉川には何らかの言いわけが必要になってくる。この場から立ち去るのが賢明であり、当然であった。しかし、と、敦子は思うのだ。逃げきれるのだろうか。たとえばこれが夢ではなく、あれが夢の中からやってきた氷室の象徴のようなものであるとするなら、あの気味の悪い人形はただ敦子たちだけをどこまでも追いかけてくるのではないだろうか。

「たしかに、啓はあんな日本人形を持っていて、だいじにしていました」母親が混乱したままで、顫《ふる》えながら、それでも懸命に息子の身と所在を、やはり大きく顫えるままの声で先に立つ時田から訊《き》き出そうとする。「でもどうして、どうしてあれが啓ですか。なぜ時田さんがそう思ったのか、教えてください。教えてください」

「やめなさい」父親が彼女の肩を抱いて揺すり、やはり顫える声で諭す。「逃げるんだ。訊くのはあとだ」

また人形の手が天井を破壊した。敦子が振り仰げば、その丸い眼はあきらかに敦子たちに向けられている。たとえ店の外に出ても、いや、外だと尚《なお》さらこの化けものに追われることになりはしまいか。そして治安の最高責任者と言ってもいい粉川にとって不都合なことには、敦子たちを追うため街なかを歩くこの化けもののせいで、ますます怪我《けが》人《にん》が増えるのではないだろうか。

これが夢ではないとすれば、この化けものと対決する方法はない。いや。あるのかもしれない。自分にだってDCミニの後遺症が残っていると考えられる。しかし、どうやって。夢の中と同じように行動すればいいのだろうか。そんなことが可能なのか。

だが、屋外の歩道に出て振り返っても、本来ならそこに十メートルほどの巨大さで聳《そび》え立っている筈《はず》の日本人形の姿はなかった。車道ではなんの混乱もなく車が往来していて、騒ぎ立てているのはレストランから出てきた客ばかりである。しかし東側のガラス天井は鋼鉄製の枠も含めて破壊され、そこに大きな力が加わったことを明白に示していた。

「そんな馬鹿な」

飛び出してきた客の話に通行人が笑っている。だが道ばたには頭から血を流した男女が何人も蹲《うずくま》っていて、いかに信じられない話であろうと、それだけ怪我人が多く出たからにはパトカーや救急車がやってくることは間違いなかった。

「ここにはいない方がいい。さあ。行きましょう」粉川が一同を急《せ》きたてた。

警察官なのに、なぜ事態の調査や確認に現場へ残ろうとしなかったのか。そんな疑惑の眼を向ける氷室の両親に、近くの駅までやってきた粉川が言う。「あなたがたにとって、今の出来事が悪夢のようなものだったのと同様、わたしたちにも、意味は少し違いますがまさにこれは悪夢なのです。今の事件が氷室氏にも関係のある出来事なのかどうか、われわれは科学的に、冷静に調査しなければなりません。警視監という立場上、現場の混乱に巻き込まれるのを避けてここまで退避したのはそのためです。ご理解いただきたいというのは無理かもしれないが、もう少し事態を見極めるまで時間をいただきたい」

「でもあの、あの人形」母親は狂気の如《ごと》く言いつのる。「あれは啓だったのですか。あの人形は本当に啓だったのですか。なぜあんな姿に」

母親の直感に驚きながらも、敦子は彼女を宥《なだ》めた。「時田さんは、日本人形から氷室さんを連想なさっただけです。氷室さんのことを気にされていましたし、動顚《どうてん》してあんなことを言われたんです。あれが氷室さんだなんて、そんな筈はありません」

「逆上してしまった」落ちつきをとり戻した時田も詫《わ》びる。「変なことを口走って、お母さんまで混乱させてしまった。すみませんでした」

なんとかふたりを宥めすかし、電車に乗せてしまうと、三人は事態を把握するための相談に、マンションの敦子の住まいへ行くことにした。

駅前で乗ったタクシーが、さっきのレストランの前を通る。パトカー、救急車はもとより、早くも新聞社やテレビ局の車が何台かきていた。

14

幡多温泉の宿は古い建物で、崖下《がけした》に建っていて川に突き出ているため客が増えても大がかりな増築はできず、そのため大広間もなくて、大人数の宴会は襖《ふすま》をはずし三部屋ぶち抜きで行われるのだったが、それとてひと部屋は建物の端から川に突き出ているため会場全体がL字形になってしまうのはしかたのないことだ。

　夕方五時になり、回り廊下の障子がすべて開け放されて涼しい川風の吹く、すでに料理の並んだ宴席に、角部屋の隅の床の間をいちばん上座《かみざ》として、温泉からあがって上気した顔の客たちが揃《そろ》いの浴衣《ゆかた》姿で次つぎと座を占めていく。

　越後《えちご》山系につらなる五莱《ごらい》山の幡多温泉は新潟市内からでもバスで四時間かかった。能勢龍夫の一行が東京を出たのは当然、朝がたである。能勢の他には近く発売になる新車「ヴェジタブル」の販売を担当している営業第三部長の難波以外に、営業部員や技術・部品の担当が二人の課長を含めて五人である。

　招いたのは新潟市内の特約販売店主数十人だった。明日からは課長以下の者が市内に残り、ディーラーのセールスマンやメカニックや事務員にメンテナンスの方法などの説明をしてまわるのだ。

　課長二人だけがなかなか宴席にあらわれなかった。この二人は朝、家を出る前に大便をしてこなかったため、便意を催しはじめたバスの中で堪えに堪え、旅館に到着するなりとび込んだ便所でながながと時間を費やしたのだった。そのため入浴も遅れ、バスの窓を開けていたから砂を浴びたので洗髪もし、尚さら遅れることになった。

「いやあ。どうもどうも」

洗い立てにべったりつけた宿備えつけのポマードで頭髪をてらてら光らせながら彼らがあらわれたのでやっと宴会が始まる。

能勢は宴会が始まるまで、温泉に短時間浸《つ》かったあと自分の部屋でひと眠りしていた。疲れが溜《た》まっていた。パプリカのことが気になり、来たくはなかったのだが、新潟だけは君が行ってくれと社長に頼まれたのではしかたがない。

宴たけなわとなり、夜風は毒だというので障子が閉められ、天井にあかあかと蛍光灯がともって、能勢のすぐ横、床の間の前の広い場所で余興が始まった。本社の営業部員の中にも珍芸奇芸の持ち主は多かったが、新潟の販売店の連中とて芸達者揃いであり、いつもしまいにはどちらがサービスしているのかわからない状態になる。余興をさせて貰《もら》えないと不機嫌になる者もいて、むしろ彼らに余興をやらせることがサービスになった。

丼鉢《どんぶりばち》と長煙管《ながぎせる》、背広をさかさまに着て中国人になった初老の販売店主の芸に一同が腹をよじらせ、頭がぼんやりするほど笑い転げている時、ひとりの仲居が廊下からころがりこんできた。髪を振り乱し、何かに追われるように宴席を突っ切り、大腿部《だいたいぶ》が出るほど着物の裾《すそ》をまくれあがらせた彼女は中国人の足にしがみついて叫ぶ。

「に、に、逃げてくださいっ」

これも余興だと思っている一同がまた大きく、わあと笑う。

「いよっ。出ました姐《ねえ》ちゃん」

「迫真の演技」

能勢も最初は芸だとばかり思っていたが、すぐ傍で見る仲居の様子が芝居にしては異常だし、顔も唇も紫色、からだ全体で顫えていて、恐怖で口がきけないらしいことに気がついた。

「どうしたっ」

怒鳴りつけるように言うと、ひき攣《つ》った面長の顔を能勢に向けて彼女は言った。

「と、虎《とら》です。虎。虎が出ました」

温泉宿に虎が出るわけはなく、一同がまたどっと笑う。

しかし能勢は凝然とした。本当なのではないか。そしてその虎は、さっきのおれの夢の中からあらわれた虎なのではないのか。日本旅館に来たために虎竹を思い出し、それゆえに見た虎の夢。その虎が、おれの中に残留しているDCミニの効果、副作用によって現実に。

まさか、と、思う。「夢と現実の区別をしてはいけない」などと口走ったのは、あれはあくまでパプリカにかかわる世界のみに限って言ったことだったのだ。

能勢に常識が戻った。虎をペットにしている男の話は新聞で読んだことがある。それが逃げ出すというのは、あり得ないことではない。

仲居の脅《おび》えかたがただごとではないため、笑いが少しおさまった。能勢は難波と顔を見あわせた。難波が仲居に訊《たず》ねる。

「虎って、どこにいるんだ」

「階段のあがり口にいて、こっちへ、こっちへ来ます」

「よせやい」

廊下近くの席の男が首をのばし、彼方《かなた》のうす闇《やみ》をうかがった。彼はものも言わずに前の膳《ぜん》を片側へはらいのけ、四つん這《ば》いのまま蛙《かえる》のように前方へ跳躍した。その激しい動きに皆が驚く中、彼の跳躍に触発されたような勢いで、廊下から一頭の虎が座敷にとびこんできた。猫でもなければ縫いぐるみでもないそれは巨大な一頭の虎。テレビの画面や檻《おり》の中に見る虎と違ってあまりにも巨大であり過ぎるため、それは確実に現実の、本物の虎として全員が視覚した。

どわ、と立ち騒ぐ男たちに興奮と狩猟本能を掻《か》き立てられた虎が、手近のひとりに躍りかかり、それこそが野性である証明のように正確にその首を嚙《か》んだ。

多くの者が悲鳴をあげながら障子を開け、我さきに手摺《てす》りを越えて飛び出して河原に転落した。川に突き出た座敷の回り廊下へ出た者は先を争って自ら川の中に落ちた。驚愕《きょうがく》のあまり腰を抜かして逃げ出せなくなった者もいた。床柱にすがりついて懸命に立とうとする者、尻《しり》を畳に据えたまま女性的に身をくねらせ、いざって逃げる者、逃げようとする者の足にすがりつく者、背中を壁につけたまま前に投げ出した両足を屈伸させているだけの者。

ただ茫然《ぼうぜん》として、虎にやられた男の首から噴出する血、その男の断末魔の痙攣《けいれん》を眺めていた本社の若い営業部員は、仕留めた獲物をそのまま残して、襲いかかってきた虎の、新たな犠牲となる。

仲居は逃げ出した中国人姿の販売店主の足にすがり、ひきずられて回り廊下にまで出ていた。能勢と難波は自分たちの席で茫然自失していた。そのあたりにいるのはもう彼らふたりだけだ。

「に、逃げ、ましょう」難波が能勢の肩に手をかけ、痙攣に近い顫えかたをする足でやっと立ちあがる。

哀れな営業部員の喉笛《のどぶえ》から鮮血にまみれた口でひとつかみの筋肉をもぎ取った虎が、難波の動きに反応して能勢たちを睨《にら》みつけた。

15

眠るのがこわい。小山内守雄は苦しんでいた。

眠ればＤＣミニの残留効果で誰かの夢がなだれこんでくる。それが乾精次郎の夢であればよいが、たとえばすでに死んでいる氷室のあの恐ろしい夢なども、小山内の夢に蘇《よみがえ》ってきて彼を脅えさせるのだ。夢の中では氷室はまだ生きているのだった。

乾精次郎もまた、同じ悩みをかかえていることを小山内に打ちあけた。

「しかしな」と、彼は言った。「これは千葉敦子にも共通する苦しみである筈《はず》だよ。彼女もまた、夜がきて、眠らなければならないことを苦痛に感じているに違いないのだ」

だからといって夢の恐ろしさが減じるものでもなかった。それどころか、夢の中で千葉敦子と出会えば必ず戦いになるのだ。彼女もまた同時に、彼と戦っている夢を見ているのだった。彼女との異床同夢は常に、異床同夢ということばから連想できるロマンとは程遠い、神経をすり減らす壮絶な戦いであった。自分自身の夢なのか、誰かの夢と混りあっているのか、まずそれを見極めなければならなかったし、誰の夢かを見分けなければならないのでもあった。あるいはそれは、小山内自身がＤＣミニを装着して氷室同様の精神破壊を企てたこともある島寅太郎や時田浩作の夢かもしれなかった。一度でもＤＣミニを使用した者がすべて小山内の夢に乱入してくる可能性があるとすれば、パプリカのクライエントだった能勢龍夫という会社重役、同じく警察幹部の粉川利美も、彼ら自身意図せずして小山内の夢の中へ登場してくることだってある筈だ。

粉川の登場を、小山内は特に恐れた。彼が小山内の夢に登場するだけでなく、精神力の弱い橋本あたりの夢とぶつかりあっていたりすれば、たちどころに氷室の殺害を勘づかれることになる。

睡眠をとらぬわけにはいかない。勤めがあるから他の者が覚醒《かくせい》している昼間だけ眠るという方法もとれない。せめてものこと、乾精次郎や橋本と示しあわせて同じ時間に眠るという策が、敵から共に身を守るための唯一《ゆいいつ》のものだった。

ああ。この残留効果はいつまで続くのか。あるいは永久に続くのか。DCミニは危険薬品用の鉛の保管箱に入れているが、どう遮断しようと、あれがある限りこの悪夢は続くのだろうか。千葉敦子もすでに危険性を悟ってDCミニの使用をやめていることだろうが、悪いことに小山内の部屋は同じマンションに住む千葉敦子の部屋から天井ひとつを隔ててすぐ、一階下にあり、DCミニを使用していようといまいと、残留効果だけで互いの夢にジャック・インできてしまうのだ。

いつでも眼醒《めざ》めることができるように、浅い睡眠をとり続けることは極めて困難だったが、それをやらねばならない。午前二時、小山内は眠りに入った。

神宮外苑《がいえん》だろうか。小山内はジョギングをしているらしい。ジョギングなどはしたことがない。やらねばなあ、と、思ったことはある。だからこそこうやって夢でやっているのだろう。彼方からジョギング姿の男が近づいてきた。初老だ。馬鹿《ばか》め。歳《とし》をとってからあわててジョギングをやったって、からだを壊すだけだ。まてよ。あれは島寅太郎所長ではないのかな。

　案の定だ。島寅太郎は彼を認め、彼の方へやってくる。こいつ、もう正常に戻ったのだろうか。こいつには何か悪い仕掛けを施してやった記憶がある。いやだなあ。恨みごとを言うためにここへやってきたのだろうか。

　島と小山内は向きあって立つ。島は笑っていた。この人のよさが小山内には腹立たしくもあり、無気味でもあるのだ。

「もうすっかり、いいんですか」習慣でついていねいに言ってしまう。

「いいの。いいの」島は笑ったまま頷《うなず》く。「君にやられた★○◆◎の■◇は、パプリカが治してくれて。彼女は天才だから。常人の君とは違って」

　小山内は逆上した。これはおれが夢で見ている島所長ではない。島寅太郎本人だ。こいつの夢とぶつかりあっているんだ。気が弱くてふだん言えないことを、夢で言ってやがるんだ。「黙れ。老いぼれ。蜘蛛《くも》の巣爺《じじ》い。天才はおれだ。このくたばり損ないめ。死ね。死ね」

　思いがけず目下の者から罵《ば》倒《とう》された驚愕《きょうがく》で島の顔がずどん、と、ながく伸びた。同時に彼のからだは首のあたりまで地面にずぼっ、と、めり込んだ。そのまま彼は地面を掘り返しながら、首だけ出した姿であたりの参道を走りまわり、太い木の根かたにぶつかってそこから先へは進めず、上を仰いで何やらわめいている。

「ざまあ見ろ」

その頭をうしろから蹴《け》とばしてやろうと思い、なんとなく自分の封建的な父親をいたぶるような快感に纏《まと》いつかれながら歩き出した時、背後からピアノ線のように金属的で張りつめた危険な声がとんできた。

「やめなさい」

幼いパプリカだった。幼いながらも彼女がパプリカであることは赤いシャツにジーパンというその身なりですぐにわかった。どうやら小山内自身も少年期に戻っているらしい。パプリカはゴム紐《ひも》を伸ばしきった状態のパチンコを持ち、守雄に向けて構えていた。それがどれほど危険なものか、守雄は身にしみて知っている。友達から眼に当てられたことがあるのだった。咄嗟《とっさ》に眼を閉じていなければ失明したところだった。その時のいやな激しい痛みはまだ記憶にある。

「わっ」

左右は高級住宅で、そこはだらだら坂になった道路だが、どこかの家に逃げこんでいる余裕はない。彼は頭をかかえてその場にしゃがみこみ、悲鳴をあげる。

「やめろっ。危ないから、やめろっ。やめろっ」

「ふふ。ふ」不良娘のパプリカが勝ち誇って笑っていた。「やっぱりね。これ、たいていの男の子、嫌いなんだ」

顔を伏せていても守雄にはわかるのだ。彼女はうずくまった守雄の前に立ち、パチンコの小石を彼の脳天にまともに向けているのである。

「おい。こら。守雄。いくぞっ」

「わ」

もう我慢できなかった。どうせ夢だとは思うものの、現実にまで大怪我《おおけが》を持ち帰る可能性があるのだから。彼は飛んでくる小石を避けようと狂気のように両腕を振りまわしながら立ちあがり、大晦日《おおみそか》の夜の、少年時代のわが家に逃げ戻る。

大晦日の夜、彼の家では家族が遅くまで起きていて、元旦《がんたん》の支度をする習わしだった。寝るのはたいてい元旦の朝の三時、四時になった。守雄たち子供も、興奮で眠れぬまま、立ち働く大人たちと共に起きていて、ついには茶の間で眠り込んだりもしたのだが、その茶の間ではいつも祖父がどっかりと正面に座り、清酒の一升瓶を傍らに置いて湯呑茶碗《ゆのみぢゃわん》を片手に、女たちにあれこれと指図をしていたものであった。だが今、守雄が駈《か》け戻った茶の間では、祖父となった乾精次郎が和服姿であぐらをかき、不機嫌そうな面持ちでいつもの場所から守雄を睨《にら》みつけてきた。

「夢を見ないような深度の眠りをとるため、苦心してブタリロナールとスルフォナールを微妙に調合した。やっと眠った途端に君が騒ぎ立てて、これだ」

「すみません」守雄は鼻声で甘える。「でもぼくは、怖かった。怖かったんです」

「この場所は、君の夢なんだろうね」乾は茶の間を見まわす。「君がいちばん深く眠っていらしくて、他の誰それが侵入してきている気配がある」

「これは実は懐《なつ》かしい時間であり、懐かしい場所でもあるのですが、また恐怖の時間、恐怖の場所でもあるのです」守雄は泣く。「あるいはそれは、現実にはなかったことなのかもしれない。夢で何度も見たためのあと記憶なのかもしれません」

「ここで、何があったのかね」乾精次郎は精神科医の顔になった。

守雄は玄関を振り返る。玄関の戸は開け放されたままだ。ひっきりなしに家人が出入りするため、ほとんどひと晩中、そこはたいていあかあかと灯がついていて開け放されたままなのだ。それをよいことに、時おり無頼の人間が入ってくる。夢の中では常に起ることだが、現実においても毎年の大晦日にあったことなのかもしれない。一度だけあったことなのかもしれない。あるいはまったくなかったことなのかもしれない。

それは時には身ごなしの崩れた不良青年であり、へらへら笑いながらその辺に置いてあるものを持ち去ったりする。時には暗い眼をしたやくざで、無茶な難癖をつけて金品をゆすり取ろうとする。また時には浮浪者の風体《ふうてい》をした酔っぱらいの大男であり、美しい母や姉を犯そうとするのだった。彼らは一様に無神経でずうずうしく、守雄や家人のけんめいの抵抗にあっても平気であり、撃退したと思ってもまたやってくる。特にこの大晦日の夢が始まれば必ずやってくる存在だった。

「そうか。では、誰か来るな」守雄の記憶をたどった乾は、鬱陶《うっとう》しげに唸《うな》る。「ここは君の自我の一部で、君がけんめいに守っている弱みのひとつだ。そこへつけこんでくるに違いない」

玄関で女の悲鳴。「誰。誰ですか」脅えきった母の声だ。そうら来たぞ。守雄は立ちあがり、早くも泣き声になりながら叫ぶのだ。出て行け。出て行け。「ここはお前なんかの来るところじゃないんだぞ」ぼくらの家族はお前らなんかとは身分が違うんだからな。みんなインテリで、気高い家族なんだぞ。お前ら無教養の貧民とは関係ないんだ。「関係ないんだ」「この貧乏人」「出て行け」

「ああ。君、小山内守雄さんだね」

戸外の闇《やみ》を背景にして玄関に入ってきたのは粉川利美という、あの警視庁幹部だった。無教養でもなければ貧民でもなく、それどころか守雄さえ仰ぎ見るべきエリートである。甘ったるさの微塵《みじん》もない、厳しく整った顔貌《がんぼう》の彼はそもそも夢の中でも崩れを嫌うのか、いつかエレベーターで出会った時のような仕立ておろしの背広を隙《すき》なく、しかもそれが常のことであるように着こなしていた。少年時代の守雄がいちばん嫌う種類の大人である。小山内もいつか少年時代の彼であることをやめていた。粉川利美による小山内の夢への闖入《ちんにゅう》によって否応《いやおう》なしにやめさせられたのであるかもしれない。

「誰ですか」痴呆《ちほう》の声、痴呆の質問であることを自覚しながら小山内は退行を阻止できない。あがり框《がまち》にへたりこもうとする腰をたてなおすだけの気力しかないのだ。「ご存じでしょう」笑いもせず、粉川は言った。すでに小山内の意識にさぐりを入れているのだ。警視監。警視監。威圧的に小山内に降りかかってくる階級名。粉川の夢中の思考もまた小山内になだれこむ。

これだな。副作用というのは。よかろう。ひとつの機会ではある。パプリカを助けることにもなるだろう。利用し、真相を探り、そして戦わぬ手はあるまい。

「氷室氏の死体はどこかね」

わっ、と、小山内の心が悲鳴をあげた。逃げなければ。逃げなければ。反撃する気力はない。

さいわい衝撃で睡眠の深度が変化すれば夢も変る。彼は旅館にいる。いや。旅館というよりは昔の旅籠《はたご》だ。広間にたくさんの旅びとがくつろいでいる。小山内自身は枕《まくら》さがしなどと、若侍である。気をつけなければな、と、彼は思う。こういう場所には枕さがしなどのこそ泥、巾着《きんちやく》切りや胡麻《ごま》の蠅《はえ》、掏摸《すり》かっぱらい置き引きなどがうようよしているという時代小説の知識。それが彼の現在いる場所だ。夢の警報だろう。油断するな。だが侍の装《な》りはしながらも彼は脅えている。この中に誰がいるのだろう。行商人。巡礼の親娘《おやこ》。相撲取り。若夫婦。猿回し。彼の嫌うごちゃらごちゃらした下級庶民ばかり。あっ。いた。彼方《かなた》の人ひと人の頭越しにこちらを窺《うかが》っているのは、あれは煙管《きせる》をくわえた白髪頭の大工の棟梁で島寅太郎。鳥追い姿の千葉敦子。小山内は立ちあがる。もういやだ。助けてくれ。どこへ逃げても駄目なのか。くそ。くそ。き、斬り殺してやるぞ。彼は抜刀する。

16

まだ夢の中だ。小山内は夢の中でそう思うが、夢だと決めつけて夢の生活をなおざりにすることはできない。誰でもそうなのだろうが、夢ならば尚《なお》さら真剣にならねばならぬという無意識からの指令、放埒《ほうらつ》に走ろうとすることへの抑止がある。

だが、もしや夢の中にいるのは自分だけではないのか。そんな気がした。自分がいまだに若侍の恰好《かっこう》でいるからには、夢であることはわかっている。手には刀を握っている。これを抜刀してからどうなったのか。刀の刃に血はついていない。あれから長い時間が過ぎたようにも思うが、記憶の脱落がある。さらに、夢から醒《さ》めたばかりという夢を見ているのでもあるようだ。若侍たる自分は今、ベッドの上に起きあがったところだから。ふたつ並んだベッド。傍らのPT機器。うす暗い寝室。いや、診療室でもあるようだが、この部屋は誰かの夢の視覚を通じて知っている。パプリカの夢だ。ここは千葉敦子のアパルトマンの寝室だ。そしてクライエントを治療する部屋でもあるのだ。

夢中に存在する自分自身には存在感がないのに、周囲には現実感があり、あたりの道具的存在者の存在感は確固としている。そんなことがあり得るのだろうか。だが、何しろ夢の中だからそれ以上深く考えることはできない。小山内守雄は若侍らしくない鈍重さでのろのろと起きあがった。

隣室から声が聞こえてくる。男の声だ。隣室とは即《すなわ》ちリビング・ルームである筈《はず》。してみれば千葉敦子が自分の住まいに男をつれこみ、その男と親しげに話しているのか。嫉妬《しっと》でからだが揺れた。くらり、身をななめにし、若侍の小山内がドアの横の壁に凭《もた》れ、ドアを細く開けてリビング・ルームを覗《のぞ》き、聞き耳を立てる。

「しかしその虎《とら》は、ぼくに襲いかかってはきませんでした。それどころか、傍へやってくると、懐かしげにというか、慕わしげにすり寄ってきたんです。咽喉《のど》を鳴らしてね」

あの男だ。能勢という会社重役だ。彼は眼を丸くしてその座の一同を見まわし、喋《しゃべ》り続けている。そこにいるのは千葉敦子、時田浩作、島寅太郎所長、ほかに見知らぬ男がふたり。しかしわが身の朦朧《もうろう》さに比べ彼らの存在感の明瞭《めいりょう》さ、話す言語の明晰《めいせき》さはどうだ。まるで現実そのままではないか。

「通常そういうことはあり得ないそうです。人が大勢いるところへ暴れこんでくるような凶暴な虎が、人間にすり寄ってくるなんてことはね。ぼくはその時、針のようなその虎の毛をけんめいに撫《な》でてやりながら、はっきりと悟ったんですよ。これは夢か、そうでなければこれは夢の中から出てきた虎、正確に言えば虎になった虎竹貴夫だとね」

出張から戻ったばかりでとんできた能勢龍夫を敦子、時田、島が囲んでいた。粉川利美は警視総監代理の重要な仕事があって来られず、かわりに山路警視と宇部警部がいる。浩作と島寅太郎は正常に戻り、もう自分の身は守れるので、菊村警視正と阪警部はお役ご免になったのだ。

「虎はぼくの眼の前で消失しました。ぼくが『消えろ。消えろ。消えてくれ。夢の中へ帰ってくれ』と、おそらくは夢中で、いや、現実に声に出して唱え続けたからかもしれません。この虎の一瞬の消失は横にいた難波も目撃していますが、彼もぼくと同じで、そんな非現実的なことを警察官たちに言って馬鹿《ばか》にされる愚は冒さなかった。それからあとの騒ぎは、新聞などでご存じでしょう。警察官や消防署員、猟友会による山狩りが行われましたが、もちろん虎の姿はどこにもない。かといって死者がふたり、怪我人も大勢出ている以上、集団幻覚で片づけるわけにもいかないから、いまだにあそこでは虎が実在するものとして厳戒態勢のままですよ」

「レストランに出現した日本人形と同じですなあ」山路警視が不条理感に楯《たて》つくかの如《ごと》く眼をぎらぎらさせ、警察官らしい論理性を保とうと努力するかの如く言う。「夢から出てきたそのもの自体は、非存在として当然のことながら消失するものの、あとに死者や怪我人が残る。これはつまり、何を意味しているんですか」

訊《たず》ねられても、敦子にわかるわけがなかった。無理に答えようとしても、たかが夢からの使者であろうと、現実の世界に死を与え、傷痕《きずあと》を残すことが可能なのだろうという、夢の力の大きさを再確認するだけの象徴的な推測に終わってしまう。

「ぼくがいけない」時田浩作はさっきから頭をかかえこむような仕草をしばしば見せていたが、とうとうたまりかねたように大きな呻《うめ》き声を出した。「あんなもの作ってはいけなかった。アクセス不能機能も設置しないままで、うかうかと不用意に作っちまった。失格だ。科学者失格だ」

ことさらに慰め、弁護することばを失い、全員が沈黙した。時田はそのためますます自責の小爆発を連続させて身もだえる。

「うーん。あとさきを見ていなかったんだ。自分の発明の才に溺《おぼ》れていたんだよなあ。そうだ」彼は隣席の敦子に向きなおって、ゆっくりと分厚い掌《てのひら》をさし出した。「DCミニを分解する。あれ、全部出してくれ。君の持っているものだけでも今すぐ分解するから」

「ちょ、ちょっとお待ちを」山路警視があわてて腰を浮かした。「時田先生のお気持はわかりますが、敵の手にもDCミニは残っているんです。わたしがここにいながら、時田先生がDCミニを分解なさるのをむざむざ見ていたとなると、あとで悔む羽目になった場合にわたしが叱《しか》られます」

「そうですよ」と、能勢も言った。「少なくとも粉川警視監にだけは相談してください」

「DCミニの存在そのものが残留効果を増大させているのでなきゃいいが」時田はまた呻いた。

「こちらがDCミニを処分したとしても」島寅太郎が疲労を眼に見せて力なく言う。「あっちが持っている限り、毎夜のようにこっちの夢に侵入してくる。わたしはもうふらふらだよ。昨夜も小山内からひどい目にあわされた」

罵倒《ばとう》され、地面に首まで潜らされ、掘り返しながらあちこち走らされたことを言っているらしい。

「彼らからDCミニを奪い返す機会は、夢の中にしかないんです。彼らももうDCミニをつけてはいないと思いますが、それでも」敦子は気弱な島所長を励ました。「もう少し我慢してください。昨夜みたいに、わたしが護《まも》りますから」

「ああ。そうだね。そうだった。君はまだ、戦っているんだったなあ」ずいぶん老《ふ》けたように見える島が慨嘆する。

時田も能勢も、夢を共にしている者同士の共感で敦子にうなずきかける。彼らもまた、そこへ登場するにせよしないにせよ、夜ごとの夢に敦子の戦いぶりを見ているのだった。

「粉川警視監も、昨夜は乾精次郎と苛烈《かれつ》な戦いを演じたと言っておられましたよ」山路警視が苦笑して言った。「あ。笑うべきことではないのでしょうが」

「あのあとね」敦子が島と頷《うなず》きかわす。小山内が警視監から逃げたあと、かわって玄関へ乾精次郎が出ていったに違いないな」島は心配そうな顔をした。「そうか。あの玄関は小山内の夢なんだから、当然場面は変った筈だ」

「大晦日《おおみそか》の夜の場面だろう。

「そこのところは見ていない」時田も気がかりな表情になった。「粉川さん、あの乾精次郎相手に、大丈夫だったんだろうか」

「ま、あいつなら大丈夫でしょう」能勢は、自分ならどうされていたかわからないという懸念《けねん》までを打ち消すように言う。「攻勢に出ているのはこっちなんだから」

「あのあと小山内は、旅籠に若侍の姿であらわれた」と、島寅太郎が言う。「わたしとパプリカも時代装束で出ていった。若侍が刀を抜いたので驚いたが、あのあたり、警視監と乾は彼らだけの夢で戦っておったのだな」

「そうだ。刀を抜いた」

うつろな声で誰かが相槌《あいづち》を打ち、一同が凝然と身をこわばらせる中、宇部警部だけが立ちあがって寝室のドアを睨《にら》みつけた。

「あそこに誰かいます」

「誰だ」山路警視も立ちあがった。早くも不吉な予感に身構えながら、彼は叫んだ。

「そこにいるのは誰だ。出てこい」

ドアがゆっくりと開き、リビング・ルームの六人が息をのんだ。若侍姿の小山内守雄が抜き身を片手に、朦朧と輪郭のぼやけた姿で片側の柱に凭れ、立っていた。生気のない眼は陰鬱《いんうつ》に沈み、敦子たちに向けられた伏し目勝ちの眼差《まなざ》しにはかすかに恨みが込められている。視覚的に存在感はなかったが、無意識に突き刺さってくるような凶《まが》まがしい存在感があった。彼は美しかった。時代小説の挿絵から抜け出てきたような美しさだったが、それゆえ尚さら危険を感じさせた。

「昨夜の夢の中から出てきたのよ」敦子は立ちあがって台所の方向へ移動した。彼女が小山内から最も近い場所にいたのだ。

「消えろ。消えろ」今聞いたばかりの能勢の話を思い出した時田が、巨体で敦子を護りながら念じるように大声でくり返す。「お前は実在しない。消えろ。消えろ」

若侍は薄く笑う。そしてあきらかな寝言を呟《つぶや》きはじめるのだ。「抜いた刀のそのあと。今はしな歯の手。眼醒めれば時田浩作。戸の理はない味噌《みそ》差口とか。おのれ。姦通《かんつう》か。しら椅子《いす》金椅子の魔。うぬ」

刀を正眼に構えて時田に迫る小山内の若侍に拳銃《けんじゆう》を向けた宇部警部が、さすがに発射をためらって山路警視に訊ねる。「あのっ。どうしましょうかっ」

「射殺して、この、本人が現実に死ぬ、ということはないのだろうが」山路は惑乱していた。「しかし、こいつを殺して、現実にどんな影響が」

若侍は時田に向って白刃《はくじん》を大上段に振りかざした。

「危い」時田が身を沈める。

「撃ってくださいっ」敦子が悲鳴のように叫ぶ。「現実に影響ありません」

「撃て」

若侍が刀を振りおろす気配に、宇部は拳銃を発射した。

胸に赤いしぶきが散り、若侍の小山内が身をよじった。彼の刀は空《くう》を斬《き》った。そのギリシア的な整った美しい顔を苦痛に歪《ゆが》め、髪を振り乱した姿に、いささか泥絵具で描いたような俗っぽさもなくないが、それにしてもこの世のものとは思えぬ、息をのむほどの倒錯的な美しさが輝いた。そのよろめきは総天然色の死の舞踏。洩《も》らす苦痛の呻きと唇の端から流れ落ちる鮮血と、宙をひたと見据える末期《まつご》の眼は死の美学。彼はまさに床に崩れ伏す寸前、消滅した。

「あ」

くらり、と、眼がくらんだ気がして、からだを倒しそうになった小山内があわてて椅子の上で身を立てなおす。精神医学研究所の副理事長室。小山内は今、乾精次郎のデスクの前に腰かけて、彼と理事会のことで話しあっていたのだ。乾はなぜか驚きを見せ、小山内を見つめている。

「すみません。ちょっと、ふらっとしたもので。何しろ最近は、熟睡できないものですから。特に昨夜は、ご存じのように」共に見た夢だ。話すまでもない。小山内はことばを濁す。

「大丈夫かね」

「はい。もう大丈夫です」

そうは言ったものの小山内には、今朝がたから続いている空虚感が今の眩《くら》みによって、自我の一部を一挙に喪失したかのように思えるのだった。何ごとだ。そう問いかけたいのは彼自身だった。感覚の中に空白が発生していた。彼は精気をとり戻そうとして激しくかぶりを振った。

「今のは、何だったのかな」乾は不審げに首を傾《かし》げ、小山内を見つめ続ける。

「は。何がですか」

乾は眼鏡をはずして机に置き、眼をしばたいた。「ほんの一秒ほどだったが、椅子に腰かけている君の姿がそこから消えた。そして武士の衣装をつけて刀を持った君の姿があらわれた。胸を血で染め、君は死ぬ寸前のように見えた。なんともいえぬ悲愴《ひそうかん》感で、実に美しかった。あれはいったい何だったのか」乾の眼に好色の光がうすく宿り、彼はゆっくりと立ちあがった。頬をゆるめていた。「魅力的だったぞ。君の昨夜の夢が、悪魔の種子の力で一瞬現実に顕現したのではなかったのかな。それにしても、君はいったい誰に殺されたのかね」乾は小山内の背後にまわりこみ、その肩に優しく両手を置く。

「しかし、美しかったな。君に惚《ほ》れなおしたぞ」

17

眠りを怖いと感じているのは、敦子もまた小山内同様だった。しかし敦子にはＤＣミニを奪い返さねばという使命感があって、それが今のところ夢の中で乾や小山内や橋本に対し攻勢に立つことのできる理由だった。共に見ている夢の中で優位に立つとはどういうことか。それは舞台や展開を自分に有利に設定できると同時に、逆に相手の夢に自在に侵入できる自由を得ることである。

敦子が恐れるのは夢を見続けているうちに睡眠が深くなり、無意識に捉《とら》えられて夢から脱出できなくなることだった。健康には悪いが連続して浅い眠りをとるような手段を、敦子もまた講じていた。薬品、自動覚醒《かくせい》装置、ＰＴ機器の前に腰かけたままという不安定な姿勢のままの眠りなどである。

その夜は自動覚醒装置に頼ることにした。完全な覚醒に到《いた》らず、浅い睡眠を保ち続けられるようにセットした覚醒装置である。枕《まくら》もとには電話も置いた。覚醒装置がきかなかった場合のため、何時間かおきに互いに電話をかけあうよう時田や島と打ちあわせているのだった。

浅い睡眠といっても、からだが深く眠り、脳波だけが覚醒時とかわらぬ曲線を描くREM睡眠というものもある。REM睡眠中に夢を見ながらPT機器を操作することはもはや不可能であり、たいていは夢の中でそれを夢と認識することもできなくなっている。

第一回目のREM睡眠であろうか。今、敦子は夢の中で、それを夢とは思わぬまま、仲がよかった頃の橋本と一緒に実験室にいた。生物の、または化学の実験室であろう。そして試験管の中にいるのはさまざまな細菌であろうか。バクテリオファージの実験ででもあるのだろうか。しきりにのどが渇く敦子は、ミネラル・ウォーターの瓶から水を飲もうとした。しかし、ミネラル・ウォーターの中にも緑色の何やら微細なものが蠢《うごめ》いている。

「細菌だわ」

「それ、一度煮沸すれば」橋本が横から助言する。

敦子は水をフラスコに入れ、火にかけようとした。

「あっ」敦子は火をとめ、フラスコを持ちあげて中を覗《のぞ》きこむ。

細菌が成長していた。

「これはむしろ、菌類」

橋本が頷く。「うん。変形菌類に近い不完全菌類だね。きっとムタビール型の変異を起して」

外気に触れたためか、体長三センチにも成長した菌類は三体いて、それぞれ毒毒しい濃い緑色、濃い赤、濃い黄色をしていた。上部に顔のようなものがあり、からだは紡錘《ぼうすい》形をしていて、巨大な孑孑《ぼうふら》のようだった。顔には目鼻のようなものさえ認められた。

「こんな水、飲めないわ」のどの渇きはますます激しい。

「こんなもの、炭水化物だから」橋本が箸《はし》をフラスコに入れ、黄色の一体をつまみ出し、頭の部分を齧《かじ》る。

うっ、と、胸を悪くしながらさらに敦子がフラスコを覗くと、赤い菌の顔が敦子自身の顔になっていた。

「わはははははは」

大声で笑い出した横にいる橋本の顔が、いつか乾精次郎の顔になっていて、彼は緑色の菌だ。紡錘形の下半身を、菌になってしまった敦子のからだにからめてくる。

「夢だわ」

乾出現の衝撃でそう悟るなり敦子は、赤いからだをそのまま赤いシャツに変えてパプリカに変身した。こんなに早い時間から寝たのね。まだ午後の七時なのに。わたしと同じように、誰とも夢で会うことなく、ゆっくり眠りたいからなのかしら。だが乾は本心を見せない。たいへんな自制心、抑制力だ。

橋本君。助けて。助けて。パプリカは試みに橋本を呼ばわってみる。さっきのは本当に橋本自身だったのかもしれない、と、パプリカは思う。彼もまた、時間をずらせて睡眠をとり、自分と共に実験している夢を見ていたのかもしれない。精神力の弱い彼が自分の誘導によって夢中で秘密を明かすことのないよう、時間をずらせて睡眠をとれと乾や小山内から強制されているのかもしれないと、そうパプリカは想像したのだった。

橋本の行きつけのラーメン屋の店内。テーブルの彼方《かなた》から橋本が手をのばし、菌となって巻きついている乾の下半身をパプリカからもぎ取ろうとした。誰の無意識もそうであるように、橋本の心もやはり、まだ千葉敦子と仲がよかった時代の過去に囚《とら》われたままなのだ。手が届かぬと知りながら彼が千葉敦子に恋していたことをパプリカは知っている。

「ああ。やっぱり寝ていたのね」よかった、と、パプリカが安堵《あんど》の声をあげる。

馬鹿者《ばかもの》、と、罵声《ばせい》をあげた乾が橋本に襲いかかった。常に味方として負の効果にしかならぬ邪魔な裏切り者を、殺さぬまでも、せめて発狂させてやろうという乾の残虐《ざんぎゃく》な意図が読めた。橋本君逃げて。いいえ。眼を醒まして。パプリカは橋本に叫ぶ。厨房《ちゅうぼう》のフライパンに火が入り、ぱっと炎が立つ。

乾はアモン神となり、蛇の尻尾《しっぽ》を彼のからだに巻きつけた。燃えさかる火は梟《ふくろう》そっくりの顔をしたアモンの口から吐き出されたものだ。アモン神。地獄の大侯爵《だいこうしゃく》。乾が自らを同化させた異教の魔物であるだけにそれはなまなましい実在感を持っていて、橋本を仰天させるに充分だ。橋本は悲鳴をあげる。師を裏切る行為であったと自覚させられ、師の心からは発狂や死さえ読みとれるその罰の恐ろしさに、もはや夢であろうがなかろうが助かるまいと想像でき、彼はながながと寝小便をする。

パプリカの前から橋本とアモン神の姿が消えた。橋本が寝小便をしたことは、パプリカにまで伝わる下半身のなま暖かさと臭気で知れ、それゆえの橋本の覚醒なのであろうが、乾精次郎の化身たるアモン神までがなぜ消えたのか。パプリカは慄然《りつぜん》とする。現実の方角から橋本の断末魔が聞こえてくるような気がした。もしやアモン神は橋本の覚醒と同時に現実に出現し、橋本のベッドの上で橋本を絞め殺し続けているのではあるまいか。

橋本はしかし、マンションの自室のベッドで寝ているのではなかった。自分の研究室のソファで仮眠していたのだった。彼は夢の中での死の苦痛を現実に持ち帰り、その苦痛と一緒に覚醒した。苦痛を逃れるため夢から醒《さ》めても苦痛はそのままという現実はなんと切ない現実であろう。それ以上どこにも逃れる術《すべ》はなく、あるとすれば死ぬしかないという現実はなんと無慈悲で残酷なことか。今、橋本は胸部をアモン神の尻尾で締めつけられ、鋭い爪《つめ》で陰嚢《いんのう》を鷲《わし》づかみにされ、嘴《くちばし》のある口からの炎によって顔を焼かれていた。その炎によって窒息し、同時に睾丸《こうがん》が破裂し、同時に肋骨《ろっこつ》が折れた時、橋本は一挙に三種類の死を死んだ。赤い死と、黄色い死と、紫色の死だ。その瞬間の最大の、三色の苦痛を満喫した地獄の大侯爵は満足そうに唸《うな》り声をあげて消える。

僅《わず》かな裏切り行為があったとはいえ、悪の手下を敵よりも先に殺すというのは、まことに地獄帝国四十の軍団を指揮するアモン神にふさわしい振舞いとも言えた。あるいは過去と未来に通じている魔神であるが故《ゆえ》に、橋本がおのれに敵対するであろう未来を見通しての仕業であったのか。殺戮《さつりく》を終えたアモン神は、本来の敵を置去りにしてきた夢の中へ、乾精次郎の理性に戻ってあわただしく帰ってきた。

パプリカは自分の夢の中にひとり残され、やっと夢での使命を思い出した。彼女は都心の駅の寂しい側の出口付近にいて、駅舎を出ると、高層ビルが立ち並び繁華街のある反対側とはまったく異り、そこは一面に広がる沼沢《しょうたく》地帯である。泥に足をとられながら彼女はあたりに小山内守雄の雰囲気を嗅《か》ぎとろうとして彷徨《ほうこう》する。

「小山内君」

呼んでみた。何の反応もない。では彼はまだ寝ていないのだろう。ならばDCミニのありかを探ることはできない。とはいえ、ひとりだからといってここで安眠するのは危険だった。悪く想像すればアモン神の姿のままで橋本と一緒に覚醒したのではないかとも思える乾は、ふたたび夢へ戻ってくるに違いないのだ。DCミニの所在はあの乾から聞き出すしかない。しかしあの精神力、あの異教の強靱《きょうじん》さで塗り固められた意識と戦うにはどうすればよいのか。いっそのこと、いったん覚醒した方がいいのかもしれない。

浮浪者、労務者風の男たちが数人、泥の中をうろうろしている。ちらちらとこちらを見ているようだ。パプリカの中に女性としての危機感が湧《わ》く。乾精次郎の夢の中での手先かもしれず、この沼沢地帯は乾の心象風景かもしれない。いそいで場面を変える。図書館の中だ。空気が冷たく乾いた閲覧室。天井が高くて広い清潔な空間。誰もいず、ここなら安全だろう。パプリカは大判の図鑑をテーブルに広げた。タイトルは「ベルトゥーフの少年絵本」。

ああ。やっぱり帰ってきた。パプリカは呻《うめ》く。図版のひとつはグリフォンだった。鳥の顔と翼を持ち、からだは獅子《しし》の、異教的な怪物。乾に違いないと思った途端、横向きに描かれていたグリフォンが身じろぎし、顔をこちらに向ける。その顔が乾精次郎になって猫の笑いを浮かべた。

「DCミニ」パプリカは先制攻撃をかけた。「DCミニ。どこに隠しているの」

激しい感情に、乾の顔をしたグリフォンのからだが揺れ、翼がはためく。

「ぬ」

意識すまいとけんめいに抑圧する彼の意識の隙間《すきま》から、ちらりと誰かの研究室の内部が見えた。片隅には、なぜか危険薬品用の保管箱がある。

「あの箱の中ね」パプリカは叫んだ。そう。あの箱は鉛でできている。間違いない。DCミニの効果を遮断するため、あそこに入れたのだ。「あそこは誰の研究室なの」

「があお」

心を覗《のぞ》かれたと知って乾のグリフォンは凶暴化した。自制心が砕かれた上は。この娘。これ以上覗かれては。どこまでも。グリフォンは羽ばたく。その風であおられた図鑑のページの間からグリフォンは飛び立った。閲覧室の円天井近くまで舞いあがった怪物は、そこでホバリングとともに方向を変え、かっと眼を見開くように両方の爪を開き、眼下のパプリカを狙《ねら》う。

襲われないためには、反撃し続けるしかなかった。パプリカは大声で叫ぶ。

「誰の研究室よ。誰の研究室なのよ。言いなさい。言いなさい」

グリフォンが消えた。誰の研究室かを明かすよりはと、乾は自らの覚醒を選んだのであろう。

よし。研究所へ行こう。おそらくは小山内の研究室であろう。あそこへ侵入し、薬品箱の中からDCミニを奪い、それをしっかりと手の中に握りしめて現実に戻ればいいのだ。パプリカは自分の夢の舞台を研究所に変え、一階の、そこだけやや広くなった医局前の廊下のかどに出現した。

18

職員があらかた帰ってしまう時間を見はからい、能勢龍夫と粉川利美は精神医学研究所にやってきた。隣接する附属病院との関連で多少の職員は居残っているであろうが、それはしかたのないことだ。玄関は閉まっているので、ふたりは建物の右へまわり、職員通用口から入った。警備員室の窓口からは、お定まりの定年退職後の再雇用と思える初老の警備員が顔を出して横柄《おうへい》に訊《たず》ねる。

「あんたたち、何」

「事務局はどこかね」粉川が逆に訊ね返し、警察手帳ではなく、身分証明書を見せた。ろくに見もせず、警備員は怒鳴るように言う。「もう時間外だ。何の用か知らんが、明日来なさい明日」

「捜査したいんだ」

粉川がおだやかに言うと凄《すご》みが出た。能勢は感心した。

身分証明書を見て、警備員は怖《お》じ気《け》づいたようだ。「だってあんた。でもあの。こんなに急に。じゃ、手入れですか。なら捜査令状は」

「これを見てもわからないのかね」粉川は言う。「わたしは警視監だ。捜査令状を発行するのはわたしなんだよ。言わばわたし自身が捜査令状だ」

降参した警備員が事務局と、事務局に隣接している事務局長室の場所を教え、ふたりは廊下を奥に進む。

「君。今のは本当かね」大股《おおまた》の粉川に遅れまいとして歩きながら能勢は訊ねた。「君には捜査令状は要らんのか」たしか令状は、警察からの請求で裁判所が出す筈《はず》だが。

粉川は笑って答えない。嘘《うそ》らしいな、と、能勢は思う。

電話が鳴っていた。行く手の事務局長室で鳴っているようだった。

「おいっ。あの警備員、事務局長室へ電話したぜ」

「うん」

ふたりは足を早め、ノックもせず事務局長室に入った。

あわてふためいた様子の葛城が数冊の帳簿を、窓を背にした正面の、自分のデスクのうしろ、部屋の隅の金庫に入れようとしているところだった。

「そのまま」粉川が一喝する。

大声に葛城はのけぞり、帳簿を床にとり落した。たいして激しい動きをしたわけでもないのに髪を振り乱し、葛城はデスクの隅に齧《かじ》りつくような姿勢で叫んだ。「何ですかあなたがたは。突然こんな。ノックも。非常識でしょうが」

「警察の者だということは知っているでしょう。葛城さん」

粉川は葛城のデスクへ大股に寄り、彼が拾いあげ胸に抱きしめている帳簿を奪いとり、デスクの上を能勢の方へ押しやった。「能勢君。調べてくれ」

能勢は帳簿を開き、調べはじめる。

「こういうものです。以後、おつきあい願うことになると思います」粉川が名刺を出し、葛城につきつけた。

「は」名刺を見て眼球をとび出させ、たは、という音とともに唾《つば》をとばした葛城は、ものも言わず机上の受話器をとる。

粉川は葛城をなすがままにさせておき、扉が開いたままの金庫の中を覗きこんだ。

これは「二冊目の仕訳帳」だ。最初の帳簿を見て能勢はすぐにそう悟った。ならばこれに関係する書類もある筈だ。「おい粉川。その金庫の中に伝票の束とか、書類の束とかいったものがあるだろう。ある筈だ。探してくれ」

「伝票の束があった」

「認め印は押されているか」

「全部、乾の判が押されている」

「それだ。押収《おうしゅう》しろ」

「乾さんですか」なかなか電話に出ず、葛城に苛《いら》立《だ》ちのあまりの足踏みをさせていた相手は乾精次郎だったらしい。「今、警視庁の警視監で、粉川という人がやってきまして」

報告しはじめた。

押収すべき帳簿、伝票、関係書類などを手早くまとめてしまったふたりに、受話器を置いた葛城が叫ぶ。「今、理事長に電話をしたのですが」

「理事長ですと」粉川は聞き咎《とが》めた。「今あなたが電話なさった乾精次郎氏は副理事長でしょうが。どうして理事長の島寅太郎所長に電話なさらなかったのですか」

む、と返事に窮した葛城は、足を縺《もつ》れさせながらデスクをまわってふたりの前に立ち、懇願の眼を向け、揉《も》み手せんばかりの様子をした。「しばらくお待ち戴《いただ》けませんか。副理事長にお会いくださいい。すぐ来ますので。あの。でないと、わたしが、その」

能勢は苦笑して横から言う。「それはまあ待ってもよろしいが、なぜその『副理事長』なんですかねえ」彼は粉川のことばをくり返した。「理事長よりも怖いおひとですか。ああ。これは失礼。わたしは能勢と申す者ですが」

ドアが開き、ひどくとり乱した態度でさっきの警備員が入ってきた。彼はうしろ手に閉めたドアの前に佇立《ちょりつ》し、惑乱の眼を室内の三人にさまよわせ、手を大きく両側に拡《ひろ》げた。何を言おうとしているのか、三人にはまったくわからなかった。

「何だ」いら立って葛城が叫ぶ。

「鳥が、廊下に」

「鳥なんか、追い出してしまえばいいじゃないか」

そう言った葛城は、警備員の拡げた両腕が鳥の大きさを示しているらしいと知り、絶句する。警備員が、これよりもっと大きいのだと言いたげに、さらなる大きさを示そうと腕を伸ばしたからだ。

「どんな鳥だ」能勢は訊ねた。

それをことばで報告しなければならないと知り、警備員は混乱の極に達して泣き顔をした。「胴体がけもので」細い声でそう言ってから、彼はやけくそのような大声をはりあげた。「口から火を吐きましたあ」

能勢は粉川と顔を見あわせた。夢からの侵入者があらわれそうな場所であり、局面でもあった。

「馬鹿《ばか》っ。寝ぼけるな。出て行け」

葛城が怒鳴りつけた時、廊下でがさつな羽音が高まり、重いものがドアにぶつかった。背中で凭《もた》れていた警備員が、衝撃にがくんとのけぞる。葛城の眼球がまた飛び出した。

「拳銃《けんじゆう》は」

能勢が小声で訊ねたが、粉川はかぶりを振る。

羽音が遠ざかり、粉川はドアに近づいて細くあけ、廊下をうかがい見てから能勢を振り返った。「行ったようだ」

彼はとって返し、能勢の手から重要書類の紙封筒をとって自分の腕にしっかりとかかえこむ。

「あなたがたはしばらく、ここから絶対に出ないように」と、粉川は葛城と警備員に強く言った。「非常に危険だから」彼は能勢を促す。「行ってみよう」

「今のは、な、何」部屋を出て行こうとする粉川と能勢に、顫《ふる》えながら葛城が訊ねた。

「あなた、呼んだんでしょう。おそらく副理事長が来たんですよ」能勢はそう応じて粉川のあとから廊下へ出た。

廊下は静かだった。まだ少しはいた筈の職員も、警備員の言うその巨大な鳥に驚いたのか姿を見せない。廊下の天井の照明器具が壊れ、両側の壁やドアには焼け焦《こ》げがあり、それらはいずれも摂氏何百度もの熱を放射されたかのような焼けただれかたをしていた。

「例の人形やおれの見た虎《とら》のように、消えたのかなその鳥とやら」

「さあ」粉川は床から茶色い鳥の羽根を一枚拾いあげた。

能勢が廊下の彼方《かなた》を見て凝固した。そこだけやや広くなった明るい空間に、テレビ画面のフリッカーを思わせるちらつきを伴って、突然赤いものが出現したのだった。

「パプリカだ」

粉川も、周囲を確認する様子の彼女の姿を見て驚く。「いつ来たんだろう」

ふたりは彼女の方へ歩き出し、パプリカもふたりを認めた。

「あら。あなたがた、もう寝てたの」

粉川にはパプリカが何を言っているのかわからない。しかし能勢は、これが前代未聞《みもん》の奇現象であるらしいことを察知し、戦慄《せんりつ》に見舞われていた。

「じゃあ、君は今、寝ているんだな」何か悪い影響を与えてはと心配し、腕をつかんで粉川のそれ以上の前進をとどめた能勢は、医局前の廊下のかどに立つ彼女を四、五メートル彼方に見、大声で確かめる。

「私の夢よ。みんな入ってくるのね。戦ってきたのよ今」

やはりそうだ、と、能勢は思う。パプリカのことばは夢のつぶやき。そして眼には無意識の色が濃い。

「君。おれたちは現実に、ここへやってきたんだ。おれたちは現実に今ここへやってきているんだ。そして夢でここへやってきた君と今、遭遇しているんだ」能勢は興奮し、パプリカに一歩近づいた。「昼間言っただろ。おれたちはここへ帳簿の不正を調べに押しかけたんだ」

「ああ」パプリカの眼が、夢の中とは思えぬほど知的に光る。すらりとした細身で廊下に佇《たたず》んでいる彼女はふたりの眼に、ひと昔前の典型的な不良少女の姿全体からひどく懐《なつ》かしいかすかなうす茶色の光を発していて、美しかった。

「これはたいへんなことだな」粉川は憮然《ぶぜん》とし、呻《うめ》くように言った。「こういう事態は考えられなかった。これはまったく、たいへんなことだ」

「夢と現実の混淆《こんこう》だ。パプリカ。君は鳥に追われたな」

「鳥。ああ。グリフォンね。あれは副理事長です」ふらりとして、パプリカは身を宙に浮かせる。「起きちゃいけないんだわ。今はまだ。DCミニを奪いにきたんだから」

フロアーから約一メートルの宙に、ややからだを倒して浮かんでいるパプリカが、自分の使命を忘れまいとするようにそう眩《つぶや》く。

「おれたちが近づいたからかね」能勢は訊ねる。「おれたちが近づくと君は覚醒《かくせい》しそうになるのかい」

「そんなことないけど、でも、わたしに触らないで。現実の手に触られたらおそらくわたし、眼が醒《さ》めてしまうわ」

TOUCH ME NOT。鳳仙花《ほうせんか》は触れれば弾《はじ》ける。パプリカに触れれば彼女は眼醒める。少しの無神経さがこの奇現象のバランスを崩壊させるかもしれないのだった。パプリカは今、からだを四十五度ななめ前に倒して宙に浮かんだまま、廊下を階段に向かっている。

「われわれはすでに不正の証拠を摑《つか》んだ。今度は君の手助けをしたい。現実の人間にしかできない手助けが必要だと思う。君はDCミニを探しているようだが、それはここにあるのかね」

パプリカを追いながらの粉川のことばに、能勢ははらはらする。ああっ。そんなに筋道立てた話しかたをしては、パプリカの論理的な思考力を触発して、彼女を覚醒に導いてしまうではないか。

夢の中の遊行。パプリカの移動速度は恐るべく早い。彼女は階段の天井近くを、流れを遡行《そこう》する魚のようにすいっ、すいっと多少ななめの左右に身を揺らせながら研究所の二階へと昇っていく。能勢と粉川が彼女の腹部を上に見ながら追う。粉川は二段とばしに階段を登って息づかいもまったく変らないが、能勢はすぐに顎《あご》があがった。

「DCミニはおそらく、小山内君の研究室だと。さっき副理事長の」

そう呟きながら二階の廊下に達してパプリカは床に立ち、滑るように奥へ行く。すぐ右手のドアは橋本が新たに与えられた研究室だが、その室内のソファの上の、血まみれになって息絶えている橋本の存在を、前の廊下を行く三人は知らない。

小山内の名前が書かれたプレートは廊下の左手のドアにあった。鍵《かぎ》がかかっているそのドアを粉川が肩で破壊する。

室内に入ったパプリカが大きく頷く。「あのグリフォンの。意識の隙間《すきま》からちらりと見ただけだったけど。間違いないわ。やっぱりこの部屋よ。その中よ」彼女は片隅の危険薬品用保管箱を指す。

金庫のような造りの鉛の保管箱にも厳重に鍵がかかっていた。開けようとけんめいの粉川と能勢を見ながら、パプリカは夢の中でぼんやりと考えている。この場所は現実の場所で、わたしが夢に見ている場所ではない。もしかするとわたし自身もこのまま現実のこの場所に夢でのみ可能な行為や能力をそのまま身に蓄えて、居残ってしまうのでは。そうなると、現在眠っている千葉敦子と、パプリカたるこのわたし、ふたりが現実に同時存在することに。

突然、警報が鳴り響いた。その音のあまりの大きさにパプリカは耳を押える。だが能勢と粉川にはまったく聞こえていないらしい。ふたりは薬品箱を開けようと四苦八苦を続けているのだ。では自分にだけ聞こえているのだ、とパプリカは思う。耳を塞《ふさ》いでも音は小さくならない。つまりこれは、この研究所の警報ベルではない。電話のベルだ。千葉敦子たる自分が寝ているベッドの横の、あの電話だ。

能勢と粉川を小山内の研究室に残し、パプリカは千葉敦子として現実に眼醒めた。うす暗い寝室の中に電話のベルが鳴り響いていて、それは覚醒した意識でさえ混濁しそうなほどの大きな音だ。彼女は受話器をとる。

「もしもし」

「もしもし。もしもし。千葉さんですか。千葉さんですね」まだ就寝時間ではないから、かけてきた相手は敦子の眠そうな声を聞いても起したとは思わず、遠慮がない。

「どなたかしら」

「大朝の社会部の松兼です。早速ですが、今千葉さんと時田さんの、ノーベル医学生理学賞受賞の報道が入りました。おめでとうございます」

　またしても夢から醒めて別の夢を見ているのかな、と敦子は思う。「でも、わたしの方には何も。スウェーデン大使館からの連絡もまだ」

　敦子の落ちつきぶりに松兼はやや苛立《いらだ》って少しヒステリックな短い笑いを洩《も》らした。興奮しているのは彼の方だった。「スウェーデンの本部に張りついていた通信社の記者から直接連絡があったのです。いつもスウェーデン大使館からの連絡よりも、こっちの方が早いのですよ」

「時田さんには」

「時田さんにはまだお電話しておりません。こういう言いかたは失礼ですが、実は至急記者会見のご相談をしたいので、時田さんよりは千葉さんの方が、そういう打ちあわせにそつなく対応して戴《いただ》けると思いまして。あの、何でしたら時田さんに、こちらからお電話しましょうか、これから」

「いいえ」敦子はきっぱりと言った。「わたしから電話させてください。お願い」

　興奮が熱く沸き騰《あ》がってきた。この喜びを時田へ最初に与えるのは自分でなくてはならない。彼と本当に喜びを分かちあえるのは自分だけなのだから。敦子はいったん受話器を置き、勢いよく立ちあがった。

19

マージナルに島寅太郎所長と時田浩作を乗せた千葉敦子が精神医学研究所にやってくると、玄関前は大勢の報道陣でごった返し、宿直の所員や夜勤の医師、警備員たちとの間で押し問答になっていた。夜だというのに玄関に煌煌《こうこう》と明りが点《つ》いているのかと思えばそうではなく、テレビカメラの照明に附近が照らし出されているのだった。

「こんな夜中に記者会見など、そんな話は聞いていません」

「電話で千葉さんから連絡があった筈《はず》だ」

「千葉さんはもう、ここの所員ではないのです」

「千葉さんはそんなこと言っていないぞ」松兼が大声を出し、副理事長派らしい所員を睨《にら》みつける。「じゃあ、彼女を研究所から追い出した副理事長だか誰だかの陰謀について、お話し願いましょうか」

「えっ。そんな陰謀があったのか」

記者たちが騒ぎ出し、その中年の所員は顔を大きく歪《ゆが》めた。「ここでそんな話はできませんよ。馬鹿《ばか》な。そんなことはまた、場所を改めて」

「手前《てめえ》、何を言ってるんだ」気の短い記者のひとりが罵声《ばせい》をあげる。「かったるいことを言ってる場合か。時田、千葉の両氏がノーベル賞をとったんだぞ。ノーベル医学生理学賞だぞ。お前は何のつもりで記者会見の邪魔をするんだ。学者の嫉妬《しっと》かあ」

テレビカメラの照明を浴びた小肥《こぶと》りの中年所員はあわてて手をかざし、顔を隠す。

「皆さん。通してください。ちょっと通してください。私たちが話します」

時田浩作が先頭に立って報道陣を掻《か》きわけながら玄関に進むと、本人たちが来たというのでカメラの放列がいっせいに向きを変え、周囲の騒ぎはさらに大きくなる。

「理事長代行の乾さんの許可がないと、お通しできません」警備員が三人の前に立ちふさがった。

「わたしはまだ理事長だよ」島寅太郎が言った。「まだそんな理事会は開かれていないから、乾君を理事長代行にしたおぼえなどもない」

「難しいことはわかりませんが、とにかく入れるなという命令が」

言いつのる警備員を、時田浩作が軽がると押し退《の》けた。「さあどいたどいた。皆さんこちらへお入りください」

開いたままの正面玄関の自動ガラス・ドアから、まだ言いあったりしながらも全員が中央ロビーへと雪崩《なだ》れこんでいく。彼らは時田の誘導に従い、いつも記者会見に使われる大会議室へと向かう。

「お待ちなさい。入ってはいけません」

あの杉という初老の婦長が眼をいからせ、前に立ち塞《ふさ》がるのを押しのけ、敦子はひとり人の流れから逸《そ》れて中央階段を二階へと駈《か》けあがった。自分の覚醒によって夢で別れたままの能勢と粉川のことが気にかかっていた。彼らの現実だった自分の夢の中で別れた時のように、彼らはまだ小山内の研究室にいるのだろうか。DCミニを入れた鉛の保管箱を開けることにかかりっきりでいるのだろうか。敦子は彼らがまるで自分の息子たちででもあるかのように彼らの行為に責任を感じ、重要な社会的地位にある彼らが自分に協力してそんなことをしていることに言うに言われぬ気の毒さと憐憫《れんびん》を感じていた。

小山内の研究室には誰もいず、薬の保管箱はなくなっていた。開かないのでふたりが箱ごと持ち去ったらしい。ほっとすると同時に敦子はもうひとつの、夢の中では思いつかなかった大きな気がかりに捉《とら》われる。あの異教の魔物アモン神に襲われたままで現実に逃げ戻っていった橋本のことである。彼女は確かに彼の断末魔を耳にした。殺されているのではという心配は、今はもう非現実的なものではない。むしろ確実なものであり、だからこそ確認せずにはいられないのだ。

橋本が新たに与えられている研究室は、小山内の研究室から少し離れて廊下の向かい側にあった。「橋本」というネーム・プレートの貼《は》られたその部屋の中に、橋本がいるのかどうかはわからない。だが、彼が夢にあらわれた時間からの推測で、マンションで寝ているよりもこの研究室で仮眠している可能性が大きいのだ。

敦子は恐怖を克服して勢いよくドアを開ける。胸をむかつかせるものがソファの上にうずたかく、そして確実に存在していた。不可視だった戦慄《せんりつ》の対象物は、床にまでなだれ落ちる下腹部からはみ出た腸管の堆積《たいせき》として、陰部が毟《むし》りとられて股間《こかん》にぽっかり開いた赤い穴として、血まみれの胸部から何本も突き出ている白い肋骨《ろっこつ》として、黒い仮面のように焼け爛《ただ》れた今は無表情な顔面としてそこにあった。アモン神に惨殺《ざんさつ》された橋本の残存物の集積だった。灰色の脱力感が敦子の中でゆるやかに渦巻く。無力感に圧迫されながら敦子はドアを閉める。

当然、まず誰よりも粉川に報告すべきだろう。彼は今、おそらくは能勢と一緒に、いったいどこにいるのか。粉川がやってくるまでこのドアには鍵をかけておきたいが、ふたたび室内に入り、必ず橋本が持っている筈の鍵をあの極彩色の艶《あで》やかな袋物または細切れの盛りあがり、ホルモン料理の材料の積み重なりの中から捜し出す蛮勇は持たない。おそらく明日の朝までは誰もドアを開けることはあるまいと無理にたかをくって敦子は会見場に向かった。

殺人現場の発見を故意に遅らせることでますます自分が悪事に深く強く加担しはじめていることを彼女は知った。ノーベル賞の受賞さえその悪事の一端のように思え、さいわい受賞そのものにはさほどの罪悪感がなかったため、彼女は必要に応じて悪に鈍感になれる女性らしい特質を生かし、かえって胆《きも》がすわった。

何ごともなかったような態度で敦子が会見場に入っていくと、それまで彼女の不在に不満を洩らしながらもしかたなく時田浩作と島寅太郎に質問をはじめていた記者たちは大きくざわめき、彼女がいつもの位置に落ちつくのも待たずに大声で問いを発しはじめた。

「千葉先生。千葉先生。来られてすぐに申しわけありませんが、さっきの玄関での、この人たちのあの応対ぶりのですね、理由を説明してください」

「これまでの研究所内でのいきさつを話してください」

「おふたりの受賞に研究所側は反対だったのですか。あの記者会見の妨害は何だったのですか」

「いやいや。やはり最初にまず、受賞のご感想を」

会見場までついてきた副理事長派の所員たちが壇の横に並んで立ち、眼を光らせて敦子たちを睨んでいる。事務局長の葛城は頼まれもしないのにちゃっかりといつもの司会者席についていた。

「時田さんや私だけをショウ・アップなさるこのような騒ぎは、私にとってもまた、本意ではありません」敦子はそう言って立ちあがり、壇の横、出入り口近くに立っている一団に顔を向けた。「わたくしたちの受賞は、言うまでもないことですが、研究所と病院の皆さんのご協力に負っています。そこには一部のかたしかおられませんが、この席を借りてお礼申します」

彼女が深ぶかと一礼すると、六、七人の一団は身じろぎし、渋い顔をした。カメラが向けられていることを視野に捉《とら》え、しかたなく礼を返す者もいる。

「受賞の通知があった時、何をされていましたか」

儀礼的で外交的な挨拶《あいさつ》など聞きたくないとばかりに、またしても高みの重大事を自らの日常に引きずりおろしたい質問。あの眼鏡をかけた三十歳代の女性記者だ。

そう。あの時はＤＣミニを探していて、その前はグリフォンと戦っていたのだった。ということはあの時、乾精次郎もまた眠っていたのだ。今もまだ眠っているのだろうか。夢の中で敦子たちの受賞を知ったのだろうか。研究所に報道陣を入れるなという命令は、彼が夢の中から発したのだろうか。

「受賞の通知があった時、何をされていましたか」同じ質問をくり返す女性記者の顔が痴呆《ちほう》化していく。

「副理事長は今、おそらく眠っているのよ」報道陣を無視して敦子は両隣りの時田と島に言った。

「知っているよ」時田は泣き出しそうに下唇を突き出した。「だから危険なんだ。さっきはぼくの夢にも出てきた。一本足の、スキアポデスとかいう中世の怪物の姿だったけど、顔は乾さんだった」

「そういうものなら、わたしの夢にもさっき出てきた」島寅太郎も嘆息した。「でかい頭の下から直接足の生えた、子供みたいな小さい怪物だ」

「ああ。それはグリロです」時田が言う。幼時キリストの悪魔的な変奏ではないかといわれている怪物である。

「受賞の通知があった時何をされていましたかあ」嘲笑《ちようしよう》しながら歌うように女性記者がくり返している。

室内の照明が赤みを増しはじめた。カメラマンたちは赤さよりも暗さを増しはじめたことが気がかりで舌打ちし、記者たちがざわめき、周囲を見まわす。

「禁止した筈だ」質の悪いスピーカー越しにわめいているような野太く野卑な声が、あきらかに室内の天井のひと隅とか中央部とかいった場所を超越したかたちでまさに全員の頭上、はるかな天の高みで響きわたった。「記者会見を禁止した筈だ」

「副理事長よ」敦子はまた立ちあがった。

多くの記者がそのあまりの大音響に驚愕《きようがく》して立ちあがる。

「誰だ」

「なんだこの非常識な大声は」

「どこからだ」

どすっ、と重い衝撃を室内にいるすべての者が感じ、立ちあがっていた者は大きくよろめいた。廊下との境の壁が、彼方《かなた》から急激に強く圧迫された勢いで震動し、それが室内の空気と床を顫《ふる》わせたのだった。

二度、三度と衝撃は続いた。室内の赤みの光源はその赤紫色に灼熱《しやくねつ》した壁であった。熱で溶けはじめているその壁がさらにひび割れて、そのひび割れの中央の白熱の中心に太陽の黒点の如《ごと》きものが拡《ひろ》がり、見る者にめまいを起させ立つ者に立ち眩《くら》みを起させると、そこからは巨大な牛の首が出現した。亀裂《きれつ》の二カ所には長い爪《つめ》を持った巨獣の指先があらわれ、壁を八方に割って黒い毛むくじゃらの腕を部屋に突っこんできた。

壁からは新たにふたつの頭が現れた。羊の頭と、鬼人の表情をして怒髪天を衝《つ》いた紫色の人間の頭であった。

「ぬーはーはーはーはーはー」

ドミミドミミ。低音から裏声まじりの高音へ。眼鏡の女性記者が奇妙な悲鳴をながながとあげながら立ちあがり、逃げようとして向きを変えながら早くも失神して、額をテーブルの角で強打しながら棒のように倒れた。

「アスモデだわ」敦子は叫ぶ。

破壊の魔人アスモデ。魔神の王。地獄の権力者アスモデは牡牛《おうし》、牡羊、人間の三つの頭を持ち、尾は蛇、足は鵞鳥《がちよう》。龍にまたがり、手には地獄の軍旗と槍《やり》を持つ。三つの頭は室内を見まわしながらいっせいに炎を吐いた。火だるまになったテレビ・カメラマンが絶叫して窓の方向へ駈《か》け出す。

「諸君。これはアスモデという怪物だ」時田は立ちあがったままでマイクをつかみ、会議室の混乱、罵《ば》声《せい》、悲鳴の喧噪《けんそう》に負けまいと大声で叫ぶ。「足をしっかり踏みしめて、立ち向かえ。こいつを悪魔祓《ばら》いするには、こいつの名前をはっきりと呼ばなければならない。恐れるな。叫べ」

時田と敦子は声を揃《そろ》え、アスモデに向かってその名を呼ぶ。

「アスモデ」

「アスモデ」

島寅太郎も唱和する。

「アスモデ」

「アスモデ」

アスモデの人間の顔が苦しげに歪《ゆが》んだ。壁の熱せられた白色が次第に灰色へと沈みはじめる。怪物の動きはとまり、それ以上の部屋への侵入は自身の名を呼ぶ声によって阻《はば》まれる。

「苦しんでるぞ」

「固まってきた」

報道陣もいっせいにアスモデの名を叫びはじめ、その合唱は時田の指揮によって次第にテンポを増す。

「アスモデ」

「アスモデ」

やがて冷えきった壁に閉ざされ、アスモデは前半身を室内に踏み入れた姿のままで石化する。牛も羊も人間も、今は恨めしげな表情を固着させて一様にかっと口を開き、息絶えていた。

20

ほぼ同じ時刻、都内のあちこちには、夢からの脱走者、現実侵犯を企てる夢界の魔が出現して、虚構や夢の死ではない真実の死を齎《もたら》し、同時に大勢の発狂者、負傷者を発生させていた。

精神医学研究所員のマンションや乾病院のある信濃町周辺各所には、各交差点に向けて辻辻《つじつじ》の暗がりから身長一メートルばかりの日本人形が何十体、何百体、何千体となく歩み出てきて、混雑する夜の時間の歩道、車道に満ちた。彼女たちは同じ笑顔、同じ着物、両手を左右に伸ばした同じ姿勢で路上を滑るような小股《こまた》の歩行を続けつつ、真綿のような芯《しん》のない含み笑いをいっせいにあげていた。

「ほほほ。ほほほ」

「ほほほ。ほほほ」

発狂者が最も多かったのはこの信濃町の異変においてであった。日本人形が日本人の心性に深く根をおろした「無気味なもの」であったことは確かなようだ。そこには日本人の誰もがよく知っている、無意識にいがいがと突き刺さってくるようなあの根源的な恐怖が存在した。車を運転中に、ヘッドライトに照らし出された、車道にあふれ、行進してくる人形の大群を見て大声で笑い出した女性がその笑いをとめることができぬまま、死者二名を出す人身事故を起したりもした。

アスモデは破壊された壁を出現の証拠として残し、やがて消滅したものの、研究所の前の庭には高さ十メートルもの巨大な大仏があらわれて、研究所の建物からまろび出てきた報道関係者たちを仏の慈悲でもって踏み潰《つぶ》しはじめ、彼ら報道陣の数人の者が夢魔によって殺されるという不条理な死によって死んでいき、大仏はさらに彼らの車を追って門外の通りへ出てくると、明るい繁華街めざして歩きはじめ、今度は無差別に通行人、車道を行く車を襲いはじめた。大仏もまた真紅の口腔《こうこう》内をあらわにして咽喉《のど》の奥からの下品な笑いを笑い続けていた。

夜空にはアクババの群れが飛翔《ひしょう》していた。屍体《したい》を食って一千年生きるといわれている禿鷹《はげたか》である。彼ら夜の妖鳥《ようちょう》はしばしば繁華街の路上に舞いおりてきて歩行者を襲い、大仏の犠牲になった死者の眼球をほじり出したりもした。

警視庁のある桜田門方面には、キリスト教的な聖なる主題を悪魔的に変換した怪物が数多くあらわれた。それは即《すなわ》ちそれぞれの頭が王冠をかぶっている七つ頭の龍ヒュドラ、首から放射状に五本の足が出ていて車輪のように自ら転がりつつ走るブエルなどであり、また蛇、猫、人の三つの頭を持った火事の魔神ハボリムは、火のついた松明《たいまつ》を手にして都心部を走りまわり、あちこちに火をつけはじめた。立木の密生した公園や庭、木造建築物など各所で火災が発生した。彼ら怪物群はどうやら能勢龍夫と粉川利美が保管箱ごと押収《おうしゅう》し警視庁に持ち運んだＤＣミニを追って附近に出現したもののようであった。

粉川は本庁に戻るなり都内各所に起っている騒動の報告を受け、ただちに山路警視、阪警部、宇部警部の三人を、そこで乾精次郎が眠り続けていて、夢の中から現実へ自己の分身たる妖怪どもを出動させていると考えられる乾病院に向かわせた。この三人には助言者として民間人ながら能勢龍夫も加わった。三人の警察官の、覚醒《かくせい》した現実的な意識だけでは乾精次郎の予測不可能な反撃に対処できないと思えたため、粉川が能勢に彼らへの付き添いを特に依頼したのだった。

四人が車で乗りつけると乾病院は明りが消え、異変の中心であるだけに奇怪な現象が次つぎと起ったためか患者も医者も看護婦もいず、今はひっそりとしていた。しかし病院の建物そのものは有機物じみた生気と精気を秘め暗闇《くらやみ》の中にひっそりとうずくまっていて、中へ入っていくことがためらわれた。呼吸の気配まで感じられた。

「あの、生きてますぜ」阪警部が言う。

「あそこの玄関口で噛《か》まれるかも」宇部警部もさすがに怖気《おじけ》をふるっている。

どうしたものか、というように山路警視が能勢に伺いをたてる眼を向けた。

「突っ込みましょう」能勢が決断をくだす。「ただちに乾精次郎を覚醒させてしまえば、あとは夢の残留物だけを始末するだけですむ筈《はず》です」

乾精次郎がこの病院そのものになり、病院全体が怪物化している可能性も考えられた。しかし、警視庁に戻ってからこじ開けた薬品保管箱の中のDCミニの数から判断して、今や彼らの手にあるDCミニの最後の一個を乾が装着していると考えられる以上、そしてDCミニの副作用に覚醒の困難という事実が見出《みいだ》されている以上、彼を捕え、眼醒《めざ》めさせない限り事件は終らない。能勢は三人の警察官と共に玄関から病院内へ踏み込んだ。

口腔内を思わせるロビーを抜け、赤い常夜灯に照らされてしきりに蠕動《ぜんどう》する内臓的な廊下や階段を経て、四人は四階まで上った。乾精次郎の住まいが四階にあることは山路警視の下調べで最初からわかっていたのだが、エレベーターの使用は危険だった。それが何かの、多くは性的なものの象徴としてしばしば夢に登場することが一般的である以上、無意識からの攻撃に使用される確率は極めて高いと思わねばならない。

鍵《かぎ》を壊して居住部に侵入したが、のべつ無気味な低い呻《うめ》き声が続いている寝室のベッドに乾は寝ていなかった。布団《ふとん》には暖かみが残り、今起きたばかりのようだった。四人は広い書斎と図書室、さほど広くないその他の部屋、さらには階下の病室、診察室とあちこち捜したが、乾の姿は見あたらなかった。

「まるでトンネルを抜けるように夢の中を抜けて、現実の別の場所へ逃げたのかもしれない」と能勢は言った。「それが可能だということは、わかっているのです」

「そんなことが」いったん眼を剝《む》いた山路警視が、ほっと嘆息する。「では、お手あげですな。どこを捜していいかわからない」

「いや。行って見るべき場所がひとつありますよ」能勢はそう言った。

ほぼ同じ時刻の午後十一時少し前、敦子はひとり、妖怪に追いまわされながら外苑《がいえん》東通りを六本木の方向へ逃げていた。時田浩作と島寅太郎を乗せて走っていたモス・グリーンのマージナルは、それを目標にして追ってきた大仏に踏み潰されてしまった。踏み潰される寸前に車から逃がれ出た三人は、別れて逃げた方がいいと判断した。怪物たちの標的は何よりも彼ら三人であるに違いなかった。時田と島はそれぞれ通りがかりの報道関係者の車に同乗させて貰《もら》って別べつの方角へ逃げ、敦子だけは徒歩で故意にマンションとは反対の方向へ逃げたのだった。

しかし夢からの魔群の追跡は執念深い。どこまでも、どこまでも、夢魔さながら、逃げおおせた安心感の裏をかいては繁華街の明るみから、夜の闇から出現する。彼らは何しろ夢の、無意識のエネルギーに衝《つ》き動かされて行動する妖怪どものことゆえ、見当はずれに攻撃してきて周囲の通行人に迷惑をかけるのだ。行く先ざきの光景は悪夢の如《ごと》く変形して行く手を阻《はば》んだ。街路樹はのたうち、路面はくねり、降下してきたアクババは彼女の眼前で、通りに面した喫茶店のウインドウに突っ込む。

六本木の交差点近くでは、車道から直径一メートルばかりの車輪が襲ってきた。車輪の中央部には敦子を見つめてにやにや笑っている老人の顔。ブエルだ。敦子の姿はいつかパプリカになっている。蹴《け》りを入れる姿勢をとるとブエルはきめの粗い砂のような笑い声を残して彼女の傍らを通り過ぎ、ビルの壁面の中へと消えていく。夜の盛り場を遊び歩く連中、多くの通行人のほとんどは異変を悟っていない。今のパプリカにとっても彼らは無縁であり、時おり巻添えをくって死んだり怪我《けが》をしたりするだけの点景人物だ。またアクババが襲ってきた。交差点のはるか上空から今、ななめに降下してくる怪鳥を見て、若い遊び人男女が興味なさそうに話している。

「何あれ。禿鷹じゃないの」

「さっきから飛んでるんだよ。何匹も」

「いやあねえ」

パプリカはラジオ・クラブのあるビルへ逃げこんだ。正面玄関の右横にある地下への階段を駈《か》けおり、樫《かし》材のドアを押す。暖気と懐《なつ》かしい甘みのある匂《にお》いにパプリカはほっとする。

「これは」玖珂《くが》は丸い笑顔でパプリカに頷《うなず》きかけ、すぐに彼女の表情から異常を察して細い眼をさらに細めた。「何か、まずいことでも」

「助け、て。助けてください」

急には喋《しゃべ》ることのできないパプリカの様子に視線を据えたまま、カウンターの中から陣内が出てきた。「やはり外で何か起っているんだな」

店内に客はなかったが、勘の鋭い者にはこんな地下にいてまで地上の異変を察することが可能らしい。からだの力を抜いたパプリカを両側から抱くようにして陣内と玖珂はボックス席のソファに運ぶ。

「精神病や神経症の治療用の、新しく開発された機械が、思いがけない効果を持っていたんです」パプリカは話しはじめた。

陣内はパプリカがなかば横たわるソファの向い側に掛けて彼女を見つめ、彼女のことばのひとつひとつに頷き返した。理解していることを示しているようでもあり、こみいった話をやさしく物語ろうとする彼女の努力に励ましで報いているようでもあった。パプリカの足もとに掛け、うっすらとした笑みを浮かべながら眼を閉じ、パプリカの話が彼の好みの物語ででもあるかのように、パプリカの声が心地よい音楽ででもあるかのように聞いていた。

「現実と夢が混淆《こんこう》しはじめているのです。ただ乾精次郎という人物の夢が現実を侵犯しはじめているというだけではありません。これは過去にＤＣミニの副作用の影響を受けたすべての人の潜在する意識の総合でもあるのです」

「しかしそいつら夢の中からきた連中というのはもう、要するに現実の存在で、現実に影響するんでしょう」パプリカが話し終えたと知り、陣内は質問した。

「そうなんです」パプリカは言い忘れたことを思い出してふたりに強調する。「彼らに殺されることは、現実に、死ぬことです。気をつけてください。そのかわり彼らを殺すこともできます。ただし、彼らは抹殺されると現実の実体を失うのですが」

陣内は無駄のない動作ですぐ立ちあがり、カウンターのうしろに戻った。「じゃあ、おれたち、戦わなきゃ」

玖珂が眼を半分開いて質問した。彼がそれ以上眼を見開くことはほとんどない。「それらの者が求めている力の場は、夢ですな」

「そうです」

「では」玖珂も立ちあがった。それはまるでこのことのための今までの人生であったという決意をこめたような態度だった。しかし彼はそのまま隣りのボックス席のソファに移動し、横たわってしまった。

「おい玖珂。何してる。寝てる場合じゃないだろう」

「いったん夢に入る」早くも眠たげな声で、仰向《あおむ》けになり臍《へそ》のあたりで両手を組んだまま玖珂は陣内に言った。「おれは精神の深い部分の力で戦う」

夢と現実の境界がなくなったことを早くも理解した玖珂に、パプリカは驚く。

樫の扉が激しく叩《たた》かれた。彼方《かなた》に重い生きものが激突してきたようだ。ぐわ、ぐわという下品な鳴き声や、みだらな羽音とともにその震動を伴った体あたりらしき音は二度、三度とくり返される。時にコーンと高鳴る音は嘴《くちばし》の尖端《せんたん》であるらしい。

「アクババです」

ソファの片隅に身を寄せてパプリカが叫ぶと、武器になりそうな刃物や尖《とが》った食器を洗いざらいかき集めていた陣内が、細身のナイフを手にしてカウンターを出、くり返される体あたりのタイミングを見はからい、勢いよくドアを開けた。

アクババが一羽、戸口の上框《うわがまち》すれすれに滑空し、店内に飛び入ってきた。店のいちばん奥まで飛んだ妖鳥は、天井近くで向きを変えた。

「ぐわ」

パプリカに狙《ねら》いを定めて急降下しようと身がまえるアクババの右眼に、陣内の投げたナイフが深ぶかと突き立つ。

「ぎぎ」

細首の先端の禿《は》げた頭をのけぞらせてアクババは真下のテーブルに落ち、黒と白の羽毛を撒《ま》き散らし、瞬時激しくのたうってから消滅した。

騒ぎをよそにソファの上の玖珂は、早くも鼾《いびき》をかきはじめている。

21

「われらの敵は、夢の中からやってきた妖怪変化《ようかいへんげ》である」

急設された警視庁内の対策本部で、粉川利美は機動隊、交通機動隊、特科車両隊、自動車警邏《けいら》隊《たい》、航空隊の各隊長に檄《げき》をとばす。今は真相を警察内部に公表するしかない事態に入ったのだが、詳細を説明している時間の余裕もまたなかった。

「彼らに勝つのは第一に精神力だ。おのれを保持し、敵の術に幻惑《まど》わされぬことが肝心である。敵は武器によって消滅するが、安心する間もなく何度も何度も出現するだろう。これは底知れぬ、果てしなき戦いになる。しかし弱気になることもまた、われわれの敵なのだ。各隊の奮励努力を強く望む。ではただちに全隊出動せよ」

22

鍛練によって、行、住、座、臥《が》とともに睡眠をも律することができる玖珂は、今、いとも簡単に没入した眠りの中から夢を経て立ちあがり、妖怪たちと戦う。

宗教的な自己高揚を象徴するかのように、玖珂は架空の階段をのぼって都市上空に達する。夜空の高みから混乱の極に達した繁華街を見おろし、夢を通過して肉体の制御と行動の自由を得た玖珂は、精神の内面を浄化し得た笑顔で邪悪に向かいあう。彼の肉体は通常の数倍に巨大化していた。

パトカーの警笛にあふれた交差点。一本足のスキアポデスや頭から足の生えたグリロが通行人を脅《おびや》かし、星形の魔人ハボリムが運転者を狂わせているその交差点に向けて玖珂は印を結び、不動明王の陀羅尼《だらに》、火界の呪を唱える。妖怪は恨みの眼を玖珂に向けながら燃え、消滅する。

遠近のさだかでないパステル画の現実。それは夢との境界のなさを表現しているのでもあるようだ。夜でもなければ昼でもなくなった、フリッカーと呼ばれる映写機によるちらつきのような明暗の交代する中を、遊んでいるように建物がゆらめき舗装道路が波打つ中を、そして映写室の窓のガラスに映る色つきの影のような車が、人が、妖怪が、警官が、パトカーが右往左往する中を、パプリカと陣内もまた、戦いながら、より確実な現実に向かって走っていた。しかし確実な現実というものがどこにもないことを、ふたりは知っていた。確固とした現実がないということはなんと不安なことか。それこそがあらゆる不安の原因だったのではないのか。この世界とはもともと境界を自由自在に往還できる者だけが勝者になり得る世界だったのではないか。いつそのようなものを手に入れたのか、陣内は彼の裏の顔や過去を想像させる拳銃《けんじゅう》を今やおおっぴらに持ってぶっぱなし続け、時にはパプリカにまといつくグリロの首にナイフを突き立てたりしながら、とりあえずの現実への通路と想定した彼女のマンションへ向かっている。

ふたりの眼前に壮大な教会が出現した。罠《わな》だ、と、ふたりは知る。その罠に入り、異常な者の無意識、そして自分の無意識と戦わねばならない。陣内とパプリカはためらわず、教会の階段を駈《か》けあがる。来い、と言うように教会の入口が蠢《うごめ》き、大きく開く。

「野郎」

陣内はその入口めがけてたてつづけに拳銃を発射した。たまらず、教会の階段は上下左右に揺れる。教会は消滅し、パプリカが駈けあがっているのはいつの間にか彼女のマンションの階段だ。陣内はいない。

小山内守雄のことが気にかかっていた。あの倒錯の美を秘めた若侍としての彼が宇部警部の銃弾に倒れて以来、夢にも現実にも現れない彼の身がパプリカには心配だった。もしかするとあの、挿絵のように美しい悲劇的な若侍姿が心に残り、彼への哀れみに伴って、いつしか彼を愛しはじめているのかもしれなかった。

床がゆるやかなスロープになった踊り場の溶けて流れそうな歪《ゆが》んだ標示板は、そこが十四階と十五階の間であることを示していた。あるいはパプリカが小山内のことを想《おも》ったために、そこは十五階の近くなのかもしれなかった。彼女は十五階の廊下を小山内の住まいへと走る。寝室にいる小山内が見えている。彼はベッドに裸体で横たわり、自我の重要な一部分を失った生気のない顔を天井に向けている。

「でも、大丈夫よ。あれは取り戻せるわ」千葉敦子に戻った彼女は彼の顔の上にかがみこんで、慰めるように言う。「あなた自身のあの個性は。だって小山内君。君はこんなに美しいんだもの」

下から敦子を見上げている小山内の眼は吸い込まれていきそうな黒曜石の穴だ。敦子は催眠状態になって否応《いやおう》なしに彼の顔へと引き寄せられていく。「ああ。可哀相《かわいそう》に。可哀相に」

「千葉さん。ぼくには現実感がないんです」と、小山内は魂を持たぬ者のうわごとめいた口調で言う。「こんな状態でしか、ぼくは君に愛してもらえないんですよ」

だからこそ、愛することができるのだろうか。そうではないのかもしれない。悪に加担した自分だからかもしれない。堕《お》ちた者同士としてのお互いがそれぞれ美しい対象に心を激しく動かされるのは当然なのだ。抱擁。罪悪感の中であればこその蠱惑《こわく》的な行為。敦子はすでに裸身だ。海底のように部屋全体が青く、暗く沈んでゆき、海星《ひとで》のように敦子は、獲物の貝である小山内の全部に覆《おお》いかぶさっていく。手足が痺《しび》れたようになっている。絶頂でひきつけを起しそうな予感さえある。悪魔が、悪魔が侵入してきた。わたしの中へ。わたしの心とからだへ。さもなくばこのただごとならぬ快感は何ごとなのか。

「それは違う」と、乾精次郎が言う。「神と悪魔をふたつの原理と考え、善と悪を対立する観念と考え、人間をその中間の不安定な存在として考えているな」

彼はどこでわたしたちを見、どこから話しかけているのだろう。この部屋の中のどこかからなのだろうか。テレビの画面からだろうか。しかし敦子は情欲の昂進《こうしん》に阻《はば》まれてあたりを見まわすことさえできない。

「違うのだ。善と悪とはひとつのものとして人間に対立しているのだ。神と悪魔は共に宗教的な原理として、くだらない現世的な良識や道徳、小市民性や理性と対立しているだけなのだ」

乾精次郎はすぐ横にいた。ベッドの上に裸で横たわり、小山内の肩に手をあて、敦子に話しかけている。敦子はそんな状態を以前のように不自然とは思わなくなっていた。乾のことばにしても、それは必ず彼のいつもの夢の中でのことばのように意味不明、言語不明瞭《ふめいりよう》なことばである筈《はず》なのに、今敦子の耳に響き心に届くことばは意味、言語、共に明瞭であり、そのことばの正当性を敦子は疑えなくなっていた。

「そう。君は初めから知っていた筈だよ。善も悪も、われわれの夢を通じてわれわれに共通なのだ。悪を懐《なつ》かしく感じるのはそのためだ。だからこそあらゆる悪はすべての人間にとって神同様に親しい。悪あればこその善、悪魔あればこその神なのだ」

破裂音とともにドアが破壊された。室内へまろびこんできたのは能勢龍夫だった。続いて山路警視とふたりの警部。

「ここにいたな。乾精次郎」

警視が怒鳴り、乾はそれに応《こた》えて激怒の咆哮《ほうこう》とともに立ちあがる。瞬間、人格が裏返ったようにもはや全裸でもなく千葉敦子でもなく、今の今すばやく官能性と夢の論理を脱ぎ捨てる技を得たばかりのパプリカが彼らに叫ぶ。

「捕まえて。現実の乾さんよ。頭にDCミニをつけてます。わたし見たの」

部屋いっぱいに膨張した全裸の乾は、天井近くの高みから能勢たちに告げる。

「行け。それぞれの夢へ。それぞれの潜在意識へ。それぞれの恐怖の中へ」

「こいつの言うことを考えないで。恐怖心を触発されないでください」

パプリカの叫びを聞くより早く、能勢は乾の暗示にかかっていた。しまった。ここは建築中のビルの鉄骨の上だ。おれのいちばん苦手な場所だ。ちくしょう。あの乾精次郎め。どうしておれの高所恐怖症を知ってやがったんだ。

だが実際は能勢が自らそこへ移動したのだった。揺れ動く鉄骨のはるか眼下に広がる都市と真下の家並み。彼を墜落させようとして足もとでくねり、前方へ、後方へと蛇行する鉄骨。能勢は悲鳴をあげる。すがりつこうとするが、手が届きそうになる瞬間、近くの鉄柱がすいと彼方に逃げるといった恐ろしい状況も能勢の中からのものだ。彼は大きくよろめき、叫ぶ。

「助けてくれえ。だだあ誰か。パプリカ。パプリカ」

彼は泣いていた。落ちれば死だ。真実の死なのだ。夢のようでありながら、これは現実なのだ。なんとも恐ろしい、あり得べからざる現実なのだ。

パプリカは助けに来ない。

23

時田浩作はマンションの彼の住まいに戻っていた。今しがた同じ階の隣室、小山内守雄の住まいに千葉敦子や乾精次郎が出現し、さらに乾を追って能勢龍夫たちが乱入し、対決するという騒ぎがあったことなど、まったく知らない。

時田の住まいには島寅太郎と大朝の松兼も来ていた。島寅太郎は松兼の車に同乗させて貰《もら》い、いったん警視庁まで逃げたのだが、あのヨーロッパ的な魑魅魍魎《ちみもうりょう》の出現がややおさまったというので松兼ともどもマンションまで戻ってきたのだった。

「ややおさまったということは、どういうことなんでしょうか」時田の母からコーヒーの接待を受けながら松兼が訊《たず》ねた。

「それは確かなのかい」時田はあちこち走りまわったせいで空腹になり、客の前もかまわず母親に作らせた夜食を食べている。

「粉川警視監がそう言ったんだよ」食卓から少し離れたリビング・ルームのソファにぐったりと横たわっていた島寅太郎が言う。

「えっ。記者会見をやったんですか」時田は少し驚き、気がかりそうに箸《はし》を置いた。

「いやいや。それは明日になるそうです。粉川さんがわたしたちにだけ話してくださったのです」

「妖怪の出現がややおさまったということはだなあ」時田はまたのんびりした口調に戻った。「乾さんが覚醒《かくせい》したか、NON-REM睡眠に入って夢を見ていないか、どっちかだろうね。ぼくには彼がDCミニをずっと装着し続けているように思えるので、だとすると千葉さんが言うように覚醒は困難だろうからNON-REM睡眠の状態にあるんだろうと思う」

「NON-REM睡眠。それは、どこで」松兼は意気ごんで訊《たず》ねた。「奴《やつ》が眠っているところを押えればいいんでしょう」

「空間を超越して移動できるからなあ」時田は絶望的に言う。「たとえば彼の記憶の中にある、彼がヨーロッパへ旅行した時に泊ったホテルの一室、なんてところだとお手あげだろ。それに夢の中を通ってだと過去にも戻れるしね」

「過去へも。じゃ、あの、時空間を超越」松兼は絶句した。

「ああ。恐ろしいことだわ」時田の母親は身ぶるいし、悲しげに言う。

「じゃ、そのひとは、自分の身は安全で地震や洪水なんかよりずっとずっと恐ろしいことを現実に、それも自由自在に起せるってことじゃありませんか」

「あのさまざまな妖怪や異変は、必ずしも乾君の夢の中から発生したものじゃなかったようだねえ」気だるげに島が言った。「一度でもDCミニを使った者の夢、わたしや君のようにDCミニ使用中の人間にかかわりあった者の夢なども混入してきているようだ。君もそう思うだろう」

「人形の行列や、あの巨大な大仏。ああいうものはあきらかに、乾さんの夢から来たものではないでしょう」時田はまた箸をとりあげて食事を続けようとし、好物の焼魚を毟《むし》りかけて憮然《ぶぜん》とする。「ほうら。これなんかは、ぼく自身の恐怖心だ」

皿の上の、下半身がすでに毟られて骨になっている焼魚が、口を大きく開閉させ、疳《かん》高い声で喋《しゃべ》りはじめていた。「どうしたの。どうしたの。ぼくはお利口者。お利口者。なんで紙屑籠《かみくずかご》に捨てたりなんかしたんだろう。来年の学会はブリュッセルで開催されます。だからちゃんとお餅《もち》をふたつ食べてね。あっ。ここで駄洒落《だじゃれ》をひとつ。『お隣りの山岡小百合《さゆり》さん』なんちゃって。あはは」

「分裂病患者の誰かの夢が混ってるな」時田はつぶやく。

息子の傍に立ったまま、息をとめてこのありさまを見ていた母親が「ああ」と吐息を洩《も》らし、貧血を起した。時田が抱きとめ、松兼とともにリビング・ルームの長椅子《ながいす》に運び、立ちあがった島のあとに寝かせる。

時田、島とともに食卓に戻り、今はただの食べものに戻った時田の前の焼魚を見ながらしばらく茫然《ぼうぜん》としていた松兼が、突然クォーリティ・ペーパーの記者らしからぬことを言う。「そのDCミニで、もしかすると霊界とチャネリングすることもできたりして」自分の馬鹿《ばか》な発言で驚いたように彼は立ちあがり、胡麻化《ごまか》そうとしてかあわててテレビに近づいた。「深夜だけど、おそらくニュースをやってるでしょう」

「の事件や、警視庁周辺の騒ぎでもわかりますように、ノーベル賞関係の記者会見を行ったために襲ってきたのと同様、彼らが出現する原因や彼らへの対応策を説明するための記者会見もまた、彼らに襲われる可能性が高いと思われます」薄型三十七インチ大画面の中に、興奮して喋り続けるニュース・キャスターの上半身があらわれた。「このため警視庁では、明日に予定しておりました記者会見を中止または無期延期にするという発表をいたしました。また先刻、約二十分前の午前一時四分頃ですが、この事件についての特別番組を放送しておりましたいくつかの局のスタジオに、突然怪物があらわれたため、番組がやむなく中断するという」

電波の乱れとは思えぬ、今までには見られなかったような不思議な模様とちらつきがあらわれ、それがおさまるとスクリーンは都心部の夜景を上空から映し出した。建築工事の鉄骨の間から見おろしているように見える以上、カメラはビルの工事現場の高みにあるのであろうと思えた。誰かが咆哮するような声で叫んでいた。

「助けてくれえ。パプリカ。パプリカ」

「パプリカと言ってるぞ」時田は立ちあがった。

「あれえ。これは能勢の声じゃないかな」唖然《あぜん》としたままで島がつぶやく。

時田はテレビの前に進み、機械自身にその意味を開示させようとするかの如《ごと》く、腕組みをして画面を睨《にら》みつけた。カメラの視点が移動したようだった。カメラが時田の眼になったと言うべきか。幅の狭い鉄骨の枠組みの上でつかまる鉄柱とてなく、風によろめいている能勢龍夫が等身大でそこにいた。

「能勢」島は驚愕《きょうがく》して立ちあがった。「大変だ。この男、高所恐怖症なんだ。ああ。きっと恐怖心を触発されて、自分で行っちまったんだ。えらいことだぞ。早く助けてやらんと自分から墜落していく」

「ここはどこだい」

時田の質問に、松兼が隣りにやってきて画面の隅ずみを舐《な》めるように見まわし、下端の夜景に指をつきつけた。「パレスサイドビルです。これが気象庁です。これは竹平町に建築中の、あのビルの上だ」彼はあたりを見まわした。「電話はどこですか。すぐ警察に連絡して」

「ああっ。落ちる」島は悲鳴をあげた。「とても間にあわないよ」

「そう。間にあわない」時田はのろのろした口調で言う。「パプリカの名前を呼んではいるものの、ここのテレビにあらわれた、ということは、おれたちにも助けを求めているわけで。よし」彼は突然大声を出した。「能勢さあん。聞こえますか」

髪を風で乱した能勢が顔を画面に向けた。その動きで彼のからだはまた大きく傾くが、声が聞こえたらしいこと、だが時田の姿は見えないらしいことがわかる。

「危ない」

両手で顔を覆《おお》った島の叫びと同時に、時田浩作はスクリーンの中へ両腕を突っこんだ。ガラスのスクリーンは消え、画面の中は室内の空間に連続する現実の空間となり、都市の高みに吹く風が室内に吹きすさび、実物大の能勢龍夫は腕を浩作にしっかりと摑《つか》まえられて、一瞬の驚きの表情のあと逆に浩作のその太い腕に強くしがみついた。浩作は力まかせに、テレビ画面の枠の中から能勢のからだをマンションの彼のアパルトマン、リビング・キッチンの床の上へと引きずりおろす。

24

二週間、三週間。

乾精次郎の行方は知れず、捜索者たちを苛立《いらだ》たせ続けている。

都心部の妖怪《ようかい》出現や異変はその頻度を減じた。とはいうものの、どう防ぎようもない、千葉敦子、時田浩作の記者会見や警視庁の発表などが行われようとする時に限って起る異変、取材しようとする者に降りかかる災難。ただ松兼のみが蛮勇を持っていた。彼のみが夢の悪意、夢の憎悪《ぞうお》を恐れず、薊《あざみ》や蕁麻《いらくさ》のようにちかちか、いらいらと心に突き刺さり、漆のようにざわざわと皮膚から無意識に忍びこむ恐怖をものともせぬ様子で、活発に取材し、敦子や時田のコメントを取って特ダネにしてはそのあと新聞各社に流している。さすがに夢の妨害活動は、醒《さ》めた意識を要する記事の内容にまでは及ばない。せいぜいがその記事の活字が滲《にじ》み、ぼやけて読みにくくなる程度にとどまっている。

何かが起っている。大衆は不審がり、知りたがるものの、なんとなく一方で知りたがることこそ禁忌と悟っている。小事件大事件の見さかいなく、ほとんど同様の昂揚《こうよう》した精神で騒ぎ立てることに慣れていた人びとは、直接わが身に被害が及ぶタブーの存在に直面した。大衆はひそやかな狂気の蔓延《まんえん》に抵抗力を持たなかった。路上で突然笑いはじめた者を見て、それが付近に起った異変による発狂なのか、それまでの恐怖の抑圧による発狂なのか判断することは困難だった。異変は、たとえば彼自身の腕時計の文字盤の数字が乱れていたり、母親の顔が瞬間、海豹《あざらし》になったりするように、ある者にだけ異変とわかるかたちで起ることもあったからだ。つまり一度でも異変に出くわした者は、自分自身のさまざまな複合観念を刺激されて、以後は自分自身の、多くは劣等感、またはエディプス・コンプレックス、さらには倒錯や恐怖症といった病的観念やトロゥマに振りまわされることになり、自身の悪夢を現出させ、それによって起る奇怪事がさらに周辺の者を巻き込んでいったのだ。だから週刊誌の表紙を飾る千葉敦子の顔が悪魔になったり、声を出して笑ったりすることにはまだ、いちいちそれに気づく者とまったく気づかない者とがいたし、突然時田浩作やノーベル賞についての悪罵《あくば》を耳もとでが鳴り立てられてのけぞるのは、その時ラジカセを聞いている者だけであったりするのだ。

こうした奇怪事がまだ、都心部を中心に、せいぜいが周辺の三、四県にしか及んでいないことによって、いわば中央発信局である乾精次郎の所在が都心部であろうことは推測できた。しかし、と、千葉敦子は思うのだ。彼の憎悪は時空間を超越し得る。自分や時田浩作がどこへ行こうと、それは悪夢として彼らを追ってくるだろう。ノーベル賞授賞式の日が近づいてきていたのである。

敦子の見る夜ごとの夢は恐ろしくもあったがその一方で、次第に甘美なものにもなりつつあった。乾の夢らしいものはほんの断片しかあらわれなくなり、それもさほど攻撃的ではなく、彼の耽溺《たんでき》する邪教や男色の雰囲気が匂《にお》う追想に過ぎなかった。昼間寝て、夜間はあまり夢を見ないのか、ＤＣミニのために覚醒《かくせい》できず、どこかで眠り続けていて次第に衰弱しているのか、ここぞという時のために憎悪を温存させているのか、それはわからなかった。

かわって時田浩作の夢、能勢龍夫の夢、粉川利美の夢、島寅太郎の夢、さらには小山内守雄の夢までが入り混って流入してきた。いずれも敦子を愛している男性たちの夢であるため、それらが乾の夢から敦子を護《まも》るかたちで蜜《みつ》のように甘く彼女を包みこんでいるのだった。浩作と小山内に挟まれて同衾《どうきん》するという快楽に身をまかせている時もあれば、ベッド上で愛撫《あいぶ》されているその相手のふたりが能勢と粉川であったりもした。彼ら男性多数派の夢はひとりの敦子の夢を圧倒して、彼女自身の夢はどこへ行ったのかまるでわからぬありさまだったが、むろんそれも彼女自身の願望として彼らの夢に寄り添っているに違いなかった。その、からだのとろけそうな快美感は現実に求められるものではなく、そうした夢はまた現実以上になまなましく体感できるのだった。それが夢なのか現実なのか敦子にも男たちにもわからなくなる場合もあり、実際に眼ざめてみれば彼女のベッドで親しい男の誰かと抱きあい、時には誰かふたりと戯《たわむ》れているかたちになっていることもしばしばだったのだ。

昼間会う時の男性たちは彼女を見て前夜のことを思い出し、恥かしそうな顔をしたが、それは敦子も同様だった。しかし彼らはさすがに皆紳士であり、男たちの間でもその話題を避けているようで、たまにウイットとして匂わせる以上の下品さに陥っていることはなさそうだった。

敦子と時田がスウェーデンへ出発する日になったが、午前十時半、新東京国際空港へ取材にやってきたのは松兼と、他に三、四社の取材班だけだった。それ以外の各社はあきらかに、怪異な現象が起ることは確実と見て恐れをなし、取材を見あわせていた。もし何も起らなかったとすればそれは皮肉にも、過熱気味の取材で乾を怒らせなかったからということになるのだろう。敦子たちの要請で見送りも少なく、僅《わず》かにスウェーデン大使館員二名と文化庁などの政府関係者三、四名、それに島寅太郎だけであった。精神医学研究所の理事や関係者は島以外誰もこなかった。菊村警視正と宇部警部がやってきたが、これはあきらかに警備のためである。寂しい出発となり、取材もロビーで立ち話をする程度の簡単なものになる。

「あの、いよいよノーベル賞授賞式にご出発のことに、あの、されるわけなのですが」女性のレポーターが、周囲に何かが出来《しゅったい》するのではないかと心ここにない様子で敦子に問いかける。「今のご心境を。あの、何かひとこと」

「ああ。何かご出発のことに。いよいよ授賞式が。ひとことの心境です」敦子が眠さをこらえて言う。「まるで夢。夢。いいえ。これは夢」

「そうでしょうとも、ね」女性レポーターは突然牛になった頭部をがくりと前に垂らし、その重みではっとわれに返るが、牛が垂らしていたよだれだけは口から垂れたままで残っている。「ああ失礼。今朝はお粥《かゆ》さん一杯しか食べていなかったもので」彼女はよだれをすすりあげた。

「ご無事でお帰りください」松兼は夢の情動失禁に捉《とら》えられたままらしく、涙を浮かべていう。「つまりぼくもやっぱりあなたを愛していて、切実に、切実に愛していて。だからほら、これをご覧ください。ズボンを突き破りそうに固く、固く、固くなっていて」

「ああ。松兼さん」敦子は松兼と情熱的に接吻《せっぷん》する。

「今までのさまざまな奇ッ怪ごと。あのようなことはまたしても」男性記者は時田に質問しかけて、自分のことばに身をすくませ、周囲を窺《うかが》う。「授賞式における予測可能な奇ッ怪ごと、あの、必ずしも住まいを舞台に交換するような仕事ではないと」

「そうなんだよなあ。奇ッ怪ごとが起るのはこれが夢だからでさあ」時田のことばはいつもに増して舌足らずだ。「現実を探して夢の中を掻《か》きわけ、掻きわけ、まるでそれが現実であるみたいに、ストックホルムの方向へどんどん、どんどんどんと」

カメラに収まり、たった一台のテレビ・カメラに追尾されながらふたりがゲートへ歩きはじめた時、わずかに異変があった。周囲に暗紫色の光線が満ちてうす暗くなり、案内のアナウンスが途切れ、スピーカーからは低くくぐもった笑いとともに乾精次郎の、何やら魂胆ありげななまあたたかい声が聞こえてきたのだ。

「バビロンの平野にたむろする地獄の軍勢に対し、総大将イエス・キリストの指揮する、エルサレムの地に布陣した軍勢は宣戦を布告する」

軍隊的な教育を行う教団イエズス会の、心霊修業の操典の一節だったが、ロビーに集うさほど多くない数の待ちあわせ客たちはほとんど耳にとめなかったようだ。しかしそれは敦子たちへの宣戦布告にほぼ間違いなく、見送る者たちに悪寒《おかん》をあたえ、そそくさと引きあげさせるに充分な効果を持っていた。

スカンジナビア航空のストックホルム直行便、ジャンボ・ジェット機は十一時十五分に成田を飛び立った。到着は午後の二時過ぎだが、これは時差があるためで、実際には十時間以上のフライトである。敦子は時田と並び、ファースト・クラスの窓際《まどぎわ》の席についた。国賓待遇であり、スチュワーデス全員がふたりのことを知っている。

離陸後二時間ほどで、機は大きく揺れはじめた。もしや、と思い、敦子は機内を見まわした。案の定だ。後部の席で不安げな顔をやや伏せ、心配そうなうわ眼遣いで敦子たちを見まもっているのは警視監粉川利美である。どうやらふたりの警護と、ノーベル賞授賞式における不祥事を未然に防ぐ役割を自らに任命し、乾を刺激せぬようひそかについてきたのだろう。敦子はその様子に微苦笑する。今や大揺れなのは警視庁内部ではなく、重大使命を帯びて緊張しきっている粉川の心そのものなのだ。

だが、笑いごとではなかった。乾精次郎は伝統ある厳粛なノーベル賞授賞式を、天国と地獄の天下分け目の戦いに見立て、混乱の極に陥《おとしい》れようとしているに違いないのである。

25

花とマイクに囲まれた演壇に立つ医学者カルル・クランツ博士の、医学生理学賞の受賞者を紹介する演説が今、スウェーデン語で行われていた。ステージに向かいあった一階最前列の椅子《いす》にはスウェーデン国王が掛け、礼装した受賞者たちと委員たちがステージ上の左右に分れて掛けている。広い式場を埋めた二千人余の参列者は厳粛に、ひっそりと静まっていた。午後五時に式典が始まってからもう一時間経《た》っている。これまでのところ、何も変ったことは起っていないかに見えた。しかし敦子には建物全体にびりびりと空気を顫動《せんどう》させているかすかな電気の充満が感じられた。

来ているわ。

乾精次郎の存在はあきらかだったが、それを恐れることは自分の恐怖心が具現することにつながる。しかし一方で、彼女はなかばあきらめてもいた。遅かれ早かれこの式典が大混乱に見舞われることは確実とも言えた。日本での騒ぎが遠く離れたスウェーデンのこの式場に波及するのではないかと恐れている者は日本からの招待客を含め、極めて少数だった。殆《ほとん》どの参列者は極東の異国で持ちあがっている騒動を知らないか、知っていても馬鹿《ばか》げた噂《うわさ》としてまったく度外視していた。

「あのう、今、王様の顔が、一瞬副理事長の顔になったよ」隣席の時田浩作が敦子の耳に囁《ささや》いた。

「怖がらないで」敦子も囁き返す。「それがあっちのつけめなんだから」

スウェーデン語はまったくわからない。乾精次郎とてそうなのだろう。わかるのなら、敦子と浩作への賛辞に対してとっくに何らかの反応を見せている筈《はず》だった。そのスウェーデン語の演説が終り、カルル・クランツ博士がやや声を張り、英語で簡単に授賞理由を述べはじめたので敦子は緊張する。もしこれが無事に終ればその時は、敦子と浩作は絨毯《じゅうたん》の上を歩いて手摺《てす》りのある階段をおり、国王のもとまで行って賞状と金メダル、それに小切手の入った封筒を受けとらねばならない。

「あなたが、精神病治療におけるサイコセラピー機器の発明と、その応用において多大の成果をあげられた功績に鑑《かんが》み、ストックホルムのノーベル財団は、あなたが本年度の医学生理学賞に選ばれたことを、ここに、それはもう、いやになるほどの暗黒のロマン主義が、この血の祭壇において血で浸され続けるのであります。血の中にこそ贖罪《しょくざい》の力はあり、生とは血にほかならず、この生、この血によって彼岸の生を償わねばならない」

敦子は浩作の手を握りしめた。「はじまったわ」

カルル・クランツ博士の声は下賤《げせん》にひび割れ、その姿が大きく歪《ゆが》みはじめた。

「ちくしょう。受賞させせまいとしてやがるんだ」浩作が呻《うめ》く。

「わはははははは」狂気の笑いとともにカルル・クランツ博士は醜い血まみれのグリフォンと化し、テーブルに上半身を乗せ、頭部のみ敦子にふり向けて咆《ほ》える。「女よ。お前の血を祭壇に捧《ささ》げる。女こそ不正と罪悪の大いなる基盤であり、不幸と恥辱の貯蔵庫であり」

怪物のさすがの大声も、たちまち式場を満たした悲鳴、叫喚、怒号にかき消されてしまった。最初に逃げ出したのはオーケストラ指揮台の上の指揮者だった。次いで国王の随員たちがいっせいに立ちあがって逃げまどう。外国からの招待者たちも、あるいは椅子ごと転倒し、あるいは気を失う。あまりにも近くの受賞者や委員、遠く二階特別席の受賞者の家族はただわが眼を疑って呆然《ぼうぜん》としているのみである。

ここで恐れて、自分の恐怖が形作る世界へ追いこまれてしまっては、逃げ場を失う。敦子は自分を励ますために浩作に言った。「しっかりして。ここで戦うしかないのよ」

「でも、どうやって」浩作は呼吸を弾ませていた。「戦う方法はないよ」

どうすれば今、夢の力を得ることができるのだろう。粉川利美はどこにいるのか。彼は招待客ではないから、この式場にはいない筈だ。どこにいるのか。

グリフォンが式場の高い天井を仰ぎ、中空に咆哮《ほうこう》した。青紫色の光が二階特別席のあたりに輝き、巨大なものが宙に浮かんだままステージへ近づいてくる。

大日如来《だいにちにょらい》の姿である。

一階中央の通路からも、武器をかざして何やら金色に輝く者が走ってきた。不動明王だった。顔を見ればあきらかに、大日如来は玖珂、不動明王は陣内である。グリフォンの咆哮はそれら東洋の偉大な存在に畏怖《いふ》してのものだ。怪物は向きを変え、跳躍し、敦子と浩作におどりかかろうとする。

銃声。グリフォンは身動きできないふたりの眼前で一転し、消滅した。ステージ後方のドアから駈《か》け出てきた粉川の拳銃《けんじゅう》が、あと数秒でグリフォンに咽喉笛《のどぶえ》を嚙《か》み切られていた筈のふたりを救ったのだ。周囲の者はすべて立ちあがり、悲鳴、怒号とともに右往左往している。新たな絶叫があちこちから聞こえてくる以上、当然あちこちに新たな怪物が出現していると考えねばならない。

「逃げよう」なまじ逃げ場がないことを知っているために立ちあがることもできないでいるふたりの前へ、能勢龍夫があらわれて叫ぶ。「いったんぼくの夢の中へ逃げ込むんだ」

そうか。日本は今、夜。能勢も陣内も玖珂も、眠り、夢を見ている時間であったのだ。敦子は咄嗟《とっさ》にそう悟る。敦子と浩作を襲っている乾精次郎の夢を傍受した彼らが、その夢の中を通過してふたりを救いに現実へあらわれたのであろう。

「そうしてください」逃げる人波にさからってふたりの前にたどりついた粉川が、息をはずませてそう言う。

夢中存在の能勢はその超現実的な能力で現実を変えた。能勢、敦子、浩作の三人は今、遠くの山なみに続く一面の畠《はたけ》の中、広い街道に立っていた。パプリカにはおなじみの、煙草屋《たばこや》の前、バス停の表示の立つ場所である。

「わたしの故郷のはじまりの場所です」能勢が夢の中の口調で浩作に言う。「一連の夢の基幹とも言えるトポスなのですが」あとはことばにならない呟《つぶや》き。

「ここで立ち話ですか」浩作は興味なさそうに言った。「どこか、相談できる場所はないの。落ちついて副理事長をやっつける方法を相談できるところ」

「それなら」能勢はすぐ、ふたりを伴い、大学生時代によく通ったあのお好み焼屋のひと隅へ移動する。

鉄板のテーブルを囲んだ三人を、周囲の席の客がじろじろと見る。学生の男女が多いようだ。以前と様子が変ったな、と、能勢は思う。夢の中にも歴史はあるのかな。もしかするとこのお好み焼屋は現在も存在し、これは現実なのでは。

「陣内さんと玖珂さんはまだ、戦っているのかしら。粉川さんも、あそこで」

「いや。怪物は消えましたよ」いつの間にかカウンターに向かい、三人に背を向けて掛けていた陣内が振り返った。もう不動明王の姿ではないが、精悍《せいかん》さはそのままだ。「その副理事長とやら、ここいらに出現するんじゃないでしょうか。なあ」

タキシード姿に戻っている隣席の玖珂が振り返り、無言で頷《うなず》いた。

「でも、式場はもう、収拾のつかない大混乱でしょうね」敦子は嘆息した。「ノーベル賞がおじゃんだわ」

「夢の力で、なんとか時間を開会前に戻しますよ」頼り甲斐《がい》のありそうなうっすらとした笑みで玖珂は言った。「しかしその前に、乾精次郎なる男を討伐しなければならんでしょう」

彼を簡単に「討伐」できるものなら、今までにやっているのだ。う一んと唸《うな》って皆が考えこむ。うす汚れた小さなお好み焼屋の、彼らとは反対側の片隅のテーブルに、いつの間にか向かいあって掛けていたスウェーデン国王とカルル・クランツ博士が、眼をぱちぱちさせて周囲を見まわしている。

「来たわ」敦子が呻くように言う。

乾精次郎の憎悪《ぞうお》がこの能勢の夢に流れこんできている。いや。ここは本来は能勢の夢なのであろうが、今はもう誰の夢なのかさだかでなくなっている。全員が乾の夢に引きずりこまれてしまう可能性もあった。

「にくにくしい、黒いものが内臓の内、外、内に思えはじめましたね」能勢も言う。

「とげとげしい。これほどのものはぼくの中にはない」

お好み焼屋の片隅の一同は、密林の中に移動していた。なぜか玖珂のみがいない。そこには乾の熱い精気がより充満していた。しかし乾の夢でないことはあきらかだ。ここはモロー博士の島だと能勢は思い、それはすぐ全員に伝わる。物語の内容をうすぼんやりと知覚し、よしとばかりに陣内がナイフを出して逆手に握りしめる。そう。対決よ。パプリカになった敦子がそう言う。それにここだと、あちこちに味方がいるわ。

「ぼくは死んでしまったけれど」正面に泥だらけの白衣を着て見あげるほどに巨大化した氷室があらわれ、小さくまん丸い眼を向けて哀れっぽく言う。「殺された恨みは忘れていないんだ。その死んだ時の意識の残り。それはこのあたりにいっぱい残留していて」

「わあ」浩作は恐ろしさに咆え返し、下生えの中にうずくまる。

陣内が氷室の眼に投げつけたナイフも夢の中では効果がなく、ただ氷室の顔をより不気味にして浩作を脅《おび》えさせるだけなので、能勢はあの空虚な感じのする旧友たちとの夢の中での取っ組みあいを思い出しながら「行け」と叫んでやみくもに氷室におどりかかっていく。能勢の心から呼び出され、下生えの中から出て能勢とともに氷室に武者ぶりついたのは襤褸《ぼろ》をまとった数人の獣人、高尾、秋重、篠原たちのようだ。

氷室は瞬間、乾の顔になって消えた。さすがの乾も見知らぬ不気味な獣人たちの突然の襲撃に驚いたのであろう。

周囲は大聖堂の中だ。赤黒い光が充満している。この場に入れなかったのか、締め出されたのか、陣内はいなくなり、かわりに島寅太郎が加わっていた。

「ここは危険だ」と、島が言う。「あきらかに乾君の夢の中だよ。わたしは夢でここへ何度もつれてこられて、いやな目に」

「では、また、わたしの、わたしの夢に」能勢は深く眠ってしまいそうになる自分に堪えながら、パプリカたちをいざなう。「そして旅なのか、これは。皆さんをお連れできて、私の、しあわせ。マージナルに乗って行きます」

日本旅館の一室。昼さがりの青空と陽光。窓からは畑が見えた。虎竹《とらたけ》旅館のようだ。島も時田もいなくなり、和室にはパプリカと能勢のふたりだけ。皆がそれぞれの夢に戻ったのだとしても、浩作はどうしたのか。乾の夢の中へ拉致《らち》されたのではあるまいか。障子が両方に開くと隣室には柿本信枝が崩れた浴衣《ゆかた》姿で横座りし、おどろおどろしく髪を片側に流し、崩れた陰唇を剝《む》き出しにしてこちらを睨《にら》んでいる。

「はかない恋。あたしの自前の悲しみでしたから。嚙《か》み殺してやりたいわ。お前を」

このての妖怪《ようかい》は能勢の最も忌《い》み嫌うところのものだ。恐ろしさと淫猥《いんわい》さに辟易《へきえき》して彼は窓際《まどぎわ》まで逃げ、畑で野菜を売っている難波に助けを求めた。「わーい。怖いよう。難波難波難波。来てくれ。助けてくれえ」

だが難波は笑いながらかぶりを振り、巨大なトマトに乗って街道の上空、といっても地上ほんの三メートルほどの宙を彼方《かなた》へ飛んでいってしまう。

「そうよ」パプリカはいう。「これはわたしの恐怖心です。それを副理事長に利用されてるの」

「そんなら寅夫。来い」能勢はなぜか息子の名前を呼んだ。

「寅夫」とは叫んだものの、彼の心にあるのは虎竹貴夫のイメージだ。床の間から出現した巨大な虎が柿本信枝に襲いかかる。すでに崩れかかっていた彼女は本当に崩れ、不定型の肉体で虎にまつわりつき、食べられて血を流した。

実は乾精次郎との息詰まるほどの戦いを展開しているのだ、と、パプリカは認識している。今のところは互角だろう。しかし彼を討つほどには到《いた》っていない。彼を「討伐」するとは彼をどのような状態にすることなのだろう。強固な自我を崩壊させることなのだろうか。それは如何《いか》にして可能か。

それは如何にして可能か。

またしても大聖堂の中だ。ちょっと油断すればすぐ、乾精次郎の夢に取りこまれてしまう。しかしこの大聖堂たるや、今しがたノーベル賞授賞の式典が行われていたあの音楽堂の内部になんとよく似ていることだろう。誰もいない伽藍《がらん》の中。パプリカはひとりだ。中央の祭壇には十字架にかけられた等身大のキリスト像が立っている。苦痛に身をくねらせ続けているキリストの裸体は色白で、滑らかな皮膚に鮮血が流れ、煽情《せんじよう》的だ。

なぜ自分にとってキリストの像がこんなにも蠱惑《こわく》的なのか。パプリカは叫んでしまった。キリストは小山内守雄だった。だからこそ血を流し、顔を美しく歪めて苦しむその姿がかくもエロチックなのだ。ではこれが乾精次郎の心にあるキリストのイメージであり、彼の信仰の対象なのか。

「女め」乾の銅鑼声《どらごえ》が響きわたる。「この夾雑物《きょうざつぶつ》め。人生の邪魔物め。流木め。毒虫め。浮遊物め。潰《つぶ》れてしまえ。ずたずたに切り刻まれてしまえ。その残骸《ざんがい》を祭壇に供えてやるぞ」

ステンドグラスが割れ、破片がパプリカに襲いかかった。逃げ場がない。椅子《いす》の下にもぐりこもうとするが、床が波うち続けていてそれも危険なのだ。能勢が、浩作が、陣内や玖珂が、けんめいに彼女を助けようとしている気配が感じられた。乾は彼らを自分の夢から排除し、最初の犠牲をパプリカひとりに絞っているのだった。

ビニールの膜を破るようにして身をくねらせ、能勢は彼方にいるパプリカを救うため、なんとか乾の夢に入りこんだ。夢の中に存在しているいつもの時のあの非現実的な大胆さと、夢なればこそたかまる非常識なほどのパプリカへの熱い思いに衝《つ》きあげられて、彼はいわば殴り込みをかけたのだった。出たところは祭壇の真下だ。瞬間、能勢には、激しい愛と憎しみにひび割れた乾の前意識の殻の間からその無意識層が視覚の中に入った。夢なればこその論理でもって今、彼は乾精次郎に攻撃を加えるのだ。

能勢は祭壇に跳びあがり、小山内守雄そのものであるキリストの腰布をひっぺがした。そこにそうあれと能勢が夢の力で強く祈念した通り、キリストの股間《こかん》には女性性器が存在した。

「わはははははははははははは」

乾精次郎の狂笑が伽藍を満たす。天井は剝落《はくらく》し、ステンドグラスの破片は舞い踊る。それらは鼠《ねずみ》の死体、ドイツ語の辞書、ワイングラス、万年筆、蠍《さそり》、猫の首、注射器など、もろもろの雑多なモノとなって空間を満たし、時には竜巻きとなり時には怒濤《どとう》となって飛び狂う。

「発狂したぞ」時田浩作の声がどこかで叫んでいた。

だが、狂乱は一瞬だった。

大聖堂は消えて、どのような状態に陥ったのか不明の乾精次郎を除き、今、それぞれがそれぞれの夢とそれぞれの現実に戻ろうとしている。

玖珂はこの瞬間に間合いを測っていた。自分の持つ夢の力をすべて時の逆行に振り向けたままで待機していたのだ。過去へ戻りたがる夢の性質を利用して、彼は特定の時間を夢に蘇《よみがえ》らせようとしていた。それは成功したが、玖珂にはからだと精神に余力が残らず、彼は意識を失い、混沌《こんとん》の中に落ちた。

カルル・クランツ博士が英語で喋《しゃべ》りはじめている。「あなたが、精神病治療におけるサイコセラピー機器の発明と、その応用において多大の成果をあげられた功績に鑑《かんが》み、ストックホルムのノーベル財団は、あなたが本年度の医学生理学賞に選ばれたことを」

26

店内に、「P・S・アイラヴユー」が流れていた。茶褐色の店内のひと隅、そこだけ個室のようになったラジオ・クラブの広いボックス席では、ほんのさっきまでのようだった濃密な過去を反芻《はんすう》して懐《なつ》かしみ、現在の無事を喜ぶ宴《うたげ》が静かに続いていた。

「あそこにあんな部屋があろうとは」島寅太郎がいささか憮然《ぶぜん》として言う。「わたしも、ほかの誰も知らなかった。ずっと飲まず食わずで眠り続けていたんでしょうね」

乾精次郎は精神医学研究所付属病院の地下二階にある、今は忘れ去られていた拘禁室の中で息絶えているのが発見されたのだ。

「あそこに潜んで、ノーベル賞授賞式典の当日まで精神力を温存していたんでしょう」粉川利美が感嘆を混えた溜息《ためいき》でゆっくりと何度もかぶりを振る。「身の破滅も覚悟して、彼はDCミニをつけたままでした。DCミニは彼の頭蓋《ずがい》の中に埋没して、灰色の底面の上は薄く頭皮に覆《おお》われていた。いやはや、憎悪に満ちた執念の力というのは凄《すご》い」

「死んだのはやはり、われわれとのあの戦いの直後なんだろうね」能勢龍夫が訊《たず》ねる。

「そうだろう。あれ以後死体の発見までまったく出現しなかったからな。われわれの夢にも現実にも」粉川が頷く。「あの敗北でエネルギーを使い果したんだよ」

「一瞬、発狂したようにも思えたが」

「ええ。発狂しましたね」そう言ってから、時田浩作は粉川に訊ねた。「副理事長があそこにいることを、小山内は知っていたんですか」

「むしろ小山内守雄が、彼をあそこへかくまったのだと思います。氷室もあそこに拘禁されていたようです」

小山内守雄は氷室殺害の容疑で取り調べを受けていた。

「氷室。それに橋本。あいつら。可哀相《かわいそう》にな」浩作が苦痛をあからさまに示してうなだれた。「皆が発狂していたんだ。最初から。ぼくも含めて皆が」

そのことばに、全員が不安を見せ、身じろぎした。DCミニの残留効果、いや。それどころではない。増大する筈《はず》のアナフィラキシー。より過敏になっていく筈の免疫《めんえき》過敏性。皆が思い出し、しかし口には出せない恐怖なのだ。誰かがそれを忘れさせてくれなければ。誰かが。

千葉敦子は隣りの席の浩作の手の甲を叩《たた》きながら明るく言った。「でも津村君、柿本さんは快方に向かっています」浩作のためには平気で図太くなれる自分が今、敦子は誇らしかった。

「皆さまお代わりは」玖珂が満面に円い笑みを浮かべて敦子の傍らに立った。

「そうだ。全員揃《そろ》ったところで乾杯しようなんて言ってながら、まだしていないぞ」能勢が言って玖珂を振り返る。「よし。みんなにそれぞれ、同じものを」

「皆さま同じものを。はい」ひどくしあわせそうに玖珂は一礼した。

「君、からだはもういいのか」

島寅太郎が訊ねると、玖珂はまたていねいに頭を下げた。「衰弱はほんの一時的なものでして、今はご覧の通りでございます」両腕を広げた。

「以前よりも肥《ふと》ったそうですよ」カウンターの中から陣内が笑っていう。

「ところで、夫婦でノーベル賞を受賞した例はあるが、受賞者同士が結婚した例はないそうですな」能勢が言った。「あなたがたの式はいつですか」

「まあ、この受賞騒ぎが一段落してから」ぼそぼそと浩作は言った。「記者会見なんかもやらずに、こっそりと」

「皆様には申しわけございません」敦子は頭を下げた。

そのことばの、ここにいる者だけにわかる秘密の、そしていささか不道徳な意味に、一同は笑う。グラスが運ばれてきて、玖珂やカウンターの陣内もグラスを持たされ、全員は敦子と浩作の受賞と婚約を祝い、乾杯した。

「パプリカとも、お別れです」敦子は念を押すようにそう言って男たちを見まわす。

「これを機会に、もうどんなことがあっても、パプリカは出動いたしませんので」

「そうだろうなあ」島は悲しげに言う。「しかたがないんだろうなあ。あの可愛《かわい》い、美しいパプリカは死んだのかあ」

「死にました」敦子は微笑を浮かべた。「もうどこにも存在しません」

「いや。そんなことはないよ」能勢が凭《もた》れから背を起した。「パプリカは生きているよ。多くのスーパー・アイドルたちと同じで、ここにいる男たちの胸に永遠に生きているよ。少なくともぼくは忘れない」

「でも、会えないのじゃなあ」粉川が大きく詠嘆した。

「いや。会えるさ」しかし能勢はけんめいに言いつのるのだった。「会おうと思えば、いつだって夢で会えるんだよ。本当に会いたい時は、会いたいと切実に思いさえすれば、必ず彼女は夢にあらわれてくれるだろう。ぼくはそう確信している。それはきっと独立した人格のパプリカだろうね。彼女は今までと変らず、ぼくたちに笑いかけ、話しかけてくるに違いないよ。あの花のような美しさで、繊細なやさしさで、それから勇気を伴ったあの知性で」

27

店内に「P・S・アイラヴユー」が流れている。茶褐色の店内に客はいない。いつものように、カウンターの中で陣内はグラスを磨き、玖珂はドアの内側に立っている。

おや、と、陣内はちいさく首を傾《かし》げた。今そこの、いちばん奥のボックス席に何人かの客がいて、静かな会話とおだやかな笑いでさんざめいていたようだったが。

その数人の客は、現実でも会い、夢でも親しく会っていた上品な懐《なつ》かしい人たちだ。あの人たち、来てくれないかなあ、と、陣内は思う。あの人たちが来てくれなくなってから、もうどれくらいの時間が経《た》ったのだろう。

顔をあげると、ドアの手前には親しい友の背中がある。玖珂のその背中はいつものように微動もしない。陣内は彼に声をかけずにいられなくなった。

「なあおい。おれたち、戦っていたんだったよなあ」

陣内に向けないままの玖珂の顔にうっすらと浮かんでいた微笑が、こころもち濃くなった。彼は、眠っているような眼をしたままで答える。「ああ。おれたちは、戦っていた」

うん、うんと頷《うなず》いてふたたび陣内はグラス磨きに戻る。彼は満足そうな笑みを浮かべ、今にもくすくす笑いをしそうな口をした。しばらくして、彼はもう一度確認するように、玖珂に声をかけた。「で、おれたち、勇敢だったよなあ」

唸《うな》るような声で、玖珂は言った。「ああ。勇敢だった」

陣内は嬉《うれ》しげにグラス磨きに力を籠《こ》める。だが、どうしても腑《ふ》に落ちないことがある。それに気づいて、彼は真顔に戻り、自分に言うでもなく、玖珂に訊ねるでもない質問をつぶやく。「それで、あれはやっぱり、夢だったのかなあ」

玖珂は答えない。陣内に背を向けたままの玖珂は、瞑想《めいそう》に耽《ふけ》っているように瞼《まぶた》を落している。その答えを知っているのかいないのか彼の顔の笑みは、ますます仏像のそれに近づいていくのだった。

解説

斎藤美奈子

『夢の木坂分岐点』のめくるめく世界をも彷彿《ほうふつ》させる夢というテーマ。『家族八景』『七瀬ふたたび』『エディプスの恋人』三部作の七瀬にも通じるチャーミングなヒロイン。そして、これでもか！　というほどに繰り広げられる物語終盤のスラップスティック。――『パプリカ』は筒井ファンにはこたえられないだろう要素をたっぷりと盛り込んだ、サービス満点の長篇娯楽小説である。

一九九〇年を挟んだ数年間、筒井康隆は五十音が一音ずつ消えていく『残像に口紅を』、新聞連載という形式を逆手にとってパソコン通信との連動を目論《もくろ》んだ『朝のガスパール』など、実験性とイタズラ心に富んだ小説を次々に発表し、従来のSFファン、筒井康隆ファン以外にも読者層を広げていた。

女性誌「マリ・クレール」に連載された『パプリカ』は、そんな中では実験性を薄めてエンタテインメント性を重視した、（筒井康隆にしては）オーソドックスなSF作品として受けとめられた印象がある。つけ加えれば『パプリカ』の発表後、彼は断筆宣言をして三年三か月の休筆期間に入ってしまう。その意味では断筆前の最後の小説として、記憶に残っている読者もいるかもしれない。

さて、実験性が薄いといったけれども、そこは筒井康隆だ。『パプリカ』の魅力はなんといっても夢と現実が交錯する物語の構造それ自体にある。こういうタイプの小説を語るには、たとえばフロイト、ユング、ラカンといった精神分析学の系譜を参照してナニガシかの分析を試みたりすべきなのかもしれない。あるいは、パラレルワールド、サイバースペース、サイコホラーなんていうSF用語を駆使しつつ、ナニガシかを語るのが筋なのかも。ところが、トホホ、私にそっちの素養はまるでない。そういうのはたぶん、読者のみなさんのほうがよく知っているのではなかろうか。

仕方がないので、こんな話からはじめよう。

以前、子どもむけの科学図書の編集をしていたとき、脳のしくみを教える本の「どうしてゆめをみるんだろう」の項で、ライターをしていた私は、お医者さんがしてくれたお話を嚙《か》み砕いてこんな風に書いたことがある。

「レムすいみんに入ると、脳の活動は、起きているときとはがらりとかわります。／大脳皮質に入ってくる情報は少なくなり、じゅんじょ正しく考える力はうしなわれます。ところが、この間も、内がわの古皮質は、起きているときに近い状態ではたらいていま す。だから、ゆめの中では、前の記憶がでたらめに出てきたり、めちゃくちゃなことが

おこったりするのです」（田澤俊明・お話『からだを知る本11　脳みそは考えた――脳と神経』草土文化・一九九二）

かなり乱暴な説明ではあるけれど、小学生相手なら、まあまあこれでオッケーだろう。ちなみに大脳の古皮質・新皮質の説明はこうである。

「古皮質は、大脳の内がわのさらに中央の部分で『辺縁系』ともいいます。いろいろな感情をひきおこしたり、内臓のはたらきを助けたり、記憶をしまっておく場所といわれています」

「大脳皮質（新皮質）は、古皮質より外がわの部分で、おもに、なにかを考えたり、ものごとを理解するといった、人間ならではの仕事を受けもっています」

大脳（ひいては意識や記憶）の世界は、二重構造になっているのだった。

そこで話を『パプリカ』に戻すと、そうなのだ、この小説のキーワードもまた「二重構造」なのである。しかし、この二重構造は一筋縄ではいかない。『パプリカ』という物語自体が大脳の二重構造を踏襲し、なおかつ「夢」に限りなく近い流れに沿って語られているのである。

●夢の世界の二重構造

おわかりのように、『パプリカ』は「夢／現実」という二つの世界を行き来する物語である。二つの世界をつなぐために、物語にはさまざまな機器が導入されている。まず夢を映像として取り出すためのPT（サイコセラピー）機器と呼ばれる装置。夢をビデオカメラのように記録し、それをビデオモニターのような装置で再生する。夢を可視化する。この仕掛けがまずおもしろい。夢にも、しかし何種類かあって、主人公のパプリカは午前二時前に目を覚ましてしまったクライアントにこう説明する。

〈今の時間に見る夢はだいたい短いんだけど、情報が凝縮されてるわ。芸術的短篇映画ってところかな。朝がた見るのは一時間ほどもある娯楽的な長篇特作映画〉

『パプリカ』のもうひとつの重要な仕掛けは、PT機器を使えば、他人の夢にジャック・インしてその中の登場人物にもなれる、という設定だ。ここにあるのは「自分の夢／他人の夢」あるいは「人物Aの夢／人物Bの夢」という二重構造だ。じじつパプリカは、セラピーの途中からクライアントの夢の中に入りこみ、抜群の治療効果をあげてきたわけだが、よーく考えてみると、これはかなり複雑怪奇な話なのである。というのも「夢」っていうのは、圧倒的な一人称の世界だからだ。一人称の映像と一人称の映像がぶつかったらどうなっちゃうのか？

しかも、同僚の時田浩作《こうさく》が開発中の「DCミニ」なるものをめぐって、物語はさらに複雑な様相を呈しはじめる。DCミニは、PT機器の超小型高性能モバイル版（？）ともいうべき装置であり、これを使えば同床異夢ならぬ異床同夢の交信が可能になる。こうなるともう、物語は二重構造どころか何人もの夢が交錯した多重構造の世界であり、どれがだれの妄想やら、どこまでが夢でどこからが現実やら、その区別もつかなくなってくる。

第一部では整合性を保っていた（新皮質的？）世界が、後半はぐずぐずに崩れた（古皮質的？）世界に支配される。まったくＲＥＭ睡眠における「夢」のようである。

●ヒロインの二重構造

本編の主人公は千葉敦子《あつこ》、精神医学研究所に勤務する優秀なサイコセラピストである。その彼女はしかし、特別な場合にだけ、パプリカというコードネームの少女に変身し、夢探偵として他人の夢に入りこんでいく。つまりここではヒロインも二重構造になっているわけだ。

にしても、パプリカという少女のありようはどうだろう。変身前の千葉敦子も十分すぎるほどチャーミングであり、物語に登場する男たちほぼ全員（！）の寵愛《ちょうあい》を受けたりもしているので、彼女自身はジキルとハイドのような二重人格者ではない。ないがしかし、なぜ千葉敦子は夢探偵になるときだけ少女に変身しなければならなかったのか。『パプリカ』が最初に本になったとき、「ヒロインの千葉敦子＝パプリカが男にあまりに都合のよい女なのが嫌」という感想を述べていた女性読者を私は複数知っている。俗流フェミニズム批評式の印象だけを述べれば、たしかにそれはそうなのだ。

しかし私は、パプリカが夢探偵として潜入する先が、すべて地位も名誉もあるひとかどの男性（の夢）である点に興味をひかれる。ありていにいって、パプリカは「オジサンの妄想の産物」みたいなキャラクターだったりしないだろうか？　さらにいえば千葉敦子だって男の妄想の産物といえば産物だ。彼女はつまり「知的な大人の女性も、キュートな少女もどっちもいいなあ」という男たちの願望を丸めて団子にしちゃったような女性像なのである。

そのパプリカが、物語の第二部では、あたかも「エイリアン2」の女主人公のように「戦うヒロイン」として大活劇を演じる。この筋立ては、まさに物語の前半でパプリカ自身が述べていた「娯楽的な長篇特作映画」を見ているような気分に読者を誘う。能勢《のせ》や粉川によって再現された「芸術的短篇映画」から、登場人物総出演の「長篇特作映画」へ。『パプリカ』自体が「夢」であるならば、千葉敦子は男たちの夢に奉仕するために、ぜひともパプリカに変身しなければならなかったのだと思う。

●物語の二重構造

『パプリカ』というテキストは、それ自体がREM睡眠における「夢」みたいなところがある。「夢オチ」なる言葉まであるように、物語にとっての「夢」は魅力的だが扱いにきわめて慎重を要する危険な素材だ。それをこんな風に料理できる作家は、日本には筒井康隆しかいないだろう。夢という無意識の世界を扱う彼の手つきは、きわめて「意識的」である。

読んでいるうちに、私たちはだんだん不思議な気分になってくる。『パプリカ』という物語を語って（夢を見て）いるのはだれなのか。

私には陣内と玖珂《くが》という「中年コンビ」があやしく思える。この二人は物語の中では完全な脇役《わきやく》、ラジオ・クラブという不思議なバーのマスターとウェイターだ。ラジオ・クラブはパプリカに変身した千葉敦子が、クライアントと会う場所として設定されている。つまりこのバーは、現実と夢、あるいは千葉敦子とパプリカの境界線上に位置しており、物語の中で唯一《ゆいいつ》の「外部」ともいえるメタフィクショナルな雰囲気を保っているのである（余談ながら、この店でしょっちゅうかかっている「P・S・アイラヴユー」は一九六二年にリリースされたビートルズのデビュー曲。また、物語の冒頭で能勢龍夫が自らの夢とからめて語る「ドクター・ノオ」は「００７は殺しの番号」の邦題で公開された００７シリーズの第一作で、やはり一九六二年の作品である。物語の中にさりげなく刻印される一九六二年。もしかしてこれは千葉敦子が生まれた年ではなかっただろうか、なんて想像もかきたてる）。

物語にこういう場所、人物、そして時間軸を挿入することで、『パプリカ』は何を狙《ねら》ったのだろう。私には『パプリカ』という物語世界のさらなる相対化が意図されているように見えるのだ。それはいったい誰の意志なのか。筒井康隆か。物語の外にいる謎《なぞ》の語り手か。それは杳《よう》としてわからない。ひとつだけいえるのは、夢と虚構は限りなく相似形だということだ。

物語のラストに登場する陣内と玖珂の静かで意味深な会話。このラストシーンが私はなんだか好きなのだけれど、それはこのシーンが、『パプリカ』の物語にはさらに「外部」があることをやんわりと示唆《しさ》し、読者に「覚醒《かくせい》」を促しているように見えるせいかもしれない。

（二〇〇二年九月、文芸評論家）

この作品は平成五年中央公論社より刊行された後、平成九年中公文庫として刊行された。

筒井康隆著

家族八景

テレパシーをもって、目の前の人の心を全て読みとってしまう七瀬が、お手伝いさんとして入り込む家庭の茶の間の虚偽を抉り出す。

筒井康隆著

七瀬ふたたび

旅に出たテレパス七瀬。さまざまな超能力者とめぐりあった彼女は、彼らを抹殺しようと企む暗黒組織と血みどろの死闘を展開する！

筒井康隆著

エディプスの恋人

ある日、少年の頭上でボールが割れた。強い〝意志〟の力に守られた少年の謎を探るうち、テレパス七瀬は、いつしか少年を愛していた。

筒井康隆著

旅のラゴス

集団転移、壁抜けなど不思議な体験を繰り返し、二度も奴隷の身に落とされながら、生涯をかけて旅を続ける男・ラゴスの目的は何か？

筒井康隆著

笑うな

タイム・マシンを発明して、直前に起った出来事を眺める「笑うな」など、ユニークな発想とブラックユーモアのショート・ショート集。

筒井康隆著

狂気の沙汰も金次第

独自のアイディアと乾いた笑いで、狂気と幻想に満ちたユニークな世界を創造する著者のエッセイ集。すべて山藤章二のイラスト入り。

筒井康隆著

おれに関する噂

テレビが突然、おれのことを喋りはじめた。そして新聞が、週刊誌がおれの噂を書き立てる。黒い笑いと恐怖が狂気の世界へ誘う11編。

筒井康隆著

富豪刑事

キャデラックを乗り廻し、最高のハバナの葉巻をくわえた富豪刑事こと、神戸大助が難事件を解決してゆく。金を湯水のように使って。

筒井康隆著

夢の木坂分岐点

谷崎潤一郎賞受賞

サラリーマンか作家か？　夢と虚構と現実を自在に流転し、一人の人間に与えられた、ありうべき幾つもの生を重層的に描いた話題作。

筒井康隆著

虚航船団

鼬族と文房具の戦闘による世界の終わり――。宇宙と歴史のすべてを呑み込んだ驚異の文学、鬼才が放つ、世紀末への戦慄のメッセージ。

筒井康隆著

最後の喫煙者

―自選ドタバタ傑作集1―

「ドタバタ」とは手足がケイレンし、耳から脳がこぼれるほど笑ってしまう小説のこと。ツツイ中毒必至の自選爆笑傑作集第一弾！

筒井康隆著

懲戒の部屋

―自選ホラー傑作集1―

逃げ場なしの絶望的状況。それでもどす黒い悪夢は襲い掛かる。身も凍る恐怖の逸品を著者自ら選び抜いたホラー傑作集第一弾！

筒井康隆著
傾いた世界
—自選ドタバタ傑作集2—

正常と狂気の深～い関係から生まれた猛毒入りユーモア七連発。永遠に読み継がれる傑作だけを厳選した自選爆笑傑作集第二弾！

筒井康隆著
ロートレック荘事件

郊外の瀟洒な洋館で次々に美女が殺される！史上初のトリックで読者を迷宮へ誘う。二度読んで納得、前人未到のメタ・ミステリー。

筒井康隆著
ヨッパ谷への降下
—自選ファンタジー傑作集—

乳白色に張りめぐらされたヨッパグモの巣を降下する表題作の他、夢幻の異空間へ読者を誘う天才・筒井の魔術的傑作短編12編。

宮部みゆき著
魔術はささやく
日本推理サスペンス大賞受賞

それぞれ無関係に見えた三つの死。さらに魔の手は四人めに伸びていた。しかし知らず知らず事件の真相に迫っていく少年がいた。

宮部みゆき著
かまいたち

夜な夜な出没して江戸を恐怖に陥れる辻斬り〝かまいたち〟の正体に迫る町娘。サスペンス満点の表題作はじめ四編収録の時代短編集。

宮部みゆき著
火車
山本周五郎賞受賞

休職中の刑事、本間は遠縁の男性に頼まれ、失踪した婚約者の行方を捜すことに。だが女性の意外な正体が次第に明らかとなり……。

星新一著 **気まぐれ指数**

ビックリ箱作りのアイディアマン、黒田一郎の企てた奇想天外な完全犯罪とは？ 傑出したギャグと警句をもりこんだ長編コメディー。

星新一著 **ほら男爵現代の冒険**

〝ほら男爵〟の異名を祖先にもつミュンヒハウゼン男爵の冒険。懐かしい童話の世界に、現代人の夢と願望を託した楽しい現代の寓話。

星新一著 **ボンボンと悪夢**

ふしぎな魔力をもった椅子……。平和な地球に出現した黄金色の物体……。宇宙に、未来に、現代に描かれるショート・ショート36編。

星新一著 **悪魔のいる天国**

ふとした気まぐれで人間を残酷な運命に突きおとす〝悪魔〟の存在を、卓抜なアイディアと透明な文体で描き出すショート・ショート集。

星新一著 **おのぞみの結末**

超現代にあっても、退屈な日々にあきたりず、次々と新しい冒険を求める人間……。その滑稽で愛すべき姿をスマートに描き出す11編。

星新一著 **マイ国家**

マイホームを〝マイ国家〟として独立宣言。狂気か？ 犯罪か？ 一見平和な現代社会にひそむ恐怖を、超現実的な視線でとらえた31編。

星新一著

妖精配給会社

ほかの星から流れ着いた〈妖精〉は従順で謙虚、ペットとしてたちまち普及した。しかし、今や……サスペンスあふれる表題作など35編。

星新一著

宇宙のあいさつ

植民地獲得に地球からやって来た宇宙船が占領した惑星は気候温暖、食糧豊富、保養地として申し分なかったが……。表題作等35編。

星新一著

午後の恐竜

現代社会に突然巨大な恐竜の群れが出現した。蜃気楼か？　集団幻覚か？　それとも立体テレビの放映か？――表題作など11編を収録。

星新一著

白い服の男

横領、強盗、殺人、こんな犯罪は一般の警察に任せておけ。わが特殊警察の任務はただ、世界の平和を守ること。しかしそのためには？

星新一著

たくさんのタブー

幽霊にささやかれ自分が自分でなくなってあの世とこの世がつながった。日常生活の背後にひそむ異次元に誘うショートショート20編。

星新一著

妄想銀行

人間の妄想を取り扱うエフ博士の妄想銀行は大繁盛！　しかし博士は、彼を思う女からとった妄想を、自分の愛する女性にと……32編。

フロイト
高橋義孝訳

夢判断（上・下）

日常生活において無意識に抑圧されている欲求と夢との関係を分析、実例を示して詳しく解説することによって人間心理を探る名著。

フロイト
高橋義孝
下坂幸三 訳

精神分析入門（上・下）

自由連想という画期的方法による精神分析の創始者がウィーン大学で行なった講義の記録。フロイト理論を理解するために絶好の手引き。

河合隼雄著

働きざかりの心理学

「働くこと＝生きること」働く人であれば誰しもが直面する人生の〝見えざる危機〟を心身両面から分析。繰り返し読みたい心のカルテ。

河合隼雄ほか著

こころの声を聴く
—河合隼雄対話集—

山田太一、安部公房、谷川俊太郎、白洲正子、沢村貞子、遠藤周作、多田富雄、富岡多恵子、村上春樹、毛利子来氏との著書をめぐる対話集。

河合隼雄著

こころの処方箋

「耐える」だけが精神力ではない、「理解ある親」をもつ子はたまらない——など、疲弊した心に、真の勇気を起こし秘策を生みだす55章。

河合隼雄
村上春樹 著

村上春樹、河合隼雄に会いにいく

アメリカ体験や家族問題、オウム事件と阪神大震災の衝撃などを深く論じながら、ポジティブな新しい生き方を探る長編対談。

パプリカ

新潮文庫　つ-4-40

平成十四年十一月一日 発行
令和六年一月二十五日 二十四刷

著者 筒《つつ》井《い》康《やす》隆《たか》
発行者 佐藤隆信
発行所 株式会社 新潮社
郵便番号 一六二―八七一一
東京都新宿区矢来町七一
電話 編集部(〇三)三二六六―五四四〇
読者係(〇三)三二六六―五一一一
https://www.shinchosha.co.jp

価格はカバーに表示してあります。

乱丁・落丁本は、ご面倒ですが小社読者係宛ご送付ください。送料小社負担にてお取替えいたします。

印刷・錦明印刷株式会社　製本・加藤製本株式会社

ISBN978-4-10-117140-1 C0193